D1241702

BRANGELINA

La véritable histoire de Brad Pitt et Angelina Jolie

Ian Halperin

BRANGELINA

LA VÉRITABLE HISTOIRE DE BRAD PITT ET ANGELINA JOLIE

Ouvrage établi sous la direction
de Stéphane Berthomet

Transit Montréal
1996, bd St-Joseph Est
Montreal, QC
H2H 1E3
Canada

Transit Paris
66, rue Escudier
92100
Boulogne-Billancourt
France

Transit New York
265 Canal Street,
Suite 603B New York,
New York 10013
U.S.A

Éditeur : Stéphane Berthomet
Éditeur adjoint : Nicolas Fréret
Éditeur version anglaise : Timothy Niedermann
Traduction: Sébastien Chicoine et Sandrine Julien
Correction : Aimée Verret et Gervaise Delmas
Conception et mise en page : Nassim Bahloul
Couverture : François Turgeon et Pierre Pommey

Crédits photos :
Valery Hache/AFP/Getty Images
Lester Cohen/WireImage
François Durand/Getty Images
Sean Gallup/Getty Images
P. Lapoirie/Maxppp/ZUMA/KEYSTONE Press

Distribution France-Belgique-Suisse : Hachette Livre
Distribution Québec : Agence du livre (ADL)

Visitez notre site www.transitediteur.com

Dépôt légal 1er trimestre 2010
ISBN : 978-0-9812396-7-5

À MA FAMILLE, POUR SA PRÉSENCE DE TOUS LES INSTANTS.

À MA FILLE CLOVER-SKY, QUI M'APPORTE CHAQUE JOUR TOUTE LA JOIE ET LE BONHEUR DU MONDE.

SOMMAIRE

Introduction

Peut-être ai-je vu le film *Vol au-dessus d'un nid de coucou* trop souvent, mais lorsque j'ai infiltré l'hôpital psychiatrique où Angelina fut internée, je n'ai pu m'empêcher de ressentir une certaine nervosité.

Tout au long de ma carrière d'auteur et de documentariste, je me suis spécialisé dans les enquêtes sous couverture. Je me suis fait passer pour un mannequin afin de pénétrer le monde de la mode, pour un acteur homosexuel afin d'enquêter sur la Scientologie à Hollywood, pour un coiffeur afin de parvenir à rencontrer Michael Jackson, pour un paparazzi afin de faire la lumière sur les coulisses de l'industrie cinématographique, sans mentionner les nombreuses autres identités que j'ai eu à emprunter. Toutefois, ces enquêtes ne demandaient que de l'audace ; elles ne présentaient aucun risque réel.

Cette fois-ci, par contre, je faisais un cauchemar récurrent dans lequel on me démasquait et où je finissais comme Randle P. McMurphy, le personnage qu'incarnait Jack Nicholson dans ce film : un légume lobotomisé. Il s'agissait néanmoins de la seule façon possible de trouver une réponse à la question qui me taraude depuis longtemps et qui expliquerait la vie et la carrière remarquable d'Angelina Jolie : est-elle réellement folle, comme elle a déjà tenté de nous le faire croire, ou tout ça n'est-il que fumisterie ?

Même après avoir suivi Angelina et Brad pendant des années, même après avoir parlé à bon nombre de leurs amis et collègues, même après avoir assisté presque en direct à l'incroyable transformation de la starlette, je n'arrivais toujours pas à trancher. Une personne qui la connaît depuis plus de quinze ans affirme avec insistance qu'elle est toujours « folle comme un balai ». Même son père s'est fait l'écho de cette déclaration en mentionnant « ses problèmes mentaux » à la télévision nationale. Parallèlement à cela, plein de gens m'ont dit qu'elle avait tourné la page et que sa métamorphose en philanthrope doublée d'une idole hollywoodienne – une sorte de sainte Angelina – était non seulement sincère, mais inspirante.

Je sais trop bien qu'à Hollywood, rien n'est tel qu'il paraît. Cela fait près d'un siècle que cette ville tente de parfaire l'art de l'illusion, à l'écran comme dans la vie. Notre perception des vedettes est contrôlée de très près par une machine à relations publiques bien rodée, qui nous dévoile uniquement ce qu'elle veut bien. Faire le jour sur ces illusions afin de découvrir la vérité sur une vedette est très difficile, même pour un journaliste chevronné. Dans le cas d'Angelina Jolie, c'était pratiquement impossible. Donc, pour mieux la comprendre, j'ai décidé de visiter l'endroit où elle a atteint le fond du gouffre à peine huit ans auparavant, alors qu'elle s'est autodétruite pour des raisons qui demeurent encore obscures à ce jour.

C'est donc dans la peau d'un patient suicidaire que je me suis fait admettre dans l'aile psychiatrique où Angelina a passé les soixante-douze dernières heures de ce que l'un de ses amis a appelé avec justesse le « cocon » de sa vie précédente, pour en ressortir par la suite comme la séduisante vedette du cinéma que nous connaissons aujourd'hui et qui est devenue la moitié du super couple hollywoodien connu sous le nom de Brangelina.

Toutefois, afin de donner un sens à ces trois jours et à la carrière ahurissante qui s'en est suivie – sans oublier son mariage avec Brad Pitt –, il est essentiel de commencer par tenter de comprendre sa vie et les événements qui l'ont menée au Resnick Neuropsychiatric Hospital de l'Université de Californie à Los Angeles (UCLA), au printemps 2000.

Fille à papa

Comme tout bon psychanalyste ou biographe vous le dira, il est logique de débuter par le commencement pour bien comprendre un sujet, le sujet en question étant souvent très habile pour placer des obstacles en travers du chemin afin de s'assurer que la vérité soit inaccessible.

Tout comme il y a eu deux Angelina bien distinctes, la jeune femme sauvage un peu dérangée et la mère aimante en croisade humanitaire, il existe deux versions très contradictoires de l'histoire de sa jeunesse. Aucune n'est totalement vraie ou totalement fausse ; toutes deux sont utiles pour mieux distinguer les faits du mythe. Dans les deux cas, le père d'Angelina joue un rôle crucial. Il est donc primordial, pour bien la comprendre, elle, de bien le comprendre, lui.

Lorsque Jon Voight a ébahi les cinéphiles grâce à son rôle de Joe Buck, le gigolo homosexuel du film *Macadam Cowboy*, en 1969, les médias l'ont immédiatement consacré vedette du grand écran. En réalité, il bourlinguait de petit rôle en petit rôle depuis près d'une décennie lorsqu'il a fini par revêtir le désormais célèbre chapeau de cowboy de l'acolyte de Ratso Rizzo, un petit escroc tuberculeux interprété par Dustin Hoffman.

Voight a grandi à Yonkers, dans l'État de New York. Il était le petit-fils d'un immigrant slovaque catholique, George Voytka. Le père de Jon Voight, Elmer, aidait ses parents en travaillant comme caddy dans un club de golf exclusivement juif depuis l'âge de huit ans. Les membres du club ont pris le jeune Elmer sous leur aile et lui ont tout enseigné : le golf, bien entendu, mais aussi comment parler un anglais correct, comment utiliser un couteau et une fourchette, et d'autres aptitudes qui l'aideraient à s'intégrer à la société américaine. Lorsqu'il a eu dix-huit ans, Elmer était devenu un bon golfeur, suffisamment pour gagner sa vie comme joueur professionnel de country club et jouir d'une certaine renommée. Afin de bien compléter son américanisation, il a changé son nom pour Voight.

Jon Voight se souvient de son père en ces termes : « C'était un homme charmant et merveilleux, très jovial. Il avait aussi des principes très forts. Il ne tolérait pas la malhonnêteté, détestait les menteurs et avait très peu de patience pour les imbéciles... Mais tous l'aimaient. »

Les trois fils d'Elmer ont mené de remarquables carrières dans leurs domaines respectifs. James est devenu auteur-compositeur et a écrit de nombreux succès sous le pseudonyme de Chip Taylor, dont notamment le classique du rock *Wild Thing*. Le frère aîné de Jon, Barry, est quant à lui devenu l'un des volcanologues les plus réputés au monde.

Jon Voight a étudié à la Catholic University de Washington, D.C., où il a attrapé la fièvre des planches et participé à de nombreuses productions étudiantes. C'est en 1959, un an avant d'être diplômé, qu'il a décroché son premier rôle professionnel, dans une production off Broadway intitulée *O Oysters Revue*. À cette occasion, un critique a dit de lui qu'« il ne sait ni parler ni marcher » et Voight a alors sérieusement songé à tout abandonner. Il a toutefois persévéré et, en 1961, a été embauché pour remplacer l'acteur qui interprétait le rôle de Rolf, un nazi, dans *La mélodie du bonheur*, sur Broadway. C'est lors de son passage dans cette production qu'il a rencontré Lauri Peters, une jeune actrice pleine de talent qui tenait le rôle de Liesl et qui, en compagnie de ses frères et sœurs de scène, avait été mise en nomination pour le prix Tony du meilleur second rôle. Chaque soir, Voight et Peters chantaient en duo la mémorable chanson d'amour *Sixteen, Going on Seventeen* dans laquelle Rolf promet à Liesl de prendre soin d'elle. Bien que le dévouement de Rolf envers le parti nazi fasse ombrage à leur idylle dans la pièce, en coulisse, les deux acteurs vivaient les débuts d'une réelle histoire d'amour, qui s'est concrétisée par un mariage en 1962.

Au début des années 1960, la carrière de Voight prenait lentement son envol. Il a tenu de nombreux petits rôles à la télévision, dans des séries comme *Police des plaines*[1] et *Coronet Blue*, ainsi que des rôles secondaires dans des westerns et des films de série B à Hollywood. En 1966, il s'est fait remarquer pour son talent d'acteur en participant au California National Shakespeare Festival. L'année suivante, il a gagné un prix Theater World pour son rôle dans *That Summer, That Fall*, où il était en vedette avec la jeune Tyne Daly. Mais Voight a dû payer le prix de ce succès : son mariage a pris fin cette année-là, à cause, selon toute vraisemblance, d'horaires de travail trop chargés qui l'empêchaient d'être au même endroit que sa femme bien longtemps.

C'est grâce à son rôle avant-gardiste dans *Macadam Cowboy*, en 1969, que Voight sera catapulté dans l'élite hollywoodienne. Peu de temps après, lors d'une réception sur les collines de Hollywood, il fera la connaissance de la regrettée Marcheline Bertrand, une jeune femme incroyablement belle qu'il épousera en 1971. Originaire d'une banlieue de Chicago, Bertrand était la fille d'un Québécois de la classe ouvrière, Rolland Bertrand, et de sa femme, Lois June Gouwens.

Bien qu'on ait souvent parlé de Bertrand comme d'une actrice française, Angelina Jolie a tenu à remettre les pendules à l'heure lors d'une entrevue dans le magazine *Allure* en 2001 : « Ma mère

---

1. Titre original : *Gunsmoke*.

est aussi différente d'une Parisienne qu'on peut l'être. Elle a du sang iroquois et vient de Chicago. Elle a grandi sur les allées de quilles de l'établissement dont mes grands-parents étaient propriétaires. » Impossible de déterminer si Bertrand avait véritablement du sang iroquois. Tout porte à croire qu'il s'agit d'une histoire que Voight aurait racontée à Angelina lorsqu'elle était enfant afin de rendre son héritage canadien-français plus exotique. (Il est bien connu qu'il y a eu de nombreux mariages interraciaux entre les colons français et les Amérindiens.)

Lorsqu'elle avait quinze ans, Bertrand s'est établie à Los Angeles avec sa famille. C'est alors qu'elle a développé sa passion pour les planches et qu'elle s'est inscrite à l'Actor's Studio de Lee Strasberg. On a souvent dit que Marcheline Bertrand avait abandonné une carrière d'actrice prometteuse pour épouser Jon Voight à l'âge de vingt-et-un ans, mais c'est une affirmation un peu exagérée. Avant de rencontrer son futur mari, elle n'avait aucune expérience professionnelle digne de ce nom, mais elle avait quand même fait bonne impression sur de nombreuses personnes. « C'était quelqu'un d'inhabituellement bon, au meilleur sens du mot, se souvient la veuve de Strasberg, Anna, par qui Bertrand avait été formée. C'est très rare dans une vie de rencontrer une personne comme elle. » Voight a usé de son influence afin de lui obtenir un petit rôle dans la série télévisée *L'homme de fer*, en 1971, mais malgré tout, la carrière de la jeune femme stagnait.

En mai 1973, moins de deux ans après leur mariage, Marcheline donnera naissance à un fils, James Haven Voight. Une fille verra le jour en juin 1975. Elle sera baptisée Angelina Jolie Voight. On apprendra plus tard que les deuxièmes prénoms des petits avaient été spécifiquement choisis pour qu'ils puissent servir de noms de scène si jamais les enfants décidaient de devenir acteurs. Lors d'une entrevue qu'il a réalisée avec sa propre fille pour le magazine *Interview* en juin 1997, Voight a raconté sa naissance à Angelina :

« Tu ne t'en souviens pas, bien entendu, mais lorsque tu es sortie du ventre de ta mère, je t'ai prise dans mes mains et j'ai regardé ton visage. Tu avais une main contre ta joue et tu semblais remplie de sagesse, comme mon plus vieil ami. Je t'ai dit à quel point ta mère et moi étions heureux que tu sois là et promis que nous allions prendre soin de toi, pour t'aider à devenir la meilleure personne que tu puisses être avec le potentiel que Dieu t'a accordé. J'en ai fait la promesse et tout le monde dans la pièce a fondu en larmes. »

Malheureusement, moins d'un an après la naissance d'Angelina, Marcheline Bertrand et Jon Voight se séparaient, vraisemblablement parce que ce dernier courait les jupons. Un ami commun, Larry Groen, décrit la nature de leur relation de couple :

« Jon était amoureux fou de Mar. Elle était absolument magnifique et faisait tourner des têtes sur son passage, même dans cette ville où les belles femmes sont légion. Je ne dirais pas que leur relation était tumultueuse ; il n'y avait aucune discorde entre eux. Toutefois, elle élevait les deux enfants seule à la maison pendant que Jon vivait sa vie de vedette du cinéma que tout le monde s'arrache, littéralement tout le monde. C'était l'époque où l'échangisme commençait à devenir à la mode, il y avait des orgies tous les soirs, surtout à Malibu, où les fêtes les plus décadentes avaient lieu. Les tentations étaient partout et la plupart des gens y ont succombé, pas seulement Jon. Rappelez-vous qu'après *Macadam Cowboy*, il était très, très populaire. Les femmes se jetaient à ses pieds partout où il allait, et les hommes aussi. Bien des gens pensaient qu'il était homosexuel puisqu'il avait incarné ce personnage ouvertement gay. Et la plupart des acteurs étaient homosexuels ou bisexuels, mais pas Jon, en tout cas pas que je sache... Il aimait beaucoup les femmes. Je crois que quelqu'un a raconté à Mar une histoire au sujet d'une de ces fêtes où Jon avait couché avec une autre femme et ça l'a mise en état d'alerte. Pour autant que je sache, ce n'est pas une seule infidélité qui a mis fin à leur mariage. Tout le monde trompait tout le monde ; tout le monde se mariait puis divorçait à Hollywood. Très peu de mariages ont survécu à cette folle époque. Il y avait du sexe partout ; beaucoup plus qu'aujourd'hui, ça, c'est certain. »

D'autres versions veulent que Voight ait entretenu une liaison avec une actrice. Lui-même est avare de détails lorsqu'on le questionne à ce sujet : « Notre mariage n'allait pas bien. J'ai eu une aventure et nous avons divorcé. » Voight a quitté le foyer et versait à Marcheline Bertrand une pension correcte, mais certainement pas extravagante, pour qu'elle et les enfants puissent vivre confortablement. Selon de nombreuses allégations, Voight a abandonné sa jeune famille, et ses enfants lui en ont voulu durant de nombreuses années. « Je n'ai jamais été proche de mon père », expliquait Angelina au magazine *People* en août 2003. Jon Voight a « rarement vu sa fille lorsqu'elle était enfant », écrivait *Vanity Fair* dans son numéro de novembre 2004 après un entretien avec Jolie. « C'est ma mère qui m'a élevée », déclare désormais l'actrice lors de ses entrevues. Il en va de même pour James, qui a souvent exprimé ces dernières années son amertume envers son père pour les avoir ainsi laissé tomber. Néanmoins, les faits ne semblent pas corroborer ces affirmations : Marcheline Bertrand et Jon Voight se seraient partagé la garde des enfants de façon très amiable et équitable.

Selon Groen, « Jon était un père très aimant et je n'ai aucun souvenir d'animosité entre Mar et lui. Ils sont restés amis et leurs enfants les unissaient. Leur séparation s'est faite de façon très saine, à mon avis. Angie et James étaient très près de leur mère, ça ne fait aucun doute, mais ils se sont toujours bien amusés avec Jon, qui s'intéressait sincèrement à eux. Ils ont passé beaucoup de temps ensemble. »

En effet, même une des éducatrices d'Angelina à la maternelle a raconté à Rhona Mercer, biographe de Jolie, que Voight était très présent. « Leur père venait tout le temps les chercher, elle et son frère. J'ignore s'ils avaient une bonne relation, mais il jouait tout de même son rôle de père. Il était présent aux compétitions sportives, il venait à l'école. Ils habitaient Palisades, là où toutes les grosses vedettes comme Al Pacino demeurent. »

Jolie elle-même semblait sympathiser avec son père dans cette histoire, du moins avant leur brouille de 2003. Elle disait : « Mon père est le parfait exemple de l'artiste qui ne pouvait pas se marier. Il avait une famille idéale, mais il y a quelque chose dans ce concept qui lui faisait peur. »

Dans une entrevue accordée au magazine *People* lorsque Angelina était âgée de sept ans, Voight s'est confié sur son rôle de père divorcé. « Tout tourne autour des enfants, expliquait-il. Peu importe ce que Marche et moi vivons, nous prenons en compte comment cela les affectera, eux. Nous avons commis des erreurs. Les enfants réalisent qu'il y a eu un grand dérangement dans leur vie lorsqu'ils étaient tout petits. La culpabilité, la colère et la confusion ont fait leur chemin vers leur inconscient, et personne ne sait quelles en seront les conséquences plus tard. Mais au moins, ils auront appris à faire face à l'adversité. »

Peu de temps après le divorce, en 1978, Marcheline a commencé à fréquenter un étudiant en cinéma, qui devint plus tard documentariste, du nom de Bill Day. Il adorait James et Angelina, ce qui a rendu Jon jaloux à quelques reprises. « Les enfants sont fous de cet homme, avouait-il dans une entrevue à l'époque. Il y a des égos mâles impliqués dans cette histoire et cela entraîne des frictions, à cause de notre instinct territorial. On ne peut pas dire qu'on s'entend bien, mais on se respecte. Il adore Marche et aime vraiment les enfants. » Marcheline a également toujours défendu Voight lorsqu'il était question de ses qualités de père. « Rien n'est plus important pour lui que ses enfants », confiait-elle au magazine *People* en 1993.

Lorsque Angelina avait six ans, Jon Voight a écrit et joué dans un film intitulé *Looking to Get Out*, un projet pour lequel il s'était associé avec le très talentueux réalisateur Hal Ashby. Ils ne sont cependant pas arrivés à recréer la magie de leur première collaboration dans le film *Le retour.* La critique fut unanime : l'œuvre était médiocre. Néanmoins, Voight y avait ménagé un petit rôle pour Angelina. Elle fit donc sa première apparition à l'écran dans la peau d'une mignonne fillette nommée Tosh, que l'on peut voir dans une longue scène en compagnie de son père. Son jeu n'était pas mémorable, mais il était évident, même à ce jeune âge, que la caméra l'adorait.

Cette même année, Marcheline Bertrand a emmené sa famille sur la côte Est afin d'échapper au brutal smog de Los Angeles, car ses allergies lui menaient la vie dure. Elle a choisi de s'installer dans la petite communauté de Sneden's Landing, sur la rivière Hudson au nord de New York. Cette séparation a été très difficile pour Jon Voight, qui était habitué à voir James et Angie plusieurs fois par semaine. À l'époque, il avait confié à un reporter que les enfants lui manquaient terriblement. Il ne lui aura fallu que peu de temps avant qu'il commence à leur rendre visite tous les mois. Lors de ses voyages, il descendait chez sa mère, qui habitait Scarsdale, à une trentaine de minutes de là.

Depuis leur querelle de 2003, Jolie a toujours minimisé le rôle qu'a joué son père dans sa vie et celle de son frère, affirmant souvent qu'il « n'était pas là ». Pourtant, en 2001, elle chantait une tout autre chanson : « Je ne me souviens pas d'une seule fois où mon père ait manqué à l'appel lorsque j'avais besoin de lui. Néanmoins, c'est un artiste et c'était les années 1970, une époque bien étrange pour tout le monde. Encore aujourd'hui, je crois que mes parents s'aiment sincèrement. C'est une très belle histoire. Je les ai même vus à Noël, ils sont venus à la maison. » Angelina Jolie répliquait même occasionnellement aux articles de la presse qui sous-entendaient que Voight avait été mis à l'écart de sa famille : « Les journalistes aiment utiliser l'angle familial parce qu'ils croient qu'ils pourront ainsi révéler un vaste pan de ma vie, mais chaque fois, ils sont déçus : il n'y a pas de séparation profonde et sordide entre nous. En fait, mon père est une partie importante de ma vie, mais j'ai toujours été très indépendante. »

Toutes les versions de l'histoire de la jeunesse de Jolie, incluant la sienne, concordent sur le fait qu'elle fut heureuse. Elle aimait regarder des films de Disney avec son frère et jouer avec son lézard baptisé Vladimir ainsi que son serpent nommé Harry Dean Stanton en l'honneur de l'acteur du même nom. « Je pense que bien des gens s'imaginent que mon enfance a été très différente de ce qu'elle a été en réalité, affirmait-elle de nombreuses années plus tard. J'ai probablement eu une enfance plus normale que ce que la plupart des gens imaginent. »

Au grand bonheur de Voight, Marcheline Bertrand est revenue à Los Angeles avec les enfants lorsque Angelina avait douze ans. Les détails de sa vie à New York sont flous, mais quelque chose avait changé en elle lorsqu'elle est revenue sur la côte Ouest : Angelina Jolie avait découvert son côté sombre.

Retour à Beverly Hills

Lorsque Angelina est rentrée à Los Angeles avec sa mère et son frère en 1986, elle n'était plus la fillette enjouée dont tout le monde se souvenait. C'était peut-être dû à ses nombreuses escapades à Manhattan, où elle accompagnait sa mère à ses auditions. Angelina a été exposée à un monde plus dur et inquiétant que ce qu'elle avait pu connaître jusqu'alors en Californie ou dans la paisible campagne de l'État de New York. Mais ce nouveau monde, elle l'a aimé. Elle a commencé à se transformer pour ressembler à ces gens qui l'attiraient de plus en plus. Lorsqu'elle a remis les pieds à Los Angeles, sa phase de rébellion était au plus fort.

« Lorsque nous sommes partis de New York, je m'étais mise à vraiment aimer le cuir, se rappelle-t-elle. Je crois que c'est parce que j'aimais Michael Jackson. Je portais des blousons en cuir avec plein de fermetures éclair et des ornements de métal, et je harcelais ma mère pour pouvoir les porter à l'école. » Pour compléter son look, la fillette de onze ans a commencé à se teindre les cheveux d'un noir de jais.

La famille s'est installée à Beverly Hills, dans une tour à appartements située dans un quartier de classe moyenne. Aussitôt installée, Marcheline Bertrand a inscrit sa fille au programme pour les jeunes acteurs du Lee Strasberg Theater Institute. Le légendaire Strasberg était mort quatre ans auparavant, mais sa célèbre théorie du jeu a continué de lui survivre. La Méthode, un raffinement de la technique Stanislavski, enseigne aux acteurs à puiser dans leurs propres émotions et réactions pour arriver à livrer des performances crédibles.

Parmi les acteurs qui ont étudié avec Strasberg et qui lui attribuent leur succès, on retrouve James Dean, Dustin Hoffman, Al Pacino, Paul Newman et, sans doute la plus célèbre, Marilyn Monroe, qui considérait Strasberg et sa femme comme ses deuxièmes parents et à qui elle a légué le plus clair de sa fortune à sa mort. Marcheline Bertrand avait également étudié au Strasberg Institute et Angelina y est allée pendant deux années, tous les week-ends. Elle n'était pourtant pas convaincue que c'était pour elle : « On me disait de retourner cinq ans en arrière dans ma vie et de revivre quelque chose, mais à six ans, il n'y a pas beaucoup de matière à aller puiser. »

Marcheline Bertrand et Jon Voight ont ainsi pu reprendre leur garde partagée. Angie et Jamie allaient chez leur père deux soirs par semaine et un week-end sur deux. Il ne semble toujours pas y avoir d'indices démontrant que ces arrangements de garde aient été la cause de problèmes émotifs quelconques. Tous s'entendent pour dire que Voight et Bertrand étaient en bons termes, Angelina les décrivant même plus tard comme les « meilleurs amis du monde ». La jeune adolescente étudiait à l'époque à la El Rodeo Elementary School, qui avait la réputation d'être la meilleure école publique du pays, et elle avait de très bonnes notes. James Haven encense la routine domestique de leur mère. « On se sentait vraiment à la maison lorsqu'on rentrait de l'école, se souvient-il. On pouvait humer toutes sortes de bonnes choses provenant de la cuisine. Maman était très méthodique et s'assurait que nous faisions nos devoirs à la perfection, elle dressait même des plans de travail pour nous aider. Lorsque nous étions plus jeunes, elle utilisait des supports visuels. Elle pouvait être en train de cuisiner et se servir d'une vraie carotte pour nous en apprendre plus sur ce légume, afin que nous ayons un exemple concret. »

Voight, quant à lui, était aux anges de voir sa fille s'intéresser au théâtre et faisait tout ce qu'il pouvait pour l'encourager dans cette voie. « Elle venait chez moi et nous lisions une pièce ensemble, chacun jouant différents rôles, raconta-t-il au *Independent* de Londres en 2001. On voyait qu'elle avait un réel talent et qu'elle adorait jouer, alors j'ai fait de mon mieux pour l'encourager, la former et partager mon expérience avec elle. Il fut un temps où nous jouions une nouvelle pièce ensemble chaque dimanche. »

Contrairement à bien des acteurs de son calibre, Voight était très sélectif, il jouait rarement uniquement pour le cachet. « Je n'étais pas intéressé par tous les rôles de joli garçon qu'on m'offrait sans cesse », confie-t-il. Contrairement à maints collègues moins applaudis que lui, il n'était pas très bien nanti. Pas de maison sur la plage à Malibu. Pas de piscine. En fait, Voight n'était même pas propriétaire. Il habitait lui aussi dans un appartement.

Malgré les prétentions de son fils James, qui a passé le plus clair de ces dernières années à tenter de discréditer son père par tous les moyens, Voight était généreux envers son ex-femme et lui a toujours versé sa pension. Cette information est de notoriété publique parce qu'Angelina elle-même a sans cesse défendu l'intégrité de son père, du moins jusqu'à leur brouille de 2003. « Il a toujours bien pris soin de notre mère et de nous, déclarait-elle dans une entrevue en 2001. Il a toujours respecté ses obligations, mais il n'avait pas beaucoup d'argent. »

Cette époque de la vie d'Angelina s'est déroulée sans anicroche pendant près de deux années. Puis, soudainement, à l'âge de treize ans, la jeune fille a quitté le Strasberg Institute et a glissé dans ce qu'elle qualifierait plus tard de « très mauvaise période ».

Ce qui allait se dérouler se préparait sans doute depuis un certain temps. Angie décrit ses dix ans comme le moment où sa vie « a commencé à ne plus être amusante » et c'est à partir de là qu'elle s'est mise à être fascinée par la mort. « Le père de ma mère est décédé quand j'avais neuf ans, raconte-t-elle. C'était un homme merveilleux avec beaucoup d'esprit, mais ses funérailles ont été horribles. Tout le monde était hystérique. Il me semblait que les obsèques devraient être une célébration de la vie plutôt qu'une pièce pleine de gens tristes. Je ne crains pas la mort, et les gens pensent qu'à cause de cela, je suis quelqu'un de sombre, alors qu'en réalité, je suis très positive. »

Bien qu'elle n'ait jamais pu identifier un traumatisme quelconque qui aurait été le catalyseur de son changement d'attitude, elle relate qu'un jour où elle s'amusait avec une amie, elle n'est plus parvenue à entrer dans un monde imaginaire, comme il se doit lorsque des enfants jouent. C'est peut-être une des raisons qui l'ont initialement poussée à étudier la comédie, pour retrouver ces espaces imaginaires de l'enfance.

Depuis qu'elle avait abandonné ses leçons au Strasberg Institute, elle disait vouloir devenir directrice funéraire. Elle suivait même des cours d'embaumement par correspondance offerts par le Funeral Services Institute. Il a fallu peu de temps avant que sa préoccupation pour la mort la mène à imaginer mettre fin à ses jours, un état d'esprit dont elle a souvent fait mention au fil des ans. Lors d'une entrevue, elle a nié que ses idées suicidaires soient liées à un état dépressif ou à de la tristesse. Elle expliquait plutôt : « J'ai toujours pensé que j'étais saine d'esprit, mais je n'étais pas convaincue que la vie en ce bas monde était pour moi. Enfant, j'ai souvent pensé au suicide, pas parce que j'étais malheureuse, mais parce que je me sentais inutile. Je faisais de l'insomnie, je ne dormais pas de la nuit et mon esprit était incapable de s'arrêter. » Pourtant, lors d'une autre entrevue, elle confiait au sujet de son enfance : « J'étais très triste et méfiante. Ma vie a failli se terminer à plusieurs reprises. »

Dans un article de 2001, Chris Heath, reporter au magazine *Rolling Stone*, relatait une rencontre avec Angelina Jolie où celle-ci lui a montré un carnet de notes qui datait de l'époque où elle avait quatorze ans :

« Sur la couverture, on peut voir une épée. Sur la page de garde, on voit un dessin représentant trois dagues et les mots : *Mort : extinction de la vie*. On y trouve d'autres dessins d'armes et cette citation : *Seuls les plus forts survivront*. Puis, on y lit quelques définitions : D*ouleur : souffrance physique ou mentale* ; *Autopsie : examen d'un cadavre*. C'est alors qu'elle reprit le cahier, l'air embarrassé, mais elle finit par me le redonner. Je vois le mot *Enfer* et un dessin du diable, et je remarque qu'une page a été arrachée. Un seul mot est visible sur le peu de papier qui demeure attaché au cahier : *Suicide*. "Je peux en rire, aujourd'hui", lance-t-elle. »

C'est durant cette période, sans doute la plus sombre de sa vie, qu'Angelina Jolie est entrée au *high school*[2]. De nombreux observateurs ont tenté d'établir un lien entre ses problèmes psychologiques et la culture de l'école qu'elle fréquentait, mais sans succès. Il est par contre évident que c'est lors de son passage au Beverly Hills High School qu'Angie Voight a jeté les premières bases de ce qui deviendrait le mythe Angelina Jolie.

En 1989 tout comme aujourd'hui, le Beverly Hills High était fréquenté par de nombreux rejetons de l'élite de Hollywood. L'école a compté dans ses rangs de nombreuses célébrités, comme Nicolas Cage, Richard Dreyfuss, Nora Ephron ou encore Monica Lewinsky. Mais la réputation de l'établissement, qui fut mythifié dans l'esprit populaire comme étant le lieu où se déroulait la série télévisée *Beverly Hills*, est trompeuse. On y observe un corps étudiant très varié. De nos jours, près de la moitié des élèves du Beverly Hills High sont nés à l'étranger et

2. Équivalent du lycée en France.

nombre d'entre eux proviennent de familles modestes. Bien que la composition de cette population étudiante ait changé depuis la fin des années 1980, Angelina n'était certainement pas la seule adolescente provenant d'une famille de classe moyenne lorsqu'elle est arrivée dans cette école.

De nombreux portraits d'Angelina publiés au fil des ans ont affirmé qu'elle était victime d'intimidation dans cette école bourrée d'enfants de riches, parce qu'elle ne portait pas de vêtements à la mode et ne conduisait pas de voiture de luxe. « Ces enfants gâtés étaient sans pitié avec Angelina ; ils se moquaient d'elle à cause de sa maigreur, de ses vêtements de seconde main, de ses lunettes, de ses appareils dentaires », affirmait un article de magazine.

Toutefois, si on se fie à des gens qui l'ont connue à cette époque, ce genre de reportage est totalement mensonger. Un de ses anciens camarades de classe qui travaille aujourd'hui dans l'industrie de la télévision raconte :

« Angelina ne s'est jamais fait ridiculiser parce qu'elle n'était pas riche. Après tout, son père était un acteur ayant gagné un Oscar, et c'est le genre de chose qu'on respectait à Beverly High, croyez-moi. Le fait est que notre école était comme toutes les autres écoles américaines : il y avait différentes cliques, un peu comme dans *The Breakfast Club*. Il y avait les sportifs, les cerveaux, les populaires, les hippies et les rebelles qui faisaient tout pour ne pas s'intégrer. Angie faisait partie de ce dernier groupe. Elle ne portait pas des vêtements de seconde main parce qu'elle n'avait pas les moyens de courir les boutiques de Rodeo Drive : elle s'habillait comme ça parce que pour elle, c'était cool. C'était au début du mouvement grunge, et Angie était un mélange de grunge et de gothique. Elle n'était pas la seule dans son genre et ils avaient leur petite clique, comme tous les autres. »

Pendant que les filles de riches couraient les magasins du Beverly Center, Angie, elle, flânait sur le mal famé Sunset Strip et achetait ses vêtements dans les boutiques punk de Melrose Boulevard. « J'ai toujours été punk à l'école, racontait Jolie au *Vanity Fair* en 2003. Je ne me sentais pas proprette et mignonne... Je pouvais me sentir intéressante, étrange, sombre et parfois, peut-être, euh... sexy. Je portais ces bottes noires, des jeans déchirés et un vieux blouson, c'est comme ça que je me sentais bien. Je n'avais aucune envie de faire semblant d'être une petite fille raisonnable, proprette et rangée. J'étais capable de comprendre des choses plus noires, moroses ou émotives. »

La plupart des gens ont vu des photos d'Angelina, petite, avec son appareil dentaire et ses lunettes épaisses, mais ces images datent de l'époque où elle était toujours à l'école primaire. Lorsqu'elle est arrivée au Beverly Hills High, son visage ressemblait déjà à celui que tout le monde connaît et elle portait des lentilles cornéennes la plupart du temps. Sa photo de finissante nous montre clairement qu'elle était une adolescente magnifique. Selon Michael Klesic, un ancien camarade de classe qui est lui aussi devenu acteur : « Tous les gars savaient que c'était une fille superbe. Quand elle passait dans le couloir, elle faisait tourner les têtes. »

Klesic se souvient également qu'Angelina se démarquait des autres belles adolescentes. « Elle était celle avec qui vous ne vouliez pas faire de conneries. C'était une jolie fille, mais elle était forte, aussi. Elle était très directe lorsqu'elle s'adressait à vous et elle devinait toujours lorsque quelqu'un avait des arrière-pensées en lui parlant. Elle était vraiment différente des autres filles de Beverly Hills. Elle n'appartenait pas à ce lot. Elle ne s'habillait pas comme elles et ne s'intéressait pas aux mêmes choses. C'était un être humain indépendant, une personne unique et elle avait les yeux rivés sur les étoiles. Elle voulait sortir de cette école. »

Angelina, quant à elle, qualifie son adolescence de « bizarre et détraquée ». « Je portais des bas résille et des bottes pour tenter de me cacher, se remémore-t-elle. J'avais envie de tout ressentir. Mais dans le même temps, je jouais dans des pièces et je suivais des cours de danse chez Arthur Murray. Je retirais mes Doc Martens à vingt œillets, j'effaçais toute cette encre que je m'étais barbouillée sur les bras, j'enfilais une robe et des talons hauts, et je gagnais des compétitions de tango. Mes amis me trouvaient folle, mais moi, je m'amusais. »

Une autre camarade de classe, Jean Robinson, a raconté à Rhona Mercer l'obsession de l'actrice pour le métal froid. « Elle tentait délibérément d'être différente et ne voulait rien savoir des gosses de riches. Elle avait une fascination intense pour les couteaux. Tous les couteaux, du canif au couteau de cuisine. À tout moment, elle pouvait en faire apparaître un et jouer avec. » Robinson se rappelle un autre aspect de la personnalité d'Angelina qui contribuait à la rendre impopulaire : « Lorsqu'elle avait quatorze ans, au Beverly Hills High, elle volait les garçons de dix-sept ans à leurs petites amies. Une fois qu'elle avait attiré leur attention, elle les laissait tomber. C'était purement pour le plaisir de la chasse. » Mais elle ne chassait pas que les garçons. « Angie pouvait vous séduire et vous faire croire que vous étiez sa meilleure amie et ensuite ne plus jamais vous adresser la parole, poursuit Jean Robinson. Cette sorte de petite cruauté est courante, mais Angelina possédait un talent dévastateur en la matière. »

Un des garçons qu'Angie n'a pas laissé tomber après l'avoir conquis était un jeune punk de seize ans qu'elle a fréquenté alors qu'elle avait deux ans de moins. À peine un mois plus tard, il emménageait avec elle, après qu'elle eut obtenu la bénédiction de sa mère. De toute évidence, Marcheline Bertrand se disait que la meilleure façon de conserver un certain contrôle sur sa jeune rebelle, c'était de les garder, elle et son petit ami, sous le même toit.

Jolie affirme avoir été sexuellement très active dès son plus jeune âge. Elle raconte : « J'étais très sexuelle même en maternelle. Je faisais partie d'un groupe nommé les Kissy Girls (les fillettes qui embrassent) et j'avais créé un jeu où j'embrassais les garçons et leur donnait une maladie imaginaire. Puis, on continuait à s'embrasser et on se déshabillait. Je me suis fait gronder souvent ! » Malgré ces ébats précoces, elle affirme que le jeune punk était sa première vraie conquête sexuelle.

« J'ai perdu ma virginité lorsque j'avais quatorze ans, a-t-elle raconté au *Daily Mirror*. C'était mon premier véritable petit ami. Je désirais connaître la promiscuité et je vivais mes premières pulsions sexuelles réelles... J'ai été chanceuse. Ça s'est passé dans ma chambre, dans mon environnement, là où je me sentais à mon aise et où je n'étais pas en danger. »

L'actrice a souvent tenté de rationaliser leur arrangement de vie peu commun. « Il vivait avec nous : ma mère, mon frère et moi. Ce n'est pas comme si nous étions laissés à nous-mêmes, expliquait-elle au *Herald Sun* de Melbourne, en Australie, en 2005. Et je pouvais toujours parler à ma mère si j'avais des problèmes. Elle était beaucoup plus au courant de ce qui se passait que la plupart des mères. Elle savait que j'étais à un âge où j'allais explorer, alors aussi bien que ce soit dans ma propre chambre plutôt que de me retrouver dans des situations risquées. »

Sa description très simple de sa relation amoureuse nous démontre bien à quel point Angelina était mature pour son âge. Cette logique nous pousserait même à croire que toutes les mères devraient inviter l'amoureux de leur jeune fille à habiter avec elles. Mais ceux qui ont connu Jolie à cette époque savent que sa vie amoureuse n'était pas aussi simple ou idyllique qu'elle voudrait bien qu'on le croie. Ils pouvaient constater la vérité de leurs propres yeux grâce aux cicatrices qui ornaient sa peau.

Automutilation

« Il y en a qui courent les magasins ; moi, je me coupe. »

À la fin des années 1990, lorsqu'une Angelina Jolie à la notoriété naissante discutait de son penchant pour l'automutilation, elle en parlait de façon anodine, comme on aurait parlé de n'importe quelle autre manifestation d'angoisse propre à l'adolescence. Mais ses proches, eux, étaient très inquiets.

Les gens ont commencé à remarquer ses cicatrices peu de temps après que son petit ami se fut installé chez elle. Ce n'était pas une coïncidence.

« J'ai commencé à avoir des relations sexuelles, et le sexe ne me satisfaisait pas, mes propres émotions ne me suffisaient pas, se souvient-elle. Mes émotions voulaient exploser hors de moi. À un certain moment, j'ai attrapé un couteau et coupé mon copain. Il m'a coupée en retour. C'était une très bonne personne, il était très doux, aucunement menaçant ou agressif. Mais ce geste a créé quelque chose entre nous. Nous étions couverts de sang et mon cœur battait la chamade. Nous flirtions avec le danger et soudainement, la vie m'a paru beaucoup plus honnête que ce que je vivais à travers la sexualité. C'était si primitif et sincère, mais le problème, c'est que j'ai commencé à devoir cacher des choses à ma mère et à porter des bandages pour aller à l'école. »

Lors d'une autre entrevue, elle expliquait son automutilation en la comparant à une déviance sexuelle, tout en insistant sur le fait que ce n'était pas son cas. « Il y a eu des moments où je ressentais un besoin physique de sentir quelque chose de fort, que ce soit un couteau ou un fouet, une envie d'être vidée, une envie que tout devienne silencieux. Certaines personnes ont toutes sortes de préférences sexuelles, d'autres essaient de devenir parfaits... ce sont d'autres genres de maladies. »

Dans leur étude publiée dans le *American Journal of Psychiatry* en 1991, qui a fait école et qui s'intitulait « *Self-Injurious Behavior* » (librement traduit : « La prédisposition à l'automutilation »), le Dr Ronald M. Winchel et le regretté Dr Michael E. Stanley du College of Physicians and Surgeons de l'Université Columbia ont défini l'automutilation comme étant « l'acte de s'infliger volontairement une douleur physique. L'atteinte est portée à son propre corps, sans l'aide d'une tierce personne, et doit être suffisamment sévère pour causer des dommages aux tissus (tels que des cicatrices). Les actes consciemment suicidaires ou ceux associés à un état d'excitation sexuelle sont exclus de cette définition ».

Ce comportement alarmant chez les adolescentes a commencé à retenir l'attention de la communauté universitaire spécialisée en santé mentale au début des années 1960, mais on sait que ce genre de pratique date d'au moins un siècle. Le terme « automutilation » a d'abord fait son apparition en 1913 dans une étude de L. Eugene Emerson, Ph. D., où il décrivait l'acte comme une substitution symbolique de la masturbation. Il fut de nouveau utilisé en 1938 par le Dr Karl Menninger dans son livre *Man Against Himself* (librement traduit : *L'homme contre l'homme*), qui concluait pour la première fois que l'automutilation n'était pas un comportement suicidaire, mais plutôt « un souhait de mort atténué ». Plus loin dans son ouvrage, il utilisait le concept de « suicide partiel » pour décrire le phénomène.

Selon le Cornell University Research Program on Self-Injurious Behavior in Adolescents and Young Adults (Programme de recherche sur la prédisposition à l'automutilation chez les adolescents et les jeunes adultes de l'Université Cornell), « il faut faire d'importantes distinctions entre ceux qui commettent des tentatives de suicide et ceux qui s'automutilent afin de surmonter des émotions négatives écrasantes. La majorité des études démontre que l'automutilation est en fait une façon d'éviter le suicide ». L'institut note que les blessures peuvent être infligées à n'importe quelle partie du corps, mais qu'elles sont plus fréquentes sur les mains, les poignets, le ventre et les cuisses. L'étude conclut que la sévérité des blessures varie de superficielles à permanentes et déformantes.

La majorité des recherches tendent à démontrer que les femmes représentent les deux tiers des automutilateurs adolescents, mais il est néanmoins possible que la proportion soit plus grande simplement parce que les femmes admettent plus facilement s'adonner à cette pratique. Une des lectures proposées par le programme de Cornell cite une étude récente selon laquelle environ quinze pour cent des élèves des *high schools* américains auraient pratiqué l'automutilation au moins une fois. L'étude affirme par ailleurs que « l'automutilation précoce peut faire son apparition dès l'âge de sept ans, et même parfois avant. Toutefois, elle a plutôt tendance à apparaître chez les adolescents âgés de douze à quinze ans, et peut durer des semaines, des mois, voire des années. Pour de nombreuses personnes, l'automutilation est cyclique plutôt que linéaire, ce qui signifie qu'elle sera pratiquée pendant une certaine période de temps, puis délaissée et reprise plus tard. Il serait toutefois erroné de présumer pour autant que l'automutilation est un phénomène passager associé à l'adolescence ». Si Angelina a commencé à s'automutiler autour de l'âge de quatorze ans, elle se situait donc parfaitement dans la moyenne d'âge des automutilateurs adolescents.

Dans son livre *Psychological Self-Help* (librement traduit : *L'autoguérison psychologique*), le Dr Clayton Tucker-Ladd, un ancien directeur du Counseling & Testing Center de la Southern Illinois University, a résumé ainsi la myriade d'explications qu'il a recueillies quand il traitait des automutilateurs adolescents :

« Les jeunes sont parfois victimes d'abus émotifs, on leur dit qu'ils sont mauvais, pécheurs, égoïstes, méchants, pleins de haine, égocentriques, fous ou bizarres. On les blâme parfois pour le divorce de leurs parents, etc. Il n'est pas surprenant qu'ils finissent souvent par se sentir coupables, honteux, remplis de haine envers eux-mêmes et d'un désir de se punir ou de se blesser.

Certains encore ont grandi dans des familles où ils ont subi des violences physiques et sexuelles (coups, menaces ou torture) et se faisaient dire qu'ils étaient inutiles, stupides, des traînées, des échecs ; nombreux sont ceux qui étaient victimes d'intimidation par leurs pairs ; certains étaient victimes de viol. Certains d'entre eux réagissaient avec ressentiment, une colère intense ou une rage réprimée ; d'autres avaient une estime de soi très négative et se voyaient comme des nullités, convaincus que personne ne se soucierait jamais d'eux, se considéraient comme des ordures. D'autres encore répondaient à la haine à leur égard par une attitude défiante du genre "tu ne peux pas me faire changer" ou encore "je mérite qu'on abuse de moi, mais je peux me faire souffrir moi-même plus que tu n'en seras capable". Certains s'infligeaient des blessures en guise de représailles notamment par l'automutilation, ce qui se traduisait concrètement par un signe visible de leur souffrance. Certains réagissaient même de façon physique à la douleur, aux punitions et à l'automutilation en se sentant carrément mieux après, à l'instar d'une montée d'adrénaline ou de la prise de drogues ; certains trouvaient que se brûler ou se couper les empêchait de ressentir leur douleur émotive.

Certains de ces jeunes se sentaient déprimés, impuissants et désespérés, ou même carrément dénués de sentiments, comme s'ils étaient morts. Ceux qui se sentaient comme des morts utilisaient l'automutilation pour contrer ce sentiment : "L'automutilation me prouvait que j'étais encore en vie." Certains autres se sentaient délaissés, abandonnés, effrayés, tristes, pas seulement négligés, mais totalement nuls, rejetés par leur famille et leurs amis, parfois placés en famille d'accueil, quittés par leur amoureux ou amoureuse, etc., alors c'était pour eux moins douloureux de se faire souffrir physiquement que de souffrir à cause des autres. La plupart étaient conscients d'être aux prises avec des problèmes psychologiques incapacitants et se sentaient bizarres, incapables de gérer la situation, effrayés, impuissants et inférieurs. D'autres encore se sentaient hors de contrôle, avaient l'impression qu'ils ne pouvaient rien faire comme il faut, mais se sentaient rassurés par le courage qu'exigeait le fait de s'automutiler, surpris de la quantité de douleur qu'ils parvenaient à s'infliger eux-mêmes. »

Bien qu'à cette époque, Angelina soit en quelque sorte devenue un symbole de l'automutilation, elle n'est certainement pas la première vedette à avouer avoir eu recours à cette pratique. Il y a aussi l'actrice Christina Ricci, de même que les musiciennes Courtney Love et Fiona Apple, cette dernière ayant confié au magazine *Rolling Stone* qu'elle s'est coupée pendant des années. Les admirateurs d'Apple savent qu'elle a été violée derrière l'immeuble où habitait sa mère alors qu'elle n'avait que douze ans, un incident qui continue de la hanter.

À l'instar d'Angelina, Apple a toujours minimisé l'importance de son automutilation. « J'ai connu des petits problèmes avec ça [l'automutilation], expliquait-elle en entrevue. C'est quelque chose de commun. » Lorsque l'intervieweur lui a demandé si cela l'aidait à se sentir mieux, elle répondit : « Ça me fait simplement sentir *quelque chose.* » Elle s'empressait toutefois d'expliquer que cette automutilation ne fait pas d'elle une folle. « La chose qui m'irrite le plus, c'est quand les gens disent de moi que j'essaie d'attirer la pitié, s'indignait-elle à *Rolling Stone*. Ce n'est pas moi qui ai dramatisé ce que j'ai vécu, ce sont les gens qui en parlaient. Tout ce que je dis, c'est : "Voici ce qui m'est arrivé, c'est aussi arrivé à plein d'autres personnes." Pourquoi est-ce que je cacherais des trucs ? Pourquoi est-ce que les gens auraient une mauvaise opinion de moi à cause de ça ? C'est une réalité. Beaucoup de gens font ça. »

Mais la plus célèbre automutilée est sans aucun doute la princesse Diana, qui s'est confiée au sujet de ce trouble dont elle souffrait dans une entrevue à la BBC en 1995. Elle a révélé qu'elle se coupait fréquemment les bras et les jambes depuis plusieurs années. « Votre douleur intérieure est telle que vous faites mal à votre corps pour envoyer un signal de détresse », expliquait-elle alors. Selon la biographie d'Andrew Morton, *Diana : Her True Story (Diana : sa vraie histoire)*, la princesse en détresse, qui avouait également souffrir de boulimie, s'était souvent jetée dans une armoire vitrée du Kensington Palace et se coupait fréquemment avec la lame dentelée d'un couteau à agrumes. On rapporte même qu'elle aurait déjà, au cours d'une violente dispute avec le prince Charles, pris un canif pour se couper à la poitrine et aux cuisses. Lors d'une autre dispute avec Charles, cette fois-ci à bord d'un avion, Diana s'est enfermée au petit coin pour se couper les bras et a étalé son sang sur les murs et le siège de la toilette.

L'actrice Christina Ricci s'est également confiée publiquement au sujet de son passé d'automutilée. Dans une interview accordée au magazine *US Weekly* en 1988, Ricci a montré au reporter une petite cicatrice en forme de sourire sur sa main. « Je voulais impressionner Gaby [Hoffmann, sa meilleure amie]. Alors, j'ai chauffé à blanc un briquet et je l'ai enfoncé dans ma main. » Lui indiquant d'autres marques de brûlures sur ses mains et ses bras, elle lui a expliqué : « Je voulais tester ma capacité à endurer la douleur, c'était une sorte d'expérience. » Dans une autre entrevue, elle a avoué qu'elle s'éteignait parfois des cigarettes sur les bras. Lorsqu'on l'interrogea à savoir si cela lui faisait mal, elle répondit : « Non, car vous avez cette montée d'endorphines. On peut perdre conscience à cause de la douleur, mais ça, c'est une petite piqûre qui dure une seconde et après, on ne sent plus rien. En fait, c'est même relaxant. » Elle allait encore plus loin dans le magazine *Rolling Stone*. « C'est comme prendre un verre, mais l'effet est beaucoup plus rapide, expliquait-elle. Vous savez comment votre cerveau s'éteint à cause d'une douleur intense. Pour moi, la douleur était si intense que mon métabolisme ralentissait et j'étais moins anxieuse. Ça me calmait. »

Mais l'automutilé le plus surprenant est sans doute Johnny Depp, dont les bras sont couverts de cicatrices sur toute leur longueur à cause de cette vieille habitude. « C'était un peu n'importe quoi ; dans les bons moments comme dans les mauvais, ça n'avait aucune importance, révélait-il au sujet de son ancienne manie dans une entrevue accordée au magazine *Talk*. Il n'y avait aucun cérémonial. Ce n'était pas comme si je m'étais dit : "OK, voici ce qui vient tout juste de m'arriver, maintenant je dois couper un bout de ma chair." » Lors d'une autre interview en 1993, il précisait à propos de ses cicatrices visibles : « Mon corps est comme un journal intime, en quelque sorte. Un peu comme ce que faisaient les marins avec leurs tatouages : chacun représentait une étape de la vie, une marque que vous laissez sur votre corps, que ce soit avec un couteau ou avec l'aide d'un tatoueur professionnel. »

Les professionnels de la santé mentale jonglent depuis des années avec l'épineuse question de la classification et du traitement à accorder à l'automutilation, surtout à l'adolescence. Le diagnostic appliqué le plus fréquemment est celui du trouble de la personnalité limite, même si de nombreux intervenants croient qu'un tel diagnostic est précipité. Une des sommités sur ce trouble est Marsha Linehan, directrice des Behavioral Research and Therapy Clinics de l'université de Washington. Elle pense que bien que l'automutilation fasse partie des symptômes de ce désordre, il faut une analyse sur une longue période de temps pour pouvoir diagnostiquer un trouble de la personnalité, ce qui est souvent ignoré. « La preuve qu'on fait abstraction d'une observation à long terme, c'est que de plus en plus d'adolescents sont diagnostiqués comme ayant un trouble de la personnalité limite... Il est justifié de se demander quel avantage il peut y avoir à accoler cette étiquette psychiatrique négative à un jeune de quatorze ans, étiquette qui le ou la suivra toute sa vie. »

Dans le cas d'Angelina Jolie, le diagnostic officiel était beaucoup plus sérieux. Encore à ce jour, dans son dossier du Beverly Hills High School figure une description troublante écrite par un psychothérapeute qui la voyait depuis un certain temps : « Angelina Voight est imprévisible et encline à avoir des comportements psychopathes antisociaux. » En d'autres mots, Angelina a été étiquetée psychopathe dès l'adolescence.

Jolie a tenté de minimiser ses problèmes de santé mentale ainsi que ses rendez-vous obligatoires, à raison de trois fois par semaine, avec le psychologue de l'école. « Ils forçaient tous ceux dont les parents étaient divorcés à aller à ces rencontres, raconte-t-elle. Notre psychologue nous répétait sans cesse que nos "unités" [parentales] étaient responsables de tout. Il semble que nous, pauvres enfants, ne serions jamais aptes à nous adapter à la vie. »

Toutefois, un camarade de classe d'Angelina affirme que cette explication ne tient pas la route. « C'est une blague ? On parle de Beverly Hills High, ici. La majorité des jeunes provenait de foyers soi-disant brisés. Les parents de tout le monde étaient divorcés, y compris les miens. S'ils nous avaient tous obligés à voir le psychologue de l'école, la file d'attente aurait fait un bon kilomètre de longueur. J'ignore pourquoi on obligeait Angie à voir le psy, et je ne pense même pas que je savais qu'elle y allait, à ce moment, même si c'était monnaie courante pour de nombreux jeunes de consulter en pratique privée. Moi-même, je n'ai jamais eu recours à de tels services, sauf une brève thérapie familiale lorsque j'étais plus jeune, mais c'était à la mode dans ce temps-là. »

Dans une entrevue accordée en 2000, Jolie semblait contredire l'explication qu'elle a donnée précédemment au sujet de sa thérapie imposée. Elle a également nié que ses problèmes aient eu un lien quelconque avec le divorce de ses parents.

« Quand j'étais à l'école, on pouvait obtenir des crédits d'études supplémentaires en rencontrant un thérapeute, a raconté Angelina au magazine *Marie Claire*. Ça faisait partie du curriculum en sciences humaines, alors j'y allais. Et c'est à ce moment que j'ai réalisé à quel point les psychologues pouvaient être dangereux. Cette personne devant moi passait son temps à parler de mes sentiments envers mon père, et je lui répétais : "Non, je ne suis pas en colère. Je comprends la situation et je crois que mes deux parents sont des individus fantastiques", mais elle ne comprenait pas que leur divorce ne soit pas problématique pour moi. Un jour, j'étais à ma séance et je lui ai raconté un énorme mensonge, lui disant que j'avais rêvé que je frappais mon père à coups de fourchette, et elle a dit : "Ah ! Je vois !" J'ai tout de suite compris qu'elle était pleine de merde. Ma thérapie, ce sont les films ; mon thérapeute, c'est le public qui va au cinéma et qui me dit si je suis normale ou pas. »

Difficile, donc, de déterminer sur quoi se basait le diagnostic à moins de tenter de retrouver le psychologue qui l'avait posé. Mais selon bon nombre d'experts consultés pour la rédaction de ce livre, un diagnostic de désordre psychopathique antisocial est hautement inhabituel pour une personne de quatorze ans, parce que toute la littérature psychiatrique suggère de réserver un tel diagnostic à une personne de plus de dix-huit ans. Dans son livre de 2006 *The Psychopathy of Everyday Life* (librement traduit : *La psychopathie du quotidien*), le Dr Martin Kantor établit une distinction claire entre le genre de désordre dont semblait souffrir Angelina et les comportements psychopathiques graves dont font preuve, par exemple, les tueurs en série. « Un des obstacles à une bonne compréhension de la psychopathie vient du fait que la littérature a tendance à regrouper ensemble des psychopathes extrêmes, mais rares, comme John Wayne Gacy ou Ted Bundy, avec des petits psychopathes qui souffrent de formes bénignes moins envahissantes... Ces psychopathes moins sérieux et plus communs que [la psychologue clinicienne et auteure] Martha Stout nomme "les psychopathes d'à côté". »

Les experts s'entendent pour dire qu'une des principales caractéristiques des psychopathes est l'absence d'empathie. Au vu et au su des activités philanthropiques et humanitaires d'Angelina Jolie, on arrive vraiment mal à comprendre comment on aurait pu lui diagnostiquer une psychopathie antisociale. Serait-ce le jugement irréfléchi d'un psychologue paresseux ou est-ce qu'Angelina agissait volontairement de façon à mener son vis-à-vis en bateau ?

« Lorsque je grandissais, j'aurais aimé être folle, a-t-elle déjà avoué. Je me souviens d'avoir déjà été réellement fâchée de ne pas l'être. Il y a quelque chose de romantique à la folie. J'aurais aimé que mon esprit m'emporte ailleurs, mais il n'arrivait pas à me dire où aller. » Il n'est pas impossible que tout cela ait été une mascarade, mais pour les gens qui l'entouraient à l'époque, il y avait suffisamment de raisons de penser que quelque chose n'allait pas.

Bien qu'elle ait déjà décrit l'époque où son petit ami cohabitait avec elle comme une période « très belle, presque comme un mariage », son penchant pour les couteaux et l'automutilation s'intensifiait de jour en jour. Il a fallu peu de temps avant que cette pratique devienne entièrement intégrée à leur vie sexuelle. « [Le sexe normal] n'était pas assez primitif et ne me satisfaisait pas », expliquera-t-elle plus tard. Le sadomasochisme est rapidement devenu sa perversion de choix, mais même cela ne lui suffisait pas. « Le sadomasochisme peut facilement être confondu avec de la violence, racontait-elle à *Vanity Fair* en 2004. Mais en réalité, tout tourne autour de la confiance. J'aimais repousser mes limites émotives et sexuelles avec l'autre. C'est dans de tels moments que je me sentais le plus sexy. J'ai joué autant des rôles dominants que dominés parce que j'ai besoin de tout ressentir. J'étais toujours la dominante jusqu'au jour où j'ai lu quelque part qu'en fait, c'est le dominé qui maîtrise la situation et je me suis dit : "C'est bien vrai, ça ! C'est moi qui me tape tout le boulot !" Je n'ai jamais été attachée, par contre. Je réserve ça à LA bonne personne. Mais j'aimerais ça, c'est sûr. »

Lors d'une de ces séances, les choses sont allées un peu trop loin et Angelina, alors âgée de seize ans, s'est coupée au cou, a entaillé son bras d'un X ainsi que son abdomen. Toutefois, le sang a continué à couler un peu trop longtemps et elle a dû être transportée à l'hôpital en ambulance pour y recevoir une transfusion qui lui a sauvé la vie. « J'avais presque coupé ma jugulaire », s'est-elle remémoré des années plus tard.

Marcheline Bertrand commençait à en avoir assez de ces situations dramatiques et s'inquiétait pour sa fille. Elle a donc mis fin à l'expérience de cohabitation, ordonnant au petit ami d'Angelina de quitter leur appartement. Furieuse contre sa mère pour ce soudain accès d'autoritarisme, Angelina a décidé de quitter le foyer. Elle s'est installée dans un appartement non loin de là, aux frais de son père, et elle a mis fin à sa relation avec son amoureux. « Il a beaucoup pleuré, mais tout ça, c'était un tas de drames dont j'aurais pu me passer », se souvient-elle au sujet de sa séparation.

Il y a toutefois une autre raison qui expliquerait le départ d'Angelina du foyer familial et la rupture avec son petit ami. En mai 2009, des histoires provenant de sources anonymes ont été publiées dans les médias. On y affirmait qu'Angelina aurait été pincée au lit avec le fiancé de sa mère. Celle-ci aurait mis un terme à sa relation avec l'homme, mais elle aurait finalement pardonné à sa fille.

Cet incident se serait produit en 1991, et c'est effectivement cette année-là que Marcheline Bertrand a mis un terme à sa relation de onze années avec son cinéaste. C'est également l'année où Angelina a pris un appartement et rompu avec son amoureux, qui cohabitait avec elle depuis qu'elle avait quatorze ans.

Est-ce possible que ses séances de psychothérapie et l'éventuel diagnostic de psychopathie antisociale soient reliés à cette histoire ? À cette époque, en Californie, les lois sur le consentement établissaient à seize ans l'âge en deçà duquel une relation sexuelle est considérée comme un crime ou un délit. Puisque Angelina était probablement âgée de plus de seize ans au moment où les faits se seraient déroulés, cette supposée relation sexuelle n'aurait pas été jugée illégale. Elle aurait toutefois très aisément pu être considérée comme un comportement antisocial par un psychologue.

Par contre, Jolie était manifestement très proche de sa mère jusqu'à sa mort en 2007, et il est difficile d'imaginer que Marcheline Bertrand aurait pu si facilement passer outre un geste aussi répréhensible. J'ai voulu questionner le gérant et porte-parole d'Angelina Jolie, Geyer Kosinski, ainsi que l'ex-ami de sa mère pour connaître leurs versions des faits, mais ni l'un ni l'autre ne m'a rappelé.

Selon Angelina, la fin de sa relation avec son premier petit ami a aussi marqué le terme de sa période d'automutilation. « Lorsque j'ai eu seize ans, j'ai senti que j'avais passé cette étape », raconte-t-elle, sous-entendant que son comportement instable n'était qu'une phase de l'adolescence. Au contraire, le pire était encore à venir.

BRAD PITT

Un jour, quand Angelina Jolie avait seize ans, elle s'est rendue avec sa mère au Beverly Center pour aller voir un film qui venait de sortir au cinéma, *Thelma et Louise*. Marcheline Bertrand a beaucoup aimé le thème abordé, l'indépendance des femmes, illustré par le voyage qu'effectuent les deux protagonistes afin d'échapper à leur quotidien. Quant à Angelina, elle a surtout été frappée par le personnage du jeune et beau cowboy du nom de J. D., un escroc charismatique avec qui Thelma passe une nuit qu'elle n'oubliera jamais. Angelina était loin de se douter que, quinze années plus tard, son nom et celui du cowboy s'uniraient pour devenir l'une des marques de commerce les plus puissantes de l'histoire de Hollywood.

Difficile de croire, lorsqu'on compare leurs origines radicalement différentes, que Brad Pitt et Angelina Jolie étaient destinés à former un couple. Pitt est né en décembre 1963 à Shawnee, en Oklahoma. Peu de temps après sa naissance, ses parents ont déménagé à Springfield, au Missouri, une ville charmante dans le sud de cet État que l'on surnomme « la porte des Ozarks ». Vivre à Springfield à cette époque était comme vivre dans une toile de Norman Rockwell : c'était une oasis de valeurs américaines traditionnelles au milieu des turbulences qui secouaient l'Amérique des années 1960. « Je viens d'une communauté chrétienne très traditionnelle », a déjà expliqué Pitt.

Ses parents étaient des baptistes du Sud conservateurs ; sa mère occupait les fonctions de conseillère pédagogique dans un *high school* et son père était gérant d'une petite entreprise de camionnage. Mais cela ne signifie pas pour autant qu'ils aient été des péquenauds ou des sudistes stéréotypés. Frank Carver, qui a habité à Springfield jusqu'à sa retraite, connaissait bien la famille Pitt. Il se souvient :

« Il y avait beaucoup de racisme et de mentalités rétrogrades à cette époque. On parle après tout du sud des États-Unis – bien que certains considèrent qu'il s'agit plutôt du Midwest –, juste avant l'avènement du mouvement des droits civils. De nombreuses personnes avaient une attitude ignorante. Mais les parents de Brad se montraient plus sophistiqués que ça. Ils étaient baptistes. Pour eux, ça signifiait avoir un regard traditionnel sur le monde, mais pas un regard biblique. C'était probablement des démocrates de Harry Truman. Truman venait du Missouri et il a marqué les gens ici. Les parents de Brad soutenaient probablement le mouvement des droits civils, mais désapprouvaient les gestes radicaux. Ils respectaient Dieu et allaient à la messe, mais ils n'avaient pas une mentalité fondamentaliste au sens moderne du terme. C'était une famille solide et tissée serrée de la classe moyenne américaine. »

« Brad ressemble à son père, mais il a la personnalité de sa mère, affirme Chris Schudy, un des premiers amis de Pitt. Elle était très terre-à-terre, une vraie *superwoman*. Son père était un homme très bien, mais très réservé. Le film *Et au milieu coule une rivière*[3] [dans lequel jouait Pitt en 1992 et qui avait remporté un Oscar] constitue pratiquement un portrait de la famille de Brad. »

Il y avait également deux autres enfants plus jeunes, Doug et Julie, tous deux très proches de leur aîné. « J'ai toujours été en

3. Titre au Québec : *La rivière du sixième jour.*

admiration devant mes deux grands frères, raconte Julie. Pour moi, ils étaient ce qu'il y avait de mieux dans la vie. Doug et Brad se complètent vraiment bien. Nous avions une famille très unie et ça nous a donné une excellente confiance en nous. Selon moi, c'est ce qui a permis à Brad de tenter sa chance comme acteur. J'ai parfois peine à croire que ce garçon de Springfield ait aussi bien réussi, mais il faut dire que Brad a toujours réussi ce qu'il entreprenait et il sait s'y prendre avec les gens. » Chris Schudy se fait l'écho de ce sentiment : « La première fois que ma mère l'a rencontré, elle l'a appelé son petit dieu romain. »

Doug, pour sa part, habite encore non loin d'où il a grandi à Springfield et prend bien soin de ne pas mettre son frère Brad sur un piédestal. « C'est un mec bien ordinaire, affirme-t-il, soulignant au passage que l'acteur a toujours été très indépendant. Si tout le monde s'amourachait d'une moto Harley-Davidson et s'en achetait une, Brad ne le faisait pas. »

Pitt fait encore référence à ses parents comme à ses « guides les plus importants dans sa vie ». Tout comme sa future épouse, il a toujours affirmé que sa mère, qui fut la première à croire en son talent, était seule responsable de son succès. « Elle en était convaincue dès le premier jour », a-t-il déjà dit. Cette mère aimante traînait ses enfants de force à l'Église baptiste du Sud chaque dimanche, et Brad s'est toujours senti étouffé par la piété. Toutefois, avec le recul, il a appris à apprécier cette routine hebdomadaire. « Ça me permettait de me concentrer sur les choses plus importantes », expliquait-il un jour, se remémorant qu'il était fréquemment pris d'une envie irrépressible de crier ou même de péter à l'église pour ensuite bondir sur ses pieds et crier : « Oui, c'était moi ! Je suis ici ! » « Le pasteur choisissait toujours une personne pour lire la dernière prière et j'étais terrorisé, j'avais peur que ce soit moi. Je me faisais tout petit et je suppliais : "Je vous en prie, Dieu, pas moi." Voilà quelle était ma dernière prière. »

Pendant un certain temps, il a même fait partie de la chorale, chantant des hymnes baptistes chaque semaine. « Impossible de ne pas regarder Brad tant son visage était expressif, raconte Connie Bilyeu, pianiste d'accompagnement de l'église, qui a également été l'enseignante d'art dramatique du jeune Pitt au *high school*. Il articulait tous ces mots avec tant d'ardeur qu'il attirait l'attention de tout le monde. »

Ses premiers pas dans le monde du show-business n'ont toutefois pas obtenu l'aval de sa mère. Selon une de ses amies qui le connaît depuis l'âge de cinq ans, Pam Senter, sa première troupe était pour le moins inhabituelle. « Brad et moi allions à l'église ensemble, c'était toujours amusant de passer du temps avec lui, c'était un véritable boute-en-train, a-t-elle raconté au biographe de Pitt, Brian Robb. Ses amis et lui chantaient lors des congrégations. Ils s'étaient nommés les *Brief Boys* (les garçons en caleçon). C'était totalement ridicule. Ils chantaient des paroles inventées sur des airs des Beach Boys, avec pour seuls vêtements leurs caleçons. Je crois que c'était une idée de Brad ; il aimait exhiber son corps à la moindre occasion. Je ne l'ai jamais entendu dire qu'il voulait devenir acteur, mais avec le recul, il est clair qu'il a toujours adoré se donner en spectacle et amuser les autres. »

Pitt étudiait au Kickapoo High School de Springfield au milieu des années 1970. À l'époque, l'école ne comptait que quatre étudiants noirs sur près de deux mille élèves. L'école est aujourd'hui devenue multiethnique et compte notamment une importante population asiatique.

Contrairement à Jolie, pour qui les années de *high school* ont été une période triste et sombre, Pitt en profitait pleinement. « Brad était un jeune super », racontait la directrice adjointe Sandra Grey Wagner au magazine *People* en 1995.

« Il aimait tout, rapporte Kate Chell, qui a étudié à la Kickapoo à la même époque que Pitt. L'expression "l'homme du campus" fait référence à la vie universitaire, mais s'il existait un titre équivalent pour le *high school*, c'est à Brad qu'il serait revenu. Il organisait les soirées de danse, il participait aux pièces de théâtre de l'école, il chantait, il pratiquait de nombreux sports, tout le monde l'aimait et il n'avait aucune prétention. Il possédait un leadership naturel qui attirait les gens vers lui. On pouvait deviner qu'il serait un jour quelqu'un d'important, mais je ne pense pas que quiconque se doutait qu'il deviendrait une star de Hollywood. Toutes les filles étaient folles de lui, moi la première. Je crois qu'il a eu une petite amie pendant un certain temps, mais je sais qu'il a séduit beaucoup de filles. Il aimait les blondes. »

Contrairement à Jolie, il était clair dès son plus jeune âge qu'il était hétérosexuel. Pitt lui-même s'est souvenu, lors d'une entrevue, de sa réputation lorsqu'il était adolescent. « J'adorais les filles, j'étais totalement fasciné, conquis, j'aurais fait n'importe quoi pour elles », précisait-il. Kate Chell se souvient pour sa part avoir vu des adolescentes se battre pour Pitt, qu'elle avait baptisé « le coq de la cour ». Lui-même avoue s'être battu : « J'ai pris part à des escarmouches au sujet d'une fille. Aussi bien que je me souvienne, j'en ai gagné une, probablement parce que j'ai utilisé un coup bas, et j'en ai perdu une. Mais les seuls dommages ont été subis par mon égo. »

Pitt a toujours été discret au sujet de sa vie sexuelle et n'a jamais révélé à quel âge il a perdu sa virginité, bien qu'il ait partagé avec les lecteurs du magazine *Première* les détails de la première fois où il a vu une femme nue. « C'était au début du primaire, nous explorions le chantier d'une maison en construction et avions trouvé une pile de vieux *Playboy*. J'étais très impressionné, renversé même. »

Ce n'est que peu de temps après qu'il s'est fait expliquer les choses de la vie. « Deux mioches qui habitaient plus loin sur ma rue passaient leur temps à dire le mot "*fuck*", alors j'ai demandé à ma mère ce que ça voulait dire, relatait-il. Et c'est ainsi que j'ai eu droit à mon éducation sexuelle. Maman m'a appris que ce mot-là était grossier et que nous utilisions plutôt l'expression "relation sexuelle", puis elle a commencé à m'expliquer comment ça fonctionnait, diagrammes à l'appui. Je me souviens très bien que j'étais horrifié par tout ça. »

Déjà en septième année, il avoue avoir été l'hôte de petites fêtes qui avaient lieu dans le sous-sol de la maison familiale, équipé de *beanbags*[4] parfaits pour permettre aux jeunes de s'embrasser. « Les filles exagéraient avec leur brillant à lèvres parfumé, rigole-t-il. Mais nous n'en avions aucune idée à l'époque, nous pensions que c'était la norme. Ma mère faisait toujours beaucoup de bruit avant d'ouvrir la porte menant au sous-sol, puis elle m'appelait : "Brad ? Est-ce que je peux descendre prendre quelque chose dans le congélateur ?" On se demandait bien pourquoi elle venait chercher un steak congelé à dix heures du soir. »

Pam Senter aussi se rappelle que les filles tombaient toutes dans les bras du jeune Brad. « Elles ne manquaient pas à l'appel, se souvient-elle. Il était très charmant et savait parler aux femmes. J'ai bien pris soin de ne pas tomber amoureuse de lui, je savais qu'il me briserait le cœur. Il est comme ça, c'est plus fort que lui. »

Ses amis se souviennent également qu'il adorait aller au cinéma, surtout pour voir des classiques. C'est toutefois *La fièvre du samedi soir* qui l'aura marqué le plus. « Pas la danse ni les vêtements, a-t-il précisé plus tard, mais la découverte de ces autres cultures, ces mecs avec leurs accents,

4. Fauteuil en forme de poire.

et leur façon de bouger et de parler. Ça m'a renversé et ça m'a donné le goût de voyager et d'explorer d'autres horizons. »

Malgré tout le plaisir qu'il avait au *high school*, Pitt était empreint d'un urgent désir de découvrir le monde. Après avoir reçu son diplôme, il s'est inscrit à la University of Missouri at Columbia, située à trois heures de route de Springfield. « C'était incroyable de quitter la maison, se rappelle-t-il. Vivre avec une bande de gars, en se disant que la vie va désormais se dérouler autour d'un baril de bière. Nous imaginions cela comme dans le film *American College*[5], et il y a très certainement eu cet aspect à ma vie universitaire, mais comme pour le reste, on passe finalement à autre chose. »

À l'université du Missouri, il était toujours aussi populaire auprès des filles. « Lors de notre première année, nous avons organisé un spectacle-bénéfice d'effeuillage, a raconté Greg Pontius, un ami de Pitt, à Brian Robb. Des centaines de filles ont payé pour voir Brad, c'était le mec le plus en demande du comté. Nous ne nous sommes pas entièrement dévêtus, mais elles en ont eu pour leur argent. »

Armé d'un diplôme en journalisme, Pitt a commencé à élargir ses horizons et à remettre en question le monde qui l'entourait, particulièrement les profondes croyances religieuses de ses parents. « Je me souviens du jour où j'ai réalisé que je ne pouvais simplement plus croire à la religion dans laquelle j'ai été élevé. J'ai vécu un choc. Ça a été une sorte de soulagement, dans un sens, de ne plus avoir à croire, mais je me suis alors senti seul. J'étais dépendant de cette chose », précise Pitt, qui se décrit aujourd'hui comme « athée à vingt pour cent et agnostique à quatre-vingts pour cent ».

Malgré son champ d'études, Pitt était déterminé à se diriger vers la publicité ou le marketing, mais en dernière année, il a

---

5. Titre au Québec : *Collège américain*.

réalisé qu'il ne pourrait jamais supporter un boulot routinier pendant le restant de ses jours. Au printemps 1986, alors qu'il ne lui manquait que deux unités pour l'obtention de son diplôme, il a décidé de tout laisser tomber et de se diriger vers la Californie. Il a menti à sa famille et prétendu qu'il partait étudier dans une école de beaux-arts. En réalité, il avait décidé d'aller tenter sa chance comme acteur. Avec environ trois cents dollars en poche, il a conduit sa vieille Datsun en ruines, qu'il avait surnommée « Runaround Sue », jusqu'à L.A., sans réelle stratégie ni même de véritable expérience de jeu.

« J'ai toujours su que je quitterais le Missouri, a-t-il confié plus tard, mais c'est comme dans cette chanson de Tom Waits : "Je n'avais jamais remarqué ma ville natale jusqu'à ce que je la quitte trop longtemps." J'adore ma ville natale, mais j'avais besoin de voir autre chose. Je lisais, je regardais la télé, et je voyais tous ces autres univers ; j'étais époustouflé. »

« Il n'avait pas joué si souvent que ça, se souvient son amie Chell. Même dans les pièces de théâtre à l'école, il n'avait jamais eu de rôle principal, mais si vous aviez pu observer comment les gens réagissaient à sa présence sur scène, vous auriez compris pourquoi il était convaincu qu'il réussirait. C'était un beau jeune homme et il le savait. S'il ne perçait pas comme acteur, il pourrait toujours devenir mannequin, il était suffisamment beau pour ça, et la beauté compte pour beaucoup dans notre monde. »

Son premier boulot à son arrivée à L.A. consistait à promouvoir la chaîne de restaurants mexicains El Pollo Loco, pour la renversante somme de neuf dollars de l'heure, en se déguisant en poulet géant pour esquisser des pas de danse devant la succursale située à l'angle de Sunset et La Brea. « C'est pas mal d'argent quand vous êtes habitué à gagner trois dollars et demi de l'heure comme plongeur », lance-t-il. Il se souciait peu des insultes et des mauvaises blagues des clients : « Je m'en foutais, ce n'est pas moi qu'ils insultaient, c'était le putain de poulet ! »

Se déguiser en poulet n'était pas beaucoup moins glorieux que son emploi suivant, celui de conducteur pour une entreprise de télégrammes sexy ; il conduisait les effeuilleuses d'un client à un autre. « C'était un boulot bien. Les voyages étaient souvent intéressants, se remémore-t-il en décrivant leur routine nocturne. Je les conduisais à leurs rendez-vous. Nous avions une chambre privée. Elles sortaient, je les présentais et je m'occupais de la musique. La plupart demandaient du Prince ou quelque chose du genre puis elles retiraient leurs vêtements et me les lançaient pour que les mecs ne les leur piquent pas. »

Après des centaines d'auditions, il a commencé à obtenir de petits rôles de figurant, notamment dans *Neige sur Beverly Hills* ainsi que dans le thriller *Sens unique*, avec Kevin Costner, où il incarnait un agent de sécurité dans un aéroport. Puis, à l'âge de vingt-quatre ans, il décrochera enfin ses premiers rôles parlants, notamment dans un épisode du feuilleton *Another World*, de même qu'une participation à quatre épisodes de la série *Dallas*. On le voyait à l'écran « probablement pas plus de quatre minutes, précise-t-il au sujet de son passage. Je jouais un amoureux déchu, un idiot ».

Sa petite amie dans ces épisodes de la série, Shalane McCall, est rapidement devenue sa première conquête hollywoodienne, une romance qui n'aura duré que six semaines. L'agent de l'acteur, Phil Lobel, a plus tard révélé que c'était le début d'une longue tradition. « Disons qu'il tombait très facilement amoureux », a confié Lobel au magazine *People*, racontant également qu'il devait souvent prêter de l'argent à Pitt pour que celui-ci puisse acheter des cadeaux extravagants à ses conquêtes. « Je n'ai jamais vu Brad tenter de ramener une fille chez lui. C'était toujours elles qui voulaient y aller, a affirmé un autre ami au même magazine. Il est très timide, en fait. »

Après sa participation à la série *Dallas*, Pitt a passé les quatre années suivantes à se traîner les savates dans Hollywood, faisant des apparitions dans des émissions de télévision et obtenant de petits rôles dans des films. Il a qualifié cette période de « merdique ». Néanmoins, il commençait à faire parler de lui. « Quand Brad entrait dans une pièce, c'était souvent plus excitant que lorsque les autres acteurs jouaient une scène entière », a un jour dit le producteur Patrick Hasburgh, qui lui avait donné un rôle dans un épisode de *21 Jump Street* en 1988. Deux ans plus tard, Pitt a obtenu sa propre émission sur les ondes de Fox intitulée *Glory Days*, une série dramatique dans la veine de *Beverly Hills* qui fut retirée des ondes après seulement six épisodes. « C'était horrible, affirmait Brad Pitt à ce sujet. Je préférais ne rien faire plutôt que de jouer là-dedans. »

Le rôle qui l'a lancé définitivement a bien failli aller à William Baldwin, qui était le premier choix de Ridley Scott pour interpréter J. D., le charismatique vagabond de *Thelma et Louise*. Toutefois, lorsque Baldwin a plutôt opté pour jouer dans le film *Backdraft*[6] de Ron Howard, c'est Pitt qu'on a appelé pour le remplacer. C'était un petit rôle, mais les critiques ont plus tard affirmé qu'il volait pratiquement la vedette. Il jouait un autostoppeur qui vole les quelques milliers de dollars d'économies de Louise, après avoir charmé Thelma et lui avoir donné la première satisfaction sexuelle de sa vie. Pitt nommera plus tard cette scène déterminante pour sa carrière « l'orgasme à six mille dollars ». Un membre de l'équipe technique a raconté au magazine *People* à quel point le jeune acteur était nerveux de tourner cette scène de sexe avec Geena Davis, qui incarnait Thelma : « Il était absolument charmant, très timide et nerveux. Ce qui l'inquiétait le plus, c'était que sa mère n'approuverait pas. »

6. Titre au Québec : *Pompiers en alerte.*

Si, de nos jours, Pitt s'adresse avec éloquence à des comités du Congrès et à des délégations internationales sans aucun problème, à l'époque, on aurait aisément pu croire que son vocabulaire se limitait à deux mots : « cool » et « ennuyant ». Lorsqu'une publication lui a demandé comment il avait trouvé le fait de travailler avec Ridley Scott[7], l'acteur a répondu : « Qu'est-ce que vous en pensez ? C'est vraiment cool. Ridley était vraiment cool. J'étais vraiment impressionné... Vous savez, on discutait en détail des scènes qu'on tournait, ce qui est vraiment cool. Ce qui est vraiment cool, c'est de prendre part à un projet où tous les éléments se complètent et forment un tout. »

On a souvent comparé Pitt à James Dean à la suite de *Thelma et Louise*. « Ces comparaisons à James Dean m'ennuient, ce qu'il est devenu m'ennuie et les jeunes acteurs qui essaient d'être comme lui m'ennuient. Cela va plus loin que ce film, c'est quelque chose de personnel, je suppose. » Qu'il le veuille ou non, ces comparaisons à James Dean étaient un signal clair qu'on venait de faire de lui la nouvelle coqueluche du cinéma.

7. Ridley Scott a entre autres réalisé *Alien : le huitième passager*

Débuts dans l'ombre du père

Si on en croit la version d'Angelina Jolie, ses premières tentatives pour devenir mannequin ont échoué lamentablement parce qu'elle était trop petite, trop mince, trop grosse ou que ses cicatrices étaient trop visibles. Une fois de plus, les faits racontent une tout autre histoire.

En 1991, Sean McCall était un jeune photographe promis à un grand avenir quand il a obtenu un contrat pour une collection de maillots de bain haut de gamme de La Perla. Il était à la recherche d'un mannequin pour cette vaste campagne publicitaire nationale. D'ordinaire, La Perla optait pour un top-modèle ou un visage très connu, mais cette fois-ci, l'entreprise souhaitait que cela change. « La Perla ne voulait pas que l'étoile de son mannequin brille plus fort que la marque et ses vêtements, se souvient le photographe. Ils recherchaient spécifiquement un nouveau visage. »

La maquilleuse de McCall venait justement de travailler avec une jeune fille que son agence avait envoyée afin de lui préparer un porte-folio, une étape indispensable pour toute jeune actrice qui aspire à percer dans le monde du show-business. « Elle m'a dit qu'elle venait de voir quelqu'un qui serait parfait pour cette campagne, précise-t-il. Elle savait que je voulais un visage attirant et différent. Elle m'a dit que c'était la fille de l'acteur Jon Voight, ce qui ne m'impressionnait pas, mais j'ai quand même accepté de la voir. Je l'ai contactée en parlant à sa mère, et nous avons organisé une rencontre pour faire un essai photo. »

Le jour suivant, la jeune Angelina Voight, seize ans, s'est présentée au condo de McCall, à Santa Monica. Il a immédiatement su qu'il venait de trouver le visage qu'il cherchait. « Tout de suite, je me suis dit qu'elle avait les traits les plus uniques qu'il m'ait été donné de voir, s'exclame-t-il. Je n'avais même pas besoin de faire de test, je voulais commencer une séance complète sur-le-champ. »

Nombreux sont ceux qui pensent que les traits si particuliers d'Angelina Jolie sont le résultat de chirurgies esthétiques. Bon nombre d'articles spéculatifs ont notamment été écrits au sujet de possibles injections de collagène pour obtenir ces lèvres si pulpeuses et sensuelles qui sont pratiquement sa marque de commerce. Pourtant, lorsqu'on regarde les clichés pris par McCall ce jour-là, on voit tout de suite qu'Angelina Jolie a très peu changé depuis ses seize ans. Si on la connaît aujourd'hui comme la femme la plus séduisante du monde, elle n'a pas obtenu ce titre par des moyens artificiels. « Je suis un professionnel ; je sais tout de suite lorsque quelqu'un a subi des chirurgies esthétiques ou a altéré son apparence, affirme McCall. Croyez-moi, l'Angelina que j'ai rencontrée ce jour-là est la même que le monde connaît aujourd'hui. On m'a dit qu'elle avait fait amincir son nez légèrement depuis, mais autrement, rien n'a changé. »

Ce qui l'a le plus frappé, ce jour-là, ce sont tous les points qu'ils avaient en commun. « Elle était très gentille et de toute évidence extrêmement intelligente, raconte-t-il. Je crois qu'on a commencé à parler d'escrime. J'arrivais tout juste d'une leçon d'escrime et, lorsque je lui ai dit cela, elle s'est immédiatement mise à me parler d'épées. Elle m'a dit qu'elle collectionnait les couteaux et les épées, et j'ai aussi une collection très variée de lames, certaines datant de la Guerre civile. Elle m'a demandé où elle pourrait trouver un bon présentoir, puis nous avons également constaté que nous avions un ami en commun, Jean-Pierre Hallet. »

Hallet était réputé pour avoir consacré sa vie à sauver les Pygmées de la région d'Ituri, au Congo, d'une extinction physique et culturelle. En tant qu'anthropologue, il avait vécu parmi eux et avait même introduit une nouvelle plante dans leurs cultures, ce qui les a sauvés de la famine lorsque la déforestation a pratiquement éradiqué toutes leurs sources habituelles de nourriture. Selon lui, les Pygmées étaient le peuple le plus ancien de la Terre, probablement les ancêtres communs de toute l'humanité, et c'est à eux qu'on devrait la plupart des concepts éthiques et religieux que la vaste majorité du monde a plus tard adoptés. En 1991, Hallet était propriétaire d'un des plus importants commerces d'artéfacts d'Afrique centrale du monde, situé sur la Third Street Promenade à Santa Monica. C'est là qu'Angelina avait acheté une épée masaï, et elle s'était liée d'amitié avec lui. Elle était fascinée par ses histoires au sujet des peuples africains. « Je suis convaincu que son penchant bien connu aujourd'hui pour l'Afrique est né de cette association à Jean-Pierre Hallet. Je le connaissais aussi parce que je lui avais acheté plusieurs épées », raconte McCall.

Toutefois, le photographe n'a jamais utilisé Angelina pour la campagne de La Perla, parce qu'il a reçu un appel de l'agent de celle-ci lui disant qu'elle préférait se concentrer sur sa carrière au cinéma. « J'étais très déçu, raconte-t-il. J'étais convaincu qu'elle deviendrait top-modèle. D'ailleurs, la fille que j'ai choisie à la place d'Angelina Jolie, Caprice Bourret, est devenue un top-modèle. Elle a même été le premier mannequin officiel de Wonderbra... C'était probablement une bonne décision de la part de l'entourage d'Angelina. Le monde entier aurait connu son visage, mais aurait été privé de son talent d'actrice. »

Cet événement semble avoir constitué un tournant important. Même si La Perla aurait été sa première campagne nationale, Angelina avait une carrière de mannequin florissante depuis l'âge de treize ans. Elle s'était même déjà rendue à Londres et en France à plusieurs reprises pour des contrats. Elle était représentée par la meilleure amie de sa mère, l'agent de mannequins Jade Dixon (aujourd'hui Jade Clark-Dixon). « Angie était un ange, tout comme sa mère, raconte Dixon. Elle était ma première cliente et elle avait beaucoup d'aplomb. Elle était très jolie, même à cette époque. Je l'ai finalement orientée vers le métier d'actrice lorsque j'ai constaté le talent qu'elle avait, flagrant dès son plus jeune âge. »

Ainsi encouragée, et ayant mis derrière elle son obsession pour la mort, son besoin de se couper et ses premières expériences sexuelles, Angelina avait désormais comme objectif une carrière d'actrice. Et bien qu'elle attribue sa décision à l'influence de sa mère plutôt qu'à celle de son père, Jon Voight a joué un rôle déterminant dans son intérêt pour le septième art.

« Avec le recul, on se rend vite compte qu'il y avait des indices qui annonçaient qu'elle deviendrait actrice dès le plus jeune âge, se souvient Jon Voight. Pour elle, n'importe quoi était prétexte à créer un événement. Elle a toujours été occupée, créative et artiste dans l'âme. » Lorsqu'elle invitait des petites amies à jouer avec elle vers l'âge de dix ans, son père leur créait même des mises en scène. « Je voulais enseigner des choses sur le jeu d'acteur aux enfants, explique-t-il. Je leur disais : "Je vais vous lire le texte, montrez-moi comment vous le joueriez." »

Angelina, pour sa part, explique que ses premières ambitions d'actrice remontent à l'époque de sa petite enfance. « Je me souviens que Jamie tournait le caméscope vers moi et me criait : "Vas-y, Angie ! Donne-nous un spectacle !" Ni papa ni maman ne disaient jamais : "Chut ! Tais-toi !" Je me souviens que papa me regardait droit dans les yeux et me demandait : "Comment te sens-tu ? Quelles sont tes émotions en ce moment ?" Je ne savais pas ce que je voulais exactement à cette époque, mais je savais que je trouverais. J'adorais certains types d'expression. J'étais animée par ce désir de faire comprendre quelque chose à quelqu'un. Je suis très douée pour l'exploration de diverses émotions, pour l'écoute des autres et aussi pour ressentir. Je crois que c'est ça, être une actrice, alors c'est ce que je devais faire. »

Après qu'Angelina fut sortie de sa phase d'obsession de la mort, son père l'a aidée à développer les techniques qu'elle avait acquises à l'Institut Strasberg quelques années auparavant. Il lui donnait des leçons hebdomadaires dans la maison qu'il louait dans la San Fernando Valley, où ils lisaient ou jouaient une pièce différente chaque semaine.

Voight affirme avoir été « ému aux larmes » lorsque Angelina a lu une pièce d'Arthur Miller qui avait lancé sa carrière trois décennies plus tôt.

« Les choses se déroulaient par étapes. Une de ces étapes fut la lecture de *Vu du pont*, que j'avais joué aussi bien que j'ai pu jouer dans ma vie. Il y a cette scène où un garçon italien fait la connaissance de Catherine, une jeune fille dont il tombe amoureux. J'ai connu de nombreuses Catherine, mais ce dimanche, quand Angelina l'a interprétée, c'était toute une performance. Elle était étudiante, elle n'avait que seize ans, mais je vous le dis, elle a joué Catherine aussi bien que quiconque l'avait jouée à ce jour. L'accent, l'émotion, tout était parfait. J'étais renversé. J'ai été très touché. C'est à ce moment que j'ai su.

La semaine suivante, j'ai invité un ami, Tom Bower, un acteur incroyable, et nous avons relu la pièce. Encore une fois, Angelina a livré toute une performance. Tom était emballé et disait : "C'est génial !" Tom dirigeait le Met Theater de Los Angeles. Alors, Angelina est allée auditionner pour les ateliers du samedi, qui se trouvaient sous la tutelle de Ed Harris, Holly Hunter et Amy Madigan, qui sont désormais comme des parrains et marraines pour elle. Et puis, un jour, Tom est revenu de l'atelier et m'a dit : "Jon, elle est vraiment spéciale." »

Marcheline Bertrand a tout fait pour encourager Angelina à se réinscrire au Strasberg Institute afin de peaufiner son talent. Pour sa première production à l'Institut, elle devait jouer dans la comédie *Room Service*. Elle a choisi d'auditionner pour un rôle très atypique. « Je me suis demandé ce que j'allais préparer pour l'audition, explique Angelina. J'ai choisi la grosse Allemande de quarante ans, c'était le rôle pour moi. » Elle a toutefois apporté sa touche personnelle au personnage, transformant cette gérante d'hôtel imposante en *Frau* Wagner, une dominatrice.

Voight se souvient de sa surprise lorsqu'il a vu sa fille dans cette production. « J'étais un peu sous le choc de la voir sur scène dans la peau de *Frau* Wagner. Mais le vrai choc a été de réaliser : "Mon Dieu, elle est exactement comme moi." Elle va accepter des rôles loufoques et se réjouir de pouvoir faire rigoler les gens. »

Pendant ce temps, son frère Jamie s'était inscrit à la School of Cinema-Television de la University of Southern California (rebaptisée la School of Cinematic Arts en 2006) et vivait avec son père dans sa maison de la Valley. Durant cette période, il a réalisé cinq courts métrages mettant sa sœur en vedette, tous financés par son père, dont il était encore très proche à l'époque. Une de ces productions a même remporté un George Lucas Award, un prix attribué personnellement par le réalisateur de *La guerre des étoiles*, un des anciens élèves de l'école les plus connus et un de ses donateurs les plus généreux.

C'est à peu près à cette époque qu'Angelina a décidé de laisser tomber le nom de Voight pour utiliser son nom d'artiste prédestiné, Jolie. Comme elle l'expliquera plus tard : « J'aime mon père, mais je ne suis pas lui. » Malgré cela, et malgré le fait que Marcheline Bertrand ne précisait pas la filiation d'Angelina, de nombreux directeurs de distribution ont affirmé qu'on la leur avait présentée comme étant la fille de Jon Voight, ce qui ouvrait bien des portes à Hollywood.

Malgré cela, ses débuts ont été plutôt lents. Son premier rôle important, si un tel terme est approprié, fut celui que lui offrit le réalisateur Michael Schroeder lorsqu'elle avait dix-sept ans dans le film de science-fiction *Cyborg 2 : Glass Shadow.* C'était la suite du film à succès d'Albert Pyun sorti en 1989, *Cyborg*, qui avait, incidemment, lancé la carrière de Jean-Claude Van Damme. Ni Pyun ni Van Damme ne participaient à cette suite, ce qui l'a sans doute vouée à l'échec dès le départ.

Le scénario de *Cyborg 2* voit le monde divisé entre deux mégacorporations informatiques, l'américaine Pinwheel Robotics et la japonaise Kobayashi, toutes deux faisant usage d'espionnage industriel agressif. Angelina y tient le rôle de Casella « Cash » Reese, une androïde à qui on a injecté un liquide explosif qui peut être déclenché à distance. Ses maîtres à la Pinwheel Corporation veulent l'utiliser pour détruire leurs rivaux de la Kobayashi et ainsi dominer le monde, mais Cash découvre le complot grâce à l'aide de son instructeur d'arts martiaux et d'un mystérieux inconnu, interprété par Jack Palance, qui a infiltré le système informatique de Pinwheel. Bien entendu, Cash sauve la mise à la fin du film. Ce premier contact de l'actrice avec un rôle d'héroïne de film d'action annonçait le personnage de Lara Croft, plusieurs années plus tard.

Juste avant la sortie du film, Jon Voight jouait au théâtre dans *La mouette* de Tchekhov, à New York. Lors d'une entrevue télévisée, il discute, en fier papa, du fait que ses deux rejetons s'étaient dirigés vers des métiers du show-business. « Mon fils Jamie a dix-neuf ans et ma fille Angelina a dix-sept ans, précisait-il à CNN. Marche et moi avons fait tout en notre pouvoir pour être de bons parents, et ces deux enfants vont désormais faire partie de mon monde, le monde du cinéma et de la scène. Angie, ma fille Angelina, vient tout juste de tourner un film, et elle est vraiment fière que je joue sur scène. Jamie, quant à lui, écrit, mais il ne me montre pas tout. Il m'a montré trois petites pièces, une d'environ cinq minutes, puis une d'une demi-heure et finalement, un scénario pour un film de deux heures. Mais, très doucement, il ajouté : “Tu sais, papa, j'ai écrit plus de quatre-vingts œuvres.” »

Lorsque *Cyborg 2* est sorti au cinéma en 1993, les critiques furent très dures, un quotidien écrivant entre autres : « un jeu d'acteurs maladroit et un scénario ridicule qui fait parfois rire sans le vouloir ». Le film est rapidement tombé dans l'oubli pour refaire surface lorsque Jolie est devenue célèbre, probablement parce qu'il y avait une scène où on la voyait seins nus.

Hollywood a toujours misé sur sa capacité à prévoir les nouvelles tendances, principalement parce qu'un film prend généralement des années à réaliser, depuis sa conception jusqu'à sa parution sur les écrans. Lorsque l'idée originale pour le film *Hackers* a été développée initialement, peu de gens possédaient un ordinateur à la maison et pratiquement personne n'avait entendu parler d'Internet. Toutefois, lorsque le scénario a finalement été commandé, Nirvana avait rendu le punk rock populaire et les ordinateurs étaient à la mode. Quel meilleur véhicule, alors, qu'un « thriller cyberpunk » ? Le concept devait avoir été vraiment bien présenté, puisque ses producteurs nourrissaient de vifs espoirs à l'égard de la réaction des critiques et des cinéphiles, espérant même qu'il devienne le premier mégasuccès de l'ère Internet. Ils ont confié la tâche au réalisateur britannique Iain Softley, dont on avait salué le film *Backbeat*, qui racontait les premières armes des Beatles tout en évitant les clichés éculés qui gâchent généralement ce genre d'effort. Les producteurs de *Hackers* étaient convaincus que l'originalité de Softley était exactement ce dont ils avaient besoin.

L'intrigue se déroule à New York et raconte l'histoire d'une sous-culture de *hackers* adolescents qui se retrouvent malgré eux mêlés à une tentative d'extorsion. On y suit le jeune Dade Murphy, originaire de Seattle, qui, à l'âge de onze ans, a été trouvé coupable d'avoir provoqué la panne de milliers d'ordinateurs, entraînant une chute massive de la valeur de l'indice Dow Jones, méfait pour lequel on l'a condamné à ne pas posséder d'ordinateur jusqu'à ce qu'il ait dix-huit ans. Aussitôt l'âge légal atteint, Dade se procure un ordinateur et recommence sa vie de *hacker* en commettant de petits méfaits, comme suspendre la programmation habituelle d'une station de télévision pour plutôt y diffuser un épisode d'*Au-delà du réel*. Après s'être inscrit dans une nouvelle école, il fera la rencontre d'une jeune fille superbe du nom de Kate Libby, dont les talents de *hacker* rivalisent avec les siens. L'essentiel du film raconte un duel entre les deux jeunes, qui finit par se transformer en histoire compliquée d'espionnage industriel et de catastrophe environnementale imminente. Le rôle de Kate était central et Softley savait qu'il lui faudrait trouver la bonne actrice, surtout parce que l'auditoire cible du film serait constitué de jeunes hommes. Il a donc ratissé très large lors des auditions pour le rôle, où se sont notamment présentées Hilary Swank, Liv Tyler et Heather Graham. Aucune d'elles ne correspondait à ce qu'il cherchait. Puis, on lui a annoncé que la fille de Jon Voight venait d'arriver.

Lorsqu'elle s'est présentée, se souvient-il, elle portait les cheveux longs et des lunettes, croyant sans doute qu'un *hacker* devrait avoir l'air d'un intello. Ce qu'elle ignorait, c'est que Kate Libby, alias « *Acid Burn* », était une punk rebelle qui serait l'incarnation de la défiance adolescente. « Je lui ai expliqué qu'elle aurait des tatouages et des perçages et qu'elle devrait se faire couper les cheveux, raconte le réalisateur. Angelina a immédiatement dit qu'elle se ferait raser la tête. Elle était ainsi : elle s'investissait totalement. »

Elle a obtenu le rôle. C'est son charisme unique qui a immédiatement convaincu le réalisateur. « Vous savez, ce je ne sais quoi qui fait que ces gens vous attirent, indépendamment de leur talent d'acteur, poursuit Softley. Johnny Depp l'a, Angelina l'a aussi. Lorsque vous avez une présence aussi particulière qu'elle, ça devient un outil incroyable. Les gens comme Angelina s'attirent entre eux. Elle a une grande confiance en elle, mais de façon très discrète. Elle est très déterminée, audacieuse, vive et brave. »

De même, Softley a choisi un jeune acteur inconnu du nom de Jonny Lee Miller pour incarner Dade. Miller avait joué quelques petits rôles à la télévision britannique, dans des séries policières et des feuilletons, incluant un rôle récurrent dans le glauque *EastEnders*. Il provenait toutefois d'une longue lignée d'acteurs ; son grand-père notamment, Bernard Lee, incarnait le célèbre personnage M dans les premiers films de James Bond.

Angelina s'est finalement retrouvée dans les bras de Miller mais, entre eux, ce ne fut pas le grand coup de foudre. Elle avait confié à une maquilleuse du nom de Kelly qu'elle était convaincue que Miller était gay parce qu'il avait fait partie d'une troupe de comédie musicale. Pour elle, les hommes qui jouent dans les comédies musicales sont presque nécessairement « attirés par les hommes ».

Pourtant, Angelina avait laissé entendre que leur histoire d'amour était née sur le plateau du film. « Nous nous sommes connus pendant le tournage de *Hackers*, et je tombe toujours amoureuse lorsque je tourne un film, avait-elle confié au quotidien britannique *Daily Express*. S'investir dans un tournage est une expérience intense, c'est comme découvrir qu'on a une maladie mortelle et très peu de temps à vivre, alors vous vivez et aimez avec deux fois plus d'intensité. Puis, vous en ressortez comme un serpent qui mue, et vous vous retrouvez seul dans le froid. »

« En vérité, relate Kelly la maquilleuse, ils ne formaient pas un couple à cette époque, Angelina a pensé qu'il était gay durant tout le tournage. Ils passaient beaucoup de temps ensemble, et Dieu seul sait ce qui pouvait bien avoir lieu dans la loge, mais je suis presque totalement certaine que leur histoire a commencé réellement après la fin du tournage. » Comme le confirmera plus tard Miller : « J'ai pourchassé Angelina d'un bout à l'autre de l'Amérique du Nord jusqu'à ce qu'elle succombe, mais ça m'a pris du temps et plusieurs milliers de kilomètres. »

Après *Hackers*, Angelina a participé à un film indépendant à petit budget, une histoire de crime intitulée *Without Evidence*. Le scénario tournait autour du meurtre, en 1989, du dirigeant des services correctionnels de l'Oregon, Michael Francke, qui aurait en fait été victime d'un complot politique. Angelina y jouait le rôle d'une droguée, une performance que peu de gens connaissent, mais qui donnait un aperçu de son talent. Le film n'a jamais été distribué à grande échelle, mais tous ceux qui l'ont vu ont été renversés par la prestation d'Angelina, *Variety* la décrivant même comme « touchante à en pleurer ».

Jouer une jeune toxicomane n'était pas vraiment un rôle de composition pour Angelina, à cette époque. Selon des gens qui la connaissaient bien lorsqu'elle avait dix-neuf ans, elle était presque constamment sous l'effet de stupéfiants. « Ace », un revendeur de Venice Beach, en Californie, affirme avoir été le revendeur attitré d'Angelina lorsqu'elle était en ville. « Elle me téléphonait et on se donnait rendez-vous sur le quai de Santa Monica, et je lui apportais ce qu'elle désirait, explique-t-il. Je ne me souviens pas exactement de ce qu'elle me demandait, mais c'était toujours plusieurs types de drogues différentes. Parfois, elle m'appelait, totalement incohérente. Moi, je ne vendais pas d'héro – c'est trop risqué –, alors je ne pourrais pas vous dire si elle se piquait. »

Angelina a plus tard avoué que l'héroïne avait déjà été une de ses drogues de prédilection, bien qu'elle n'ait jamais révélé de détails précis sur sa dépendance. En 2008, le quotidien britannique *The Sun* publiait des images de l'actrice tirées d'une bande vidéo sur laquelle on la voyait dans un repaire de drogués aux côtés d'une femme en train de s'injecter de l'héroïne, images qui dateraient des années 1990. Jolie, l'air hirsute, fume une cigarette et dit à la caméra : « J'ai fait de la coke, de l'héroïne, de l'ecstasy, du LSD, j'ai tout essayé. Je déteste l'héroïne parce qu'elle m'a longtemps fascinée. Je ne suis immunisée à rien, mais je ne ferai plus d'héroïne, plus jamais. » Les tabloïds rapportaient également qu'un homme prétendait avoir une autre bande vidéo et qu'il était prêt à la vendre 70 000 $. Il disait qu'on pouvait y voir Angelina sniffer des lignes d'héroïne et ensuite inhaler la fumée de cette drogue alors qu'elle la fait brûler sur un papier d'aluminium.

Lorsque *Hackers* a finalement pris l'affiche en septembre 1995, les réactions furent mitigées. Même si on le reconnaît aujourd'hui comme le premier film à gros budget d'Angelina, on peut dire qu'il s'est soldé par un échec au box-office. Plusieurs éléments de la culture informatique étaient erronés et le film a été vertement critiqué en ligne par les maniaques de technologie. Le *Miami Herald* qualifiait le film d'« esthétique, mais décevant », précisant que « *Hackers* échoue dans sa mission d'être un thriller. Il est difficile d'être assis au bout de son siège en regardant des gens taper sur le clavier d'un ordinateur, et malgré les efforts de Softley pour représenter visuellement des choses qui ne sont pas naturellement visibles, le film ne réussit pas à nous captiver ». Le *San Francisco Chronicle* l'a carrément qualifié de « navet éhonté » et le *New York Daily News* déplorait que le film « se perd[e] dans le cyberespace ».

Toutefois, parallèlement à tout cela, les critiques les plus influents des États-Unis étaient unanimement impressionnés par les performances de Jolie et Miller. « Le film est bien réalisé, bien écrit et bien joué et, bien qu'il ne fasse aucun doute qu'un véritable *hacker* peut accomplir ce que les personnages du film accomplissent, il ne fait également aucun doute que ce qu'accomplissent les *hackers* ne fait pas un très bon film... Jolie, la fille de Jon Voight, et Jonny Lee Miller, un nouveau venu britannique, offrent une performance convaincante et engageante », écrivait Roger Ebert dans le *Chicago Sun Times*.

Janet Maslin, critique cinéma pour le *New York Times*, a été charmée par le jeu de Jolie dans la peau de Kate. « Kate (Angelina Jolie) se démarque du reste. C'est qu'elle a une moue beaucoup plus convaincante que le personnage de Dade et qu'en plus, elle semble parfaitement crédible lorsqu'elle est assise devant son ordinateur dans un haut diaphane. Malgré son attitude renfrognée, pardonnable puisque le rôle l'exige, mademoiselle Jolie a les traits angéliques de son père Jon Voight. »

Voight a été très impressionné par la performance de sa fille, déclarant même en entrevue : « J'espère qu'elle deviendra une grande vedette, pour qu'elle puisse prendre soin de moi durant mes vieux jours. De tout ce que j'ai pu faire dans la vie, ce dont je suis le plus fier est d'être le père d'Angelina. »

Hollywood commençait à prendre note de l'arrivée d'une nouvelle jeune vedette.

Jonny et Jenny

Les premiers indices d'une relation sérieuse entre Jolie et Miller ont commencé à faire surface lors de la tournée promotionnelle au Royaume-Uni pour le film *Hackers*, au début de 1996. Jonny Lee Miller a déclaré à un journaliste britannique qu'il fréquentait « une Américaine qui habite L.A. ». Peu de temps plus tard, Jolie est apparue en public avec un petit jonc en or à l'annulaire gauche. Finalement, lors d'une entrevue avec le magazine *Empire* ce printemps-là, Jolie a parlé de ses fiançailles. « Nous nous sommes mariés il y a deux semaines, a-t-elle laissé tomber. Nous n'avons pas organisé un grand mariage en blanc. C'était un petit mariage en noir. » Le journaliste d'*Empire* a de plus rapporté qu'elle avait lâché cette information « avec la même désinvolture que si elle avait demandé un peu plus de sucre pour son café ».

Le couple s'était marié lors d'une cérémonie civile impromptue le 28 mars, avec comme seuls témoins Marcheline Bertrand, la mère d'Angelina, et le meilleur ami de Miller, le jeune Jude Law, encore inconnu à cette époque.

Lorsque Jolie a fait part des détails du mariage à la presse, c'était en général la première fois que le public entendait parler d'elle, mais elle aura certainement laissé une première impression marquante : elle a raconté que Miller était tout de cuir noir vêtu et qu'elle portait des pantalons de latex noir avec une chemise blanche, au dos de laquelle elle avait inscrit le nom de son mari avec son sang. Lorsqu'on l'a questionnée au sujet de ce geste grandiloquent, elle a répondu : « C'est votre mari, vous êtes sur le point de l'épouser ; un petit sacrifice pour marquer l'occasion est de mise. Je trouve cela plutôt poétique. Certaines personnes écrivent de la poésie, d'autres se coupent. » Elle a toutefois expliqué au *New York Times* qu'elle avait extrait son sang avec beaucoup de précautions à l'aide d'une aiguille chirurgicale.

Néanmoins, Miller s'est empressé de rassurer ses admirateurs, les assurant qu'il n'était pas devenu complètement fou : « Ce n'était pas aussi horrible que ça peut le paraître, a-t-il expliqué. Je pense que les gens s'imaginent que c'était quelque chose d'un peu satanique, mais ce n'est pas le cas. » Angelina s'est montrée tout aussi nonchalante à ce sujet. « Il n'y avait là rien de plus inquiétant que le fait de promettre votre vie à quelqu'un », affirmait-elle.

Même s'ils étaient mariés, Miller n'avait toujours pas rencontré le père de Jolie et était très nerveux à ce sujet. « C'était quand même une expérience étrange de dire : “Bonjour, je suis votre gendre” à Jon Voight. Mais Jon est un homme bien et, après tout, nous respirons tous le même air. »

Bien que *Hackers* soit rapidement tombé dans l'oubli, on parlait de Jonny Lee Miller un peu partout dans le monde grâce à un film qu'il a tourné peu de temps après, mais qui est sorti en Europe un peu avant *Hackers*. Il s'intitulait *Trainspotting*[8] et racontait l'histoire d'un groupe d'héroïnomanes adolescents de la classe ouvrière d'Édimbourg. Miller était présenté comme un jeune premier suite à son rôle de « *Sick Boy* », un punk obsédé par Sean Connery.

Jolie, quant à elle, devrait attendre encore pour ce genre de consécration professionnelle. Elle a d'ailleurs déploré, pendant

8. Titre au Québec : *Ferrovipathes*.

la tournée promotionnelle européenne pour *Hackers*, que les gens s'intéressaient plus à son père et à son mari qu'à elle. « C'est une expérience très étrange que de se marier et de perdre son identité presque aussitôt, se plaignait-elle. Tout d'un coup, vous êtes la femme de quelqu'un et vous réalisez que vous n'êtes plus vous-même, mais seulement la moitié d'un couple. Nous avons été invités sur une émission du matin à la télévision et ils nous ont lancé du riz et offert un grille-pain. Je me suis immédiatement dit : "Je dois me retrouver." »

Selon la plupart des observateurs, Angelina Jolie semblait avoir des doutes sur leur mariage dès leur retour aux États-Unis, alors que Jonny Lee Miller s'est installé avec elle dans son petit appartement de L.A. Elle a rapidement commencé à interdire qu'on lui parle de son mariage lors d'entrevues, annonçant presque du même coup une séparation : « Nous vivons tous les deux dans l'instant présent, nous ne pensons pas à l'avenir. Même si nous divorcions, je saurai ce qu'être mariée à quelqu'un que j'aime et être une épouse veut dire. Le mariage n'est rien d'autre qu'un bout de papier qui vous unit à quelqu'un pour toujours. »

Miller, quant à lui, semblait plus ouvert à l'idée d'un engagement à long terme. « Lorsqu'on aime quelqu'un, on a envie d'être avec cette personne, expliquait-il. Nous sommes un couple qui vit dans les extrêmes, et un de ces extrêmes était de nous marier. Avoir une telle relation basée sur l'honnêteté et la lucidité nous a vraiment beaucoup apporté spirituellement, nous a ouvert de nouvelles portes intérieures. »

Il est rapidement devenu évident que ce qui les unissait allait au-delà du métier d'acteur : c'était surtout une propension à une sexualité débridée. Dans une entrevue accordée au magazine *Allure*, Jolie laisse clairement sous-entendre que sa chambre à coucher a été témoin de beaucoup d'action. « Les Britanniques sont peut-être un peu refoulés, mais ils sont très bons au lit, confiait-elle, une étincelle dans l'œil. Je suis toujours extrêmement impulsive lorsqu'il y a des hommes britanniques autour de moi. Ils ont un je ne sais quoi. J'ai visité Londres pour la première fois quand j'avais quatorze ans et c'est à ce moment que j'ai découvert mon problème. Les Britanniques semblent réservés, mais derrière ces apparences, ils sont très expressifs, pervers et déchaînés. » Elle faisait également allusion au fait que Jonny Lee Miller répondait sans peine à ses demandes fétichistes qui remontaient à sa relation adolescente avec le jeune punk.

Sa collection déjà imposante d'épées, de haches, d'armes et de couteaux continuait de grossir, et il était clair qu'ils ne servaient pas qu'à être exposés. « Vous êtes jeune, fou, au lit, et vous avez des couteaux. Des accidents peuvent arriver », lançait-elle à un journaliste qui lui avait demandé le rôle que jouait sa collection d'armes dans sa vie sexuelle.

Elle avait peu de réserves lorsqu'elle s'exprimait publiquement au sujet de son attirance pour le sadomasochisme. « Je me suis toujours sentie très coquine, racontait-elle au journal *Scotland on Sunday*. J'ai adopté le style de vie sadomaso et j'ai rencontré des gens qui s'étaient rendus beaucoup plus loin dans leur démarche. Je devais également faire attention au fait que je suis une actrice. Si j'étais dominante pendant quelques semaines, quelqu'un aurait pu finir par me reconnaître. Mais tout cela me fascine. J'ai toujours pensé que si on m'approchait pour essayer quelque chose de nouveau, je serais la dernière à tourner le dos à cette expérience ; je suis prête à tout essayer. »

Elle a également révélé que, contrairement aux sadomasochistes typiques, elle n'avait pas de préférence entre être dominante ou soumise. « Au début, je croyais qu'être dominante, c'était mon truc, précisait-elle, mais ensuite, j'ai réalisé que la personne qui mène réellement le bal, c'est celle qui se soumet. Le dominant fait tout le travail pendant que l'autre se laisse faire. Alors, je me suis dit : "Et moi, dans tout ça ?", et j'ai changé ma façon de voir les choses afin d'être aussi à l'aise comme dominante que comme soumise. »

Difficile néanmoins de savoir à quel point leur vie sexuelle était perverse, bien que Miller se soit exprimé en la matière. Il affirme qu'il suçait souvent le sang d'Angelina, expliquant que « c'est le genre de truc qui l'allume ».

Jolie a fréquemment remercié Miller de l'avoir aidée à réduire sa consommation de drogues. Alors qu'elle était encore mariée au Britannique, elle s'est ouverte publiquement pour la première fois au sujet des mauvais côtés de sa dépendance de longue date.

« J'ai pris à peu près toutes les drogues imaginables. Cocaïne, héroïne, ecstasy, LSD, confiait-elle à un quotidien écossais. Les pires effets secondaires que j'ai connus venaient, étrangement, de la marijuana, qui me donnait l'impression de perdre le contrôle, et me rendait stupide. Je riais pour rien. J'ai bien aimé le LSD pendant un certain temps, jusqu'à ce que je visite Disneyland alors que j'en avais pris. J'ai commencé à m'imaginer que Mickey Mouse était en fait un petit homme dans la cinquantaine déguisé et qui déteste sa vie. Mon cerveau partait dans toutes sortes de directions et je me disais : "Regardez ces fausses fleurs, et ces enfants en laisse, et ces parents qui détestent cet endroit." Ces drogues peuvent être dangereuses. J'ai des amis qui n'ont plus aucun bonheur ni intérêt pour la vie, qui vivent uniquement pour la drogue et utilisent les gens autour d'eux. »

Peu de temps après la fin du tournage de *Hackers*, Jolie a décroché un rôle dans une comédie à petit budget, *Mojave Moon*, un *road movie* dans lequel elle incarne Ellie, une fille qui cherche à sortir de la ville pour se rendre dans le désert de Mojave où habite sa mère. Un homme plus âgé, interprété par Danny Aiello, lui propose de l'y emmener et à partir de ce point, une série d'événements étranges se produit. Le film, sorti en 1996, était un navet voué à l'échec. Cela dit, les critiques ont une fois de plus salué sa performance. « Jolie est le genre d'actrice que la caméra adore véritablement. Elle révèle ici un talent comique et une sexualité à fleur de peau qui rend parfaitement crédible le fait que le personnage joué par Aiello songerait à tout laisser tomber pour tenter sa chance avec elle », publiait le *Hollywood Reporter*.

Jolie était sur le point de devenir une grande actrice et sa mère, qui avait depuis longtemps abandonné ses propres ambitions, était déterminée à l'aider à y parvenir, avec un peu de soutien de son ex-mari. Claire Keynes, une bonne amie de Marcheline Bertrand, se souvient de cette époque où Hollywood commençait à faire les yeux doux à Angelina Jolie :

« Je crois qu'Angie avait déjà un agent, mais Marche agissait comme gérante. Elle lisait les scénarios, prenait les rendez-vous et planifiait la stratégie à suivre pour que sa fille devienne une vraie vedette. Elle était encore près de son ex et sollicitait son avis sur toutes ses décisions, lui demandant conseil et le priant de faire jouer ses contacts. N'oubliez pas que Jonny était comme un dieu dans les cercles hollywoodiens. Il n'était pas une superstar, car il a tourné dans peu de films, et il ne pouvait plus être la vedette principale d'un long métrage, mais on lui vouait tout de même un culte, toute la ville l'admirait. C'est difficile à expliquer. On ne pourrait pas dire qu'il était du calibre de Brando, ça, c'était une classe à part, mais tout le monde le respectait pour son talent d'acteur et, je crois, parce qu'il n'a jamais cédé à l'appât du gain. Les gens étaient impressionnés par lui : ses pairs acteurs, les producteurs, les auteurs, les journalistes... Tout le monde l'aimait.

Personne ne savait mieux que Marche que Jon détenait la clé des ambitions de sa fille. D'un côté, il y avait Angie qui changeait son nom et voulait s'affranchir de son héritage familial, et de l'autre, il y avait sa mère qui demandait à son père de faire les appels qui lui ouvriraient toutes les portes. Jonny se faisait évidemment un plaisir d'obtempérer ; il était un père très aimant pour ses deux enfants et il aurait tout fait pour eux. Si Angie voulait devenir une vedette, il ferait tout ce qu'il faut pour que ça se réalise. Il a toutefois souvent répété que ce serait arrivé avec ou sans son aide. Il a toujours été convaincu du talent d'Angelina, bien qu'il la trouvait un peu trop rebelle. »

C'est à peu près à cette époque, d'ailleurs, que l'actrice a expliqué à un journaliste pourquoi elle se faisait appeler Jolie plutôt que Voight, un changement qu'elle a officialisé en 2002. « Je ne suis pas mon père, et je pense que les gens s'attendaient peut-être à ce que je le sois. Je ne saurai jamais vraiment si on m'a traitée justement ou si on m'a accordé des traitements de faveur, parce qu'aussitôt qu'on me présentait, les gens m'associaient à mon père. » Peu importe son nom de scène, Jon Voight s'assurait toujours que son arbre généalogique soit bien en évidence.

Lorsque le scénario du film intitulé *Foxfire* s'est retrouvé sur le bureau de Marcheline Bertand, elle a cherché comme d'habitude à savoir si c'était un bon projet pour sa fille. Elle a donc consulté son ex-mari, qui lui a aussitôt donné son feu vert. Il s'agissait d'une adaptation de la nouvelle de Joyce Carol Oates, l'une des auteures préférées de Voight. Il a passé quelques coups de fil et obtenu une audition pour Angelina. Mais il serait faux de croire que c'est la réputation de son père qui lui a valu le rôle.

La productrice de *Foxfire*, Paige Simpson, appelle les enfants de parents vedettes de Hollywood les membres du « club des spermatozoïdes chanceux ». De prime abord, elle était convaincue que Jolie était comme les autres. « On m'a annoncé la fille de Jon Voight, mais lorsqu'elle entre dans une pièce, vous n'avez pas le choix de la regarder », se souvient Simpson.

Jolie semblait toute désignée pour le rôle du personnage principal, Legs Sadovsky, une vagabonde qui se lie d'amitié avec un groupe d'adolescentes et qui finira par les inspirer à s'assumer en tant que femmes. Le film était réalisé par Annette Haywood-Carter, qui se lançait pour la première fois à la barre d'un long métrage. Elle avait transposé l'action – qui se déroulait originalement dans le nord de l'État de New York des années 1950 – dans l'Oregon des années 1990. Jolie a interprété le personnage de Legs comme une lesbienne sympathique, à la James Dean, vêtue de bottes de moto et d'un blouson de cuir. Le film a d'ailleurs été comparé à maintes reprises à *La fureur de vivre*, mais jamais favorablement.

Dans *Foxfire*, quatre adolescentes du *high school* se connaissant à peine s'unissent en un groupe soudé lorsque débarque dans leur école la mystérieuse Legs, dont la devise est *Ne vous laissez jamais emmerder*. Legs convaincra les filles d'affronter un de leurs enseignants, qui les harcèle sexuellement. Lors de cette confrontation, l'une d'entre elles le plaque contre un îlot de laboratoire et lui dit : « Si vous remettez vos sales pattes sur moi, je couperai vos petites couilles avec mon coupe-ongles », ce qui mérite aux filles une suspension de trois semaines. En voulant récupérer un porte-folio, elles se glisseront dans l'école et y déclencheront accidentellement un violent incendie. Plus tard, dans une scène mémorable qui a fait couler beaucoup d'encre, elles se mettent toutes seins nus afin que Legs leur tatoue une flamme sur la poitrine pour commémorer l'incident.

Plus d'un critique a remis en question la nature voyeuriste, voire opportuniste de la nudité dans cette scène. Le reste du film se déroule dans la confusion jusqu'au dénouement, plein de violence et de poursuites en voitures, ce qui fait oublier le message féministe de la première moitié du scénario.

Bien qu'il semble évident que Legs soit lesbienne – la réalisatrice a même tourné une scène où on la voit embrasser passionnément une autre femme, scène qui n'a pas été incluse au montage à la demande du studio –, Jolie a quant à elle voulu donner un autre point de vue sur le personnage à l'occasion de la promotion du film, peut-être pour sauver la mise au box-office. « Pour moi, Legs est androgyne, mais dégage une sexualité très animale, libre, fascinante, intrigante et capricieuse, précisait-elle au sujet de son rôle. La connexion ne se joue pas directement au niveau de la sexualité. Cela fait partie de son environnement, mais elle la vit de façon très personnelle, seule. »

Qu'il y ait eu ou non une atmosphère saphique à l'écran, il y en avait manifestement une sur le plateau. Jolie, qui n'avait alors que vingt ans, a entamé une intense relation avec sa camarade de jeu nippo-américaine âgée de vingt-sept ans, Jenny Shimizu. « Je suis tombée amoureuse d'elle dès l'instant où je l'ai vue pour la première fois. Je voulais la toucher et l'embrasser, confiait Jolie. J'ai remarqué son chandail et comment son pantalon lui allait, et je me suis dit : « Mon Dieu ! » Je ressentais d'incroyables pulsions sexuelles. J'ai réalisé que je la regardais comme je regarde les hommes. Je n'avais jamais imaginé qu'un jour, j'aurais une relation avec une femme, mais ça m'est tout simplement tombé dessus. »

À l'époque, Shimizu était davantage connue comme mannequin que comme actrice. Elle avait défilé pour de grands noms, Calvin Klein et Versace notamment. Elle a confié les détails de sa relation avec Jolie au *Sun*.

« Pendant les pauses sur le plateau de *Foxfire*, j'ai eu la chance de passer du temps avec cette personne [Angelina] et de passer deux bonnes semaines à apprendre à la connaître avant qu'il y ait quoi que ce soit de sexuel entre nous. Ça se déroulait beaucoup plus au niveau de l'affection que de la sexualité. Et je peux vous dire que je n'ai jamais eu l'impression qu'il s'agissait simplement de cette fille hétéro que j'allais attirer dans mon lit et qui paniquerait le lendemain matin. Nous avions jeté les bases d'une belle relation et cette femme accepterait de me revoir, peu importe ce qui arriverait. Je savais que cette personne serait loyale et géniale avec moi. Notre relation s'intensifiait chaque fois que nous nous quittions. Je ressentais d'intenses émotions pour elle et en provenance d'elle. Nous avons passé tout notre temps libre ensemble, et après deux semaines de tournage, nous nous sommes embrassées pour la première fois. Elle est magnifique, sa bouche est incroyable. Je n'ai jamais embrassé quiconque avec une aussi grande bouche que celle d'Angelina. Ses lèvres sont comme deux immenses lits d'eau, une grosse chose douce et chaude. C'est vraiment une femme magnifique. »

Si on en croit Shimizu, elles ont continué à se fréquenter pendant un bon moment après la fin du tournage. « Nous avions l'habitude d'aller voir des danseuses nues et il y avait toujours cette tension entre nous », précisait-elle au sujet de leur liaison. Elle affirme qu'elle a duré des années.

Pourtant, l'homosexualité sur les plateaux hollywoodiens n'a rien d'inhabituel ; c'est une tradition aussi vieille que Hollywood elle-même. Des actrices vénérées comme Greta Garbo, Marlene Dietrich et Ethel Waters ont toutes eu des maîtresses lesbiennes. Toutefois, une autre tradition veut que ces relations soient tenues secrètes par crainte que cela puisse nuire à une carrière. Jolie mettrait plus tard un terme à cette coutume avec des résultats surprenants, mais entre-temps, les deux actrices dissimulaient leur aventure.

Il était évident que ce n'était pas *Foxfire* qui ferait de Jolie une vedette du grand écran. Elle a même avoué plus tard qu'elle ne pensait même pas qu'il prendrait l'affiche, croyant que les distributeurs trouveraient problématiques « l'auditoire cible et le message », qui pourrait être perçu comme anti-masculin, selon elle.

Foxfire sort finalement en salles en août 1996, mais le hasard a voulu qu'il soit programmé deux jours après la sortie de *Girls Town*, un film un peu sembable mais plus cru et surtout plus efficace. « Alors que *Girls Town* parvient à reproduire le ton hystérique et le rythme hyperactif d'une conversation entre adolescentes, écrivait un critique, les voix de *Foxfire* sont celles de jeunes filles de banlieue stéréotypées, dénuées de tout accent ou inflexion personnels. On se trouve à N'importe Où, U.S.A., cet endroit générique qui n'existe nulle part sur la planète. » Un autre journaliste a qualifié *Foxfire* de « film d'exploitation de l'adolescence totalement vide », tandis que l'*Atlanta Journal-Constitution* suggérait « que la chose la plus généreuse à faire au nouveau film *Foxfire* serait d'en brûler toutes les copies afin d'épargner tout embarras additionnel aux personnes qui y sont impliquées. »

Pourtant, une fois de plus, la performance et l'apparence unique de Jolie ont été soulignées et encensées par la critique. Le *Hartford Courant* écrivait : « Jolie, un croisement sexy et androgyne entre James Dean et Isabella Rossellini, fait une impression visuelle marquante, et son jeu d'actrice n'est pas mal du tout, dans *Foxfire*, un film qui est en quelque sorte une version pour adolescentes rebelles de *Thelma et Louise* ou de *La fureur de vivre*. » Le *New York Times* la décrivait pour sa part en disant qu'elle a un « visage si magnifique qu'il arrêterait la circulation ». Le *Los Angeles Times* qualifiait le rôle de Legs de « pure sottise », mais reconnaissait tout de même que Jolie « a une présence qui lui permet de transcender le stéréotype ». C'est la critique de *Kansas City Star* qui s'avéra la plus prophétique. « Si on doit retenir quoi que ce soit de *Foxfire*, c'est qu'il s'agit d'une des premières apparitions au grand écran d'Angelina Jolie, la fille de l'acteur Jon Voight, lauréat d'un Oscar. Elle possède un visage que la caméra adore et a vraisemblablement le profil d'une future superstar. »

Bien que l'on considère généralement qu'un rôle à la télévision est un pas en arrière lorsqu'on poursuit une carrière cinématographique, Marcheline Bertrand a été intriguée par le scénario d'une série devant être produite par le réseau TNT et qui traiterait du sénateur ségrégationniste de l'Alabama, George Wallace. Son intérêt était piqué, notamment parce que c'était le brillant réalisateur John Frankenheimer qui devait diriger le projet. Il avait réalisé des classiques tels que *Le prisonnier d'Alcatraz* et *Un crime dans la tête*. Jon Voight était lui aussi un admirateur du travail de Frankenheimer et il a aussitôt donné son aval. Angelina Jolie a rapidement décroché le rôle de la seconde épouse de Wallace, Cornelia. Elle a également accepté de prendre part à un autre projet en télévision qui était d'un calibre plus élevé que la moyenne, une mini-série diffusée sur CBS qui s'intitulerait *True Women*, pour lequel elle incarnerait le rôle d'une pionnière pendant la conquête du Texas aux côtés d'Annabeth Gish et Dana Delany.

Lorsque la série *George Wallace* a été diffusée, en août 1997, l'échec de *Foxfire* avait déjà affecté durement le moral de Jolie. « Il y a eu une période où j'ai vraiment pensé à abandonner le métier d'actrice, juste après *Foxfire*, confiait-elle. J'essayais de trouver des rôles où je jouerais des personnages qui ont une grande force et de la vision, mais j'étais constamment déçue. Mon rôle dans *Wallace* a été le premier où j'ai eu l'impression que les idées des auteurs étaient meilleures que les miennes. »

Le talent de Jolie trouvait enfin des projets à sa mesure. Des millions de téléspectateurs l'ont ainsi vue incarner Cornelia Wallace dont le mari devenait paraplégique à la suite d'une tentative d'assassinat lors de la campagne présidentielle de 1972. Il fut écarté de la vie politique sans vergogne quelques années plus tard. Contrairement à ses projets précédents, Jolie était enfin entourée de talent, d'écriture de qualité et d'un réalisateur de génie. Cela ne lui a pas rendu la tâche facile, particulièrement à la lumière de la performance de Gary Sinise, qui incarnait le gouverneur raciste et dont elle devait se démarquer.

Elle y est néanmoins parvenue. Le *New York Daily News* a été le premier journal à commenter son travail : « Difficile de reconnaître la jeune punk du film *Hackers*, mais Jolie (la fille de Jon Voight) livre ici une performance qui devrait bientôt voir les directeurs de casting jouer du coude pour lui offrir des rôles plus importants et plus complexes. » Il y a bien le *Boston Globe* qui a qualifié sa prestation d'inégale, mais en général, les critiques étaient très positives. Son interprétation de Cornelia Wallace lui a valu des nominations pour un Emmy Award et un Golden Globe comme meilleure actrice dans un second rôle, les Golden Globes étant attribués par l'Association de la presse étrangère à Hollywood. Il est à noter que son père était aussi en nomination pour un Golden Globe cette année-là, pour son rôle dans le thriller de John Grisham : *L'idéaliste*.

Elle n'a pas gagné le prix Emmy, mais lors de la cérémonie des Golden Globes, alors qu'elle était en nomination aux côtés de celle qui jouait la première femme du gouverneur dans *George Wallace*, Mare Winningham, c'est le nom de Jolie qui était dans l'enveloppe. Elle est montée sur scène en larmes pour aller chercher son premier prix important :

« Oh ! Mon Dieu, j'aimerais remercier tous ceux qui ont été impliqués dans le projet *George Wallace*. C'était un tel privilège de faire partie de ce film. Gary, tu es tout simplement brillant et incroyable. John Frankenheimer, j'aimerais tant que vous soyez ici. Je sais que nombreux sont ceux qui vous craignent, et je vous craignais aussi, au début, mais désormais les mots me manquent pour vous remercier. Et Clarence et tout le monde au réseau TNT. Geyer Kosinski, merci. Emily, bonjour. Merci à l'Association de la presse étrangère à Hollywood. Et plus que tout, à ma famille. Maman, cesse de pleurer et de crier [rires], tout va bien. Jamie, mon frère, mon meilleur ami, je ne pourrais rien faire sans toi. Je t'aime tant. Papa, où es-tu ? [La caméra montre Jon Voight dans la salle.] Bonsoir. Je t'aime. Merci beaucoup. Merci. »

Sur ces mots, et sous un tonnerre d'applaudissements, elle a brandi son trophée bien haut. Ce ne serait pas son dernier.

BISEXUALITÉ

Les nouvelles vont vite à Hollywood. Il est tout à fait plausible que le réseau HBO ait eu vent de la liaison entre Jolie et Jenny Shimizu en 1997 lorsque Angelina a été choisie pour être la vedette du téléfilm *Gia : Femme de rêve*, l'histoire tragique de Gia Carangi, la top-modèle lesbienne. Carangi est morte du Sida en 1986, à l'âge de vingt-six ans, moins de sept ans après être apparue pour la première fois sur la couverture d'un magazine.

Bien entendu, Jolie était elle-même mannequin depuis un certain temps, ce qui rendait judicieux son choix comme interprète de Gia. Mais les parallèles entre Carangi et Jolie ne se limitaient ni au mannequinat ni à la sexualité : elles étaient toutes deux aux prises avec les drogues. La vie et la carrière de Carangi ont été détruites par sa dépendance à l'héroïne, puisqu'elle a contracté le virus du Sida après avoir partagé des seringues avec d'autres héroïnomanes. L'histoire exacte d'Angelina Jolie reste floue, mais on sait qu'on lui a proposé de jouer le rôle de Gia lors de son mariage avec Jonny Lee Miller, qu'elle a loué pour lui avoir fait « voir la lumière » à propos des drogues. Il est donc probable que sa propre lutte contre l'héroïne était encore très présente à son esprit pendant le tournage.

Jolie a souvent parlé très candidement de ses abus de drogues : « J'ai essayé toutes les drogues possibles. Cocaïne, ecstasy, LSD et ma préférée : l'héroïne. » Elle a même déjà confié, dans une autre entrevue, que l'héroïne était « très importante » pour elle.

Peut-être s'est-elle retrouvée un peu trop dans le rôle qui lui était offert car elle l'a refusé catégoriquement. Après avoir lu le scénario, écrit par l'auteur du *Journal d'un oiseau de nuit*[9], Jay McInerney, et ses horribles scènes d'abus de drogues et de comportements autodestructeurs, elle a décidé qu'elle ne voulait pas y participer. « C'était une histoire si intense, confiait-elle. Elle traite de tant de sujets sensibles ; si elle n'était pas jouée sur le bon ton, elle aurait pu être un désastre et exploiter des thèmes tragiques. Le scénario me faisait peur : je ne savais pas si je serais capable de confronter tout cela. Je ne savais pas si j'en aurais l'énergie, j'ignorais si j'avais même envie de faire face à tous ces démons et de me rendre dans ces endroits glauques... Je ne pensais sincèrement pas que j'arriverais à équilibrer ma vie, mon âme et mon travail. Ce qui est arrivé, en fait, c'est que ce rôle m'a révélée à moi-même, et ça m'a abattue, je ne me sentais pas comme une bonne personne. Je ne me sentais vraiment pas bien. »

Toutefois, l'auteur et réalisateur Michael Cristofer, à qui l'on doit *The Shadow Box*, une pièce primée d'un Pulitzer, ne voulait rien entendre. Il n'y avait pour lui qu'une seule actrice qui pouvait jouer ce rôle. Après une rencontre avec Cristofer, Jolie a finalement cédé. « Nous avons regardé le scénario tout un après-midi et il a fini par me convaincre, relate-t-elle. J'ai eu l'impression que tous les gens impliqués dans ce film l'abordaient avec énormément de respect à cause du fait que nous allions traiter de la vie d'un être humain. Tout le monde aimait Gia et s'identifiait à au moins une partie de son histoire. Ce projet est devenu très personnel. »

Angelina a toutefois éprouvé des doutes très rapidement. Afin de se préparer, elle a lu tout ce qu'elle pouvait trouver au sujet de la déchéance du mannequin, y compris un journal

9. Le roman a été adapté au cinéma sous le titre : *Les feux de la nuit*.

intime que tenait Carangi alors qu'elle se mourait du Sida. Ce qu'elle y a lu l'a terrifiée.

Gia Carangi est née à Philadelphie en 1960 d'un père italien et d'une mère irlandaise. Elle a souvent été désignée comme la toute première top-modèle. Son père Joe était propriétaire d'un restaurant et d'une chaîne de bars à sandwichs. Sa femme Kathleen était une femme au foyer qui élevait ses enfants. Une famille de classe moyenne typique donc. Malgré les apparences, leur mariage était extrêmement précaire, et il y avait de la violence. Gia n'avait que onze ans lorsque sa mère a quitté son mari et ses enfants, en 1971.

Cette jeunesse brisée a sans aucun doute eu un impact sur elle. En quête d'appartenance, elle s'est intégrée à un groupe de jeunes qui se faisaient appeler les « Bowie *kids* », pour marquer leur fanatisme pour l'extravagant rockeur David Bowie. Mais ce qui attirait Gia chez lui, ce n'était pas uniquement son *glam rock* : Bowie était une des premières stars du rock à admettre ouvertement sa bisexualité, au moment même où Gia découvrait son orientation sexuelle.

« Gia était la lesbienne la plus pure que j'ai connue, racontait un de ses amis à son biographe, Stephen Fried. C'était le trait de sa personnalité le plus clair. Elle envoyait des fleurs à d'autres filles alors qu'elle n'avait que treize ans, et elles tombaient toutes amoureuses d'elle, qu'elles soient lesbiennes ou pas. » Son style androgyne et sensuel a attiré l'attention d'un photographe local, Maurice Tannenbaum, qui a fait parvenir des clichés de Gia à l'agence new-yorkaise Wilhelmina Models. Malgré son mètre soixante-dix, ce qui est en dessous du minimum habituellement requis, Wilhelmina lui a tout de même offert un contrat. C'est donc à l'âge de dix-sept ans que Gia s'est installée à New York. Ses traits exotiques l'ont catapultée, presque du jour au lendemain, au sommet du monde du mannequinat. Âgée d'à peine dix-neuf ans, elle avait déjà fait la couverture des magazines *Vogue* britannique, français et américain, et celle du *Cosmopolitan* à deux reprises.

Elle est rapidement devenue une habituée du Studio 54, une discothèque célèbre où la cocaïne et l'hédonisme étaient rois. En entrevue à l'émission d'affaires publiques *20/20* sur la chaîne ABC, Gia admettait que son accession à la gloire était arrivée extrêmement rapidement. « J'ai commencé à travailler avec les grands noms de cette industrie très rapidement. Je n'ai pas bâti ma carrière de mannequin, elle m'est tombée dessus. »

Elle s'est rapidement forgé une réputation de séductrice, faisant la cour aux autres mannequins, lesbiennes ou non. Elle flirtait avec ses maquilleuses et a même tenté de charmer Liza Minnelli. « Elle était comme une tigresse constamment en chasse », se souvient une de ses conquêtes. « Elle a toujours été ainsi, expliquait d'ailleurs Jolie après avoir lu son journal intime. Lorsqu'elle avait environ treize ans, sa mère a découvert des lettres qu'elle avait écrites à des filles de son école. » Il lui arrivait aussi d'être avec un homme, à l'occasion.

En 1980, Carangi a attribué à sa dépendance aux drogues le décès de la directrice de son agence, Wilhelmina Cooper, qui était devenue comme une seconde mère pour elle. On la disait également très imprévisible lorsqu'elle travaillait, piquant fréquemment des crises épouvantables et s'évanouissant parfois en pleine séance photo. Quelque chose ne tournait vraiment pas rond. Sa carrière s'émiettait à cause des marques de piqûres qui couvraient ses bras et de la réputation qui la suivait partout où elle allait. L'agent Bill Weinberg n'a pas que de bons souvenirs de Carangi : « Elle était complètement désorganisée, une petite traînée de la rue. Si elle n'avait pas envie de poser pour une séance, elle ne s'y présentait tout simplement pas. » Lorsqu'on regarde de près la couverture du *Vogue* de 1980 sur laquelle elle figurait, on observe de nombreuses marques de piqûres, visibles malgré le travail de retouche. Elle fréquentait régulièrement les bas-fonds du Lower East Side et c'est dans ces sordides endroits que sa dépendance a atteint des sommets catastrophiques.

Sa carrière était pratiquement terminée, plus personne ne voulait l'engager, alors Carangi s'est soumise à une cure de désintoxication et est demeurée à jeun pendant plusieurs mois. Pendant son séjour, au cours de ses séances de thérapie, elle a avoué s'être prostituée pour pouvoir payer sa drogue et a raconté avoir déjà été violée par un revendeur. Alors qu'elle semblait sur le point de s'en sortir définitivement, son bon ami, le photographe Chris von Wangenheim, est mort dans un accident de voiture. Il n'en fallait pas plus pour qu'elle replonge intensément.

En 1982, il ne restait plus rien de sa carrière. Plus personne ne l'engageait. Lors de sa dernière séance photo, pour la couverture du *Cosmopolitan*, Francesco Scavullo lui a demandé de cacher ses bras derrière elle pour qu'on ne voie pas les marques qui les couvraient. C'est peu de temps après qu'on lui a diagnostiqué le Sida : elle devenait ainsi la première célébrité féminine à être frappée par cette maladie. Elle avait arrêté de se droguer, mais c'était peine perdue, car à cette époque, le Sida équivalait à une peine de mort. Malgré tout cela, elle a fait la paix avec elle-même et avec les autres durant ses dernières années, ce qui rend son histoire plus tragique encore. « Même les plus affreuses douleurs qui ont brûlé et marqué mon âme auront valu la peine d'être endurées si elles étaient le prix à payer pour marcher là où j'ai marché », écrivait Carangi peu avant sa mort en 1986.

Au début de sa recherche pour ce rôle, Jolie ne savait pas par où aborder le personnage qu'elle devait incarner. Elle raconte :

« La première chose d'elle que j'ai vue, c'était son entrevue à *20/20*. Je l'ai tout de suite détestée, parce qu'elle était de toute évidence camée, qu'elle avait cette façon de parler très maniérée et semblait totalement au-dessus de ses affaires. J'ai trouvé ça très dur à regarder. Puis, j'ai vu des images d'elle au naturel, qui parle et qui est elle-même, juste une fille bien ordinaire de Philly, et j'ai découvert l'autre Gia, très ouverte, amusante et frondeuse, et j'ai adoré cette fille. Cette double personnalité m'a beaucoup aidée à comprendre ce qui pouvait se passer à l'intérieur de cette femme. Les articles de journaux étaient innombrables, et tout le monde avait son histoire à raconter sur elle. Et puis, il y avait également son journal intime, ses propres mots. J'ai lu tout ce que je pouvais trouver pour arriver à la comprendre.

Je crois qu'au fond, elle était une bonne personne avec un grand cœur et un bon sens de l'humour, une femme qui ne demandait qu'à être aimée, qui recherchait les sensations fortes et qui voulait plus de la vie. Elle se comportait parfois de façon imprévisible et choquait les gens autour d'elle, mais en fait, je pense qu'elle essayait simplement de communiquer, d'établir un contact.

Comme chacun de nous, elle voulait désespérément être aimée et comprise et avoir le sentiment qu'elle avait un but sur cette planète. Elle s'est perdue en chemin, mais lorsqu'elle a appris qu'elle était atteinte du Sida, elle s'est retrouvée et a eu suffisamment de temps pour écrire des choses. C'est selon moi ce qu'il y a de remarquable dans la vie de cette personne, bien plus que le fait qu'elle ait été un top-modèle. »

Le film devait être diffusé en janvier 1998. Les commentaires d'Angelina Jolie au cours de la tournée promotionnelle attestaient que le rôle avait eu beaucoup d'impact sur elle. « La première fois que j'ai vu le film dans sa version définitive, j'ai pleuré. J'avais l'impression d'être morte, moi aussi. Puis on m'a montré l'affiche et j'ai été très bouleversée : on voit mon visage, mais son nom, comme si nous ne faisions qu'une. J'ai été très ébranlée. »

Elle a également sous-entendu à quelques reprises que l'histoire de Carangi avait été une sorte d'avertissement pour elle, faisant fréquemment référence aux nombreuses similarités entre la vie de Gia et la sienne. « Jouer ce rôle m'a obligée à confronter plusieurs choses qui me font mal et ce processus a été très difficile, mais également très bénéfique, car ça m'a permis d'extérioriser toutes ces choses qui m'habitaient », confiait-elle.

C'était la première fois qu'elle parlait aussi candidement de sa propre addiction à la drogue. « Je n'ai jamais consommé autant qu'elle a pu le faire, mais je connais ce monde et ses dangers, précisait-elle à un groupe de critiques. J'ai un côté insouciant et courageux à l'excès. Je suis prête à tout essayer, et chaque drogue peut vous tuer. Je suis intrépide au point que ça pourrait m'occasionner bien des ennuis. »

« Mais elle s'est retrouvée, poursuivait Jolie. Elle a recouvré son sens de l'humour, elle a pardonné aux gens qui lui avaient fait du mal, elle a parlé avec ceux qu'elle aimait. Elle était très lucide à la fin de ses jours. Il y a quelque chose de merveilleusement beau dans cela, qu'elle ait vécu tout ce qu'elle a vécu et qu'elle ait fini par se retrouver. »

Jolie parlait également des différences entre elles. « Je suis capable de me dévouer tout entière, j'ai un exutoire pour tous les côtés de ma personnalité, ce que Gia n'avait pas. J'ai une famille très aimante qui m'aimerait même si je faisais les pires choses. »

Il est vrai que sa famille la soutenait entièrement et qu'à cette époque, elle était encore très unie, ce qui ne signifie pas pour autant que Jon Voight approuvait la soudaine franchise de sa fille. Voight était un vétéran de Hollywood, au courant de tous ses secrets. Pas surprenant qu'il ait tant sursauté en lisant l'entrevue qu'avait accordée sa fille au magazine *TV Guide* à l'époque de la diffusion de *Gia : Femme de rêve*. Alors qu'elle discutait des parallèles entre le mannequin et elle, Jolie a nonchalamment mentionné qu'elle était « tombée amoureuse » d'une de ses partenaires dans le film *Foxfire*. Angelina étant encore relativement inconnue, cette révélation n'a pas eu l'impact qu'elle aurait pu avoir sur la carrière d'une grande actrice reconnue, mais ce n'était pas non plus le genre de chose qui aide à atteindre le sommet de la gloire à Hollywood. Voight, lui, ne l'a pas trouvée drôle.

« Nous en avons déjà discuté auparavant, lui et moi, et il sait que je suis très franche et directe. Je crois qu'il s'inquiète à mon sujet à cause de cela, confiait Jolie au magazine *Esquire*. Je parle de tout, vous savez. J'ai été honnête au sujet de mon mariage et au sujet de mes aventures avec des femmes. Souvent, lorsqu'on dit quelque chose, les gens en font ce qu'ils veulent, et je crois que pour cette raison, mon père aimerait que je me taise un peu. Beaucoup de gens voulaient que je me taise pendant le tournage de *Gia : Femme de rêve*, on me disait de ne pas répondre aux questions concernant la drogue ou les liaisons lesbiennes, mais je trouvais cela totalement hypocrite. Le fait que je puisse répondre par l'affirmative aux deux questions me permet de mieux jouer le rôle et je trouvais ça magnifique de partager cela avec une autre femme. Je ne voyais pas ce qu'il y avait de mal là-dedans ; d'une part, parce que ça fait partie du film et d'autre part, parce c'est honnête. »

Son honnêteté était rafraîchissante, mais lui servirait-elle à Hollywood ? Seul le temps saurait le dire.

JONNY PART, JENNY RESTE

La culture de l'autopréservation à Hollywood impose la discrétion, et tous les homosexuels de la ville le savent bien. Il n'y a pas de meilleure façon de relater la situation des gays à Hollywood que de vous rapporter une conversation que j'ai eue en 2007 alors que j'étais en phase de recherche pour mon livre *Hollywood Undercover*. À l'époque, je m'étais concentré sur les acteurs qui n'étaient pas sortis du placard et je ne m'étais jamais vraiment intéressé à la bisexualité d'Angelina Jolie, bien qu'elle ait été à ce moment-là la seule actrice en vue à en parler ouvertement. Avec le recul, cette conversation m'a permis de mieux comprendre les méandres de son parcours hollywoodien.

Pour ma recherche, je me faisais passer pour un acteur homosexuel et on m'a invité à prendre part à la partie de poker hebdomadaire du groupe des « *Queers of the Round Table* » (« Les pédés de la table ronde »), constitué d'hommes gays qui œuvrent tous dans l'industrie du cinéma. On m'avait invité pour remplacer un célèbre acteur comique, le seul du groupe, qui ne pouvait être là à cause d'un engagement professionnel.

Ma première réaction a été de leur dire que je ne croyais pas que l'acteur que je remplaçais, un coureur de jupons notoire, était vraiment gay. « Il est pédé comme tout, fut la réplique de Lenny, notre hôte, qui travaillait comme recherchiste pour la télé et le cinéma. C'est un acteur, à quoi t'attendais-tu ? »

« Qu'est-ce que cela a à voir ? » lui demandai-je.

« Tous les acteurs sont gays. Non, ce n'est pas vrai, bien que la majorité des gens le pense. En réalité, je dirais qu'environ soixante-quinze pour cent d'entre eux le sont. »

J'ai trouvé cette statistique plutôt difficile à croire.

« Laisse-moi te poser une question, me dit Karl, un décorateur. Quel pourcentage des coiffeurs sont gays, selon toi ? Et les patineurs artistiques, les danseurs de ballet, les décorateurs d'intérieur et les agents de bord ? »

Et Lenny d'ajouter : « Et n'oublie pas les bibliothécaires. »

J'ai réfléchi et admis que la plupart des hommes exerçant ces professions sont probablement gays, et dans une proportion surpassant sans doute soixante-quinze pour cent. « Mais le métier de comédien, ce n'est pas la même chose », rétorquai-je.

« Mon chou, tu es naïf, lança Christopher, un chef scénariste. Le métier d'acteur est un de ces métiers où c'est un avantage d'être flamboyant et sensible. Les hommes gays sont attirés par ce genre de carrière. Je vais te confier un secret : va dans n'importe quelle école d'art dramatique et parle avec les garçons. Je te mets au défi d'en trouver un seul qui soit hétéro. Mieux, tu verras que ça saute aux yeux : ce sont tous des folles en puissance. »

« Voici un bon truc pour t'aider à comprendre, rajouta Karl. Regarde le curriculum vitæ d'à peu près n'importe quelle vedette du cinéma et regarde où ils ont commencé. S'ils ont suivi des cours d'art dramatique à l'université, il y a de bonnes chances qu'ils soient gays. S'ils ont commencé au théâtre ou sur Broadway, et à plus forte raison s'ils ont joué dans des comédies musicales : bingo, ils sont gays. Et à ce stade, je ne parle pas de soixante-quinze pour cent, mais bien de quatre-vingt-quinze pour cent. »

« Comme qui ? » demandai-je, sceptique, tout en essayant de penser à une star de cinéma qui me semblait moins hétéro que la moyenne.

Cette question toute simple a déchaîné un torrent verbal. Mes trois compagnons ont commencé à nommer des noms connus, dont plusieurs superstars. Je n'exagère pas en vous disant que ça a bien duré une quinzaine de minutes.

Karl y a finalement mis un terme. « Vous savez, je crois que ce serait vraiment plus simple si nous faisions plutôt la liste des vedettes hétérosexuelles. » Ils ont alors commencé à nommer quelques noms et, effectivement, la liste était considérablement plus courte. « Sylvester Stallone, Brad Pitt, Bruce Willis, Arnold Schwarzenegger, Mel Gibson, Hugh Grant, Colin Farrell. » Le nom suivant qu'a proposé Christopher, toutefois, a été réfuté par Lenny.

« Non, tu peux l'enlever de ta liste, parce que je sais de source sûre qu'il baise avec [un célèbre producteur de Hollywood]. »

Je me suis dit qu'ils abusaient peut-être de ma naïveté, ou alors que leur liste était plus une liste de souhaits, alors j'ai finalement coupé court à leur litanie. « Bon, premièrement, au moins la moitié des gens que vous avez nommés sont mariés. » Cette déclaration a provoqué cris et rires chez mes nouveaux amis.

« Oh ! Comme il est mignon », s'esclaffa Karl.

Ils ont alors tous trois entrepris de m'expliquer le b.a.-ba de l'acteur gay à Hollywood. « Comme nous le disions, récapitula Christopher, les écoles d'art dramatique sont presque toutes remplies de gays. C'est facile à prouver, parce qu'à ce stade de sa carrière, un acteur n'a pas de raison de cacher son orientation sexuelle, et elle est même un avantage, puisque les hétéros sont minoritaires. En passant, c'est ainsi que l'on connaît la véritable orientation sexuelle de la majorité des vedettes. Avant d'être des stars, elles ne se cachaient pas pour fréquenter les bars gays et visiter les sites de rencontres, et leur "secret" est connu d'un vaste segment de la communauté gay, peu importe où ils ont étudié l'art dramatique. Mais, une fois qu'ils deviennent des vedettes et qu'ils sont obligés de se cacher, il est déjà trop tard. »

Il m'a ensuite demandé de nommer les vedettes masculines de Hollywood qui ont fait leur coming-out. Je n'ai même pas eu besoin de tous les doigts d'une seule main pour les énumérer.

« Bon, alors comment se fait-il que des milliers d'étudiants en art dramatique, la très vaste majorité d'entre eux en fait, de même que celle des acteurs sur Broadway, soient gays, mais que virtuellement toutes les vedettes du grand écran soient des hétéros convaincus ? La réponse est que ce n'est pas possible. »

Ils m'ont alors offert une leçon d'histoire. Je m'attendais à ce qu'ils me parlent d'abord de l'exemple par excellence, Rock Hudson, mais ils m'ont plutôt raconté l'histoire de James Dean, l'ultime sex-symbol hollywoodien des années 1950, un acteur dont j'ignorais totalement l'homosexualité. « Il n'était pas simplement gay, a précisé Lenny, mais sa sexualité, qu'il ne tentait même pas de dissimuler, causait des crises de panique au studio. Ils avaient l'habitude de traiter avec des acteurs gays, mais dans le cas de Dean, ils avaient une vedette qui valait des millions et qui s'ébattait en ville avec toutes les pédales imaginables, y compris une autre de leurs plus grosses stars, Montgomery Clift. Ils étaient terrifiés à l'idée que la nouvelle s'ébruite et que son pouvoir d'attirer les foules disparaisse. Le studio l'a alors forcé à fréquenter des starlettes tandis que les publicitaires s'efforçaient de peindre de lui une image de grand séducteur. »

« Les enjeux étaient énormes, a-t-il poursuivi, et le studio exerçait une pression inimaginable sur Dean pour qu'il se marie. Ils avaient même déterminé qu'il devrait épouser Natalie Wood, qui était volontaire pour servir de compagne officielle à l'acteur, mais tous deux étaient réticents à l'idée de se marier. »

Une fois de plus, je me suis opposé. Croyaient-ils vraiment que l'Amérique était si homophobe que les gens boycotteraient ses films s'ils apprenaient qu'il était gay ?

« À cette époque, oui, sans aucun doute. Mais là n'est pas la question dans le cas de Dean, entreprit de m'expliquer Lenny. La question ici est qu'une grande part de son pouvoir au box-office tenait au fait que les filles l'aimaient tant qu'elles retournaient voir ses films plusieurs fois. Les hommes gays aussi, ironiquement, mais c'est anecdotique. »

Lenny a alors nommé une mégavedette masculine contemporaine et a tracé un parallèle avec Dean. « Prends l'exemple de l'[une des plus grosses vedettes du box-office au monde]. Au début de sa carrière, il n'obtenait que des rôles d'excentriques et personne ne l'imaginait en tête d'affiche, alors il ne cachait pas vraiment son homosexualité. Un jour, il a été le héros d'[un film immensément populaire], et du jour au lendemain, il est devenu une superstar et un sex-symbol. Les sondages des studios démontraient que les jeunes filles de quatorze et quinze ans allaient voir le film de nombreuses fois, parfois jusqu'à vingt ou trente fois. Pourquoi ? Parce qu'elles aimaient fantasmer qu'elles étaient la vedette féminine de ce film et qu'il les séduisait. Si elles avaient su qu'il était gay, toute cette illusion se serait écroulée. Dès cet instant, il s'est mis à fréquenter les top-modèles et les boîtes à strip-teases, et ses relationnistes à faire des pieds et des mains pour que ce genre de nouvelles fassent le tour du monde. Étrangement, au cours des dix premières années de sa carrière, on n'a jamais entendu parler d'une petite amie. »

Christopher a poursuivi en expliquant que ce n'est pas l'homophobie à proprement parler qui contraint les acteurs à ne pas sortir du placard, c'est plutôt le fait que leur attrait s'exerce autant sur les hommes que sur les femmes ; bref, une question purement économique. « Regarde ce qui est arrivé à Anne Heche après qu'elle a avoué être la petite amie d'Ellen DeGeneres. Son contrat comme partenaire de Harrison Ford dans *Six jours, sept nuits* était déjà signé. Lorsque le film est sorti au cinéma, ça a été un échec total. Pas parce qu'il était mauvais, mais parce que les hommes ne pouvaient plus le regarder et fantasmer à son sujet. Et qu'est-ce qui est arrivé peu de temps après ? Heche a quitté DeGeneres et, ô surprise ! elle est redevenue hétéro. »

Lenny l'interrompit. « Soyons honnêtes, ce n'est pas vrai que l'homophobie n'a rien à voir. Pensez à tous ces pédés noirs qui n'osent pas l'avouer parce que la communauté afro-américaine est tellement homophobe. » Il nomma alors un acteur noir qui a un faible pour les travestis. « Bon, ce n'est pas vraiment un sex-symbol, mais c'est un comédien. En principe, il pourrait faire son *coming-out* mais s'il le fait, il perd automatiquement ses admirateurs noirs pour de bon. Kaput ! »

Je leur ai fait remarquer que cet acteur est marié et que je comprenais pourquoi : il avait besoin d'une compagne, quelqu'un qui lui donnerait l'apparence de l'hétérosexualité. Mais, demandai-je, quel avantage en retire cette femme ?

« Ah ! Ça, c'est la question à soixante-quatre mille dollars, lança Lenny. Nous passons beaucoup de temps à en débattre, mais on n'arrive pas à obtenir un consensus. Dans certains cas, on sait que la femme le fait à son propre bénéfice. On lui garantit que si elle épouse tel ou tel acteur vedette, sa carrière va décoller et qu'on lui offrira de grands rôles, parce que son mari a énormément d'influence sur les studios de production. Jusque-là, ça tient la route. Mais ce que nous n'arrivons pas à déterminer, c'est combien de ces femmes sont en fait des lesbiennes. »

Lenny m'expliqua alors que si on sait que la majorité des acteurs sont gays, il n'en va pas de même pour les actrices. Hollywood, a-t-il lancé à la blague, n'est pas comme les circuits professionnels de golf ou de tennis. « Si sept à dix pour cent des femmes dans notre société sont des lesbiennes, a-t-il avancé, on peut supposer que c'est sensiblement le même ratio à Hollywood.

Nous savons tous qui sont les gouines vedettes. » Il a nommé une gagnante de nombreux Oscars qui vivait ouvertement avec une femme (elles se sont séparées depuis), bien qu'elle n'ait jamais ouvertement avoué son orientation sexuelle.

« Puis il y a Rosie O'Donnell, l'exemple parfait. Lorsqu'elle a commencé, il n'y avait pas moins vedette qu'elle et elle n'a jamais tenté de cacher son orientation sexuelle. Lorsqu'elle était à l'affiche de *Grease*[10], sur Broadway, elle a commencé une relation stable avec une de ses covedettes féminines. Elle s'est un jour retrouvée à la barre d'un talk-show très populaire auprès des femmes au foyer du Midwest, qui n'auraient pas été particulièrement heureuses de regarder une gouine comme animatrice. Soudainement, la voilà en ondes qui parle de ses béguins pour tel ou tel acteur, en appelant un en particulier “son amoureux”. Lorsque ses amies lesbiennes ont commencé à le lui reprocher, elle leur a dit que de toute évidence elle blaguait, d'autant plus que cet acteur est homosexuel, selon de nombreuses rumeurs, et que tout cela n'était qu'une vaste mascarade. Finalement, à quelques jours de la dernière diffusion de son émission, Rosie a annoncé qu'elle était lesbienne. »

Et il y a les innombrables femmes qui fréquentent ou épousent des acteurs gays. « La “compagne” la plus célèbre de Hollywood de nos jours, poursuivit Lenny, est [une actrice très connue ayant été en nomination aux Oscars], qui a fréquenté plusieurs superstars, mais tout Hollywood sait que c'est une gouine, alors vous pouvez être certains que lorsqu'elle fréquente un acteur, c'est qu'il est gay. » Il a nommé trois acteurs célèbres ayant la réputation d'être des coureurs de jupons. Effectivement, ils s'étaient tous les trois affichés avec l'actrice en question.

« Mais qu'a-t-elle à en retirer ? » demandai-je une fois de plus.

---

10. Titre au Québec : *Brillantine*.

« Ça, c'est facile, répliqua Lenny. Tout comme les rumeurs d'homosexualité sont dissipées lorsqu'on rapporte qu'un acteur fréquente cette jolie femme, ou plutôt lorsqu'on les photographie ensemble en public, elle a l'air d'une génitrice en puissance lorsqu'on la montre en compagnie de cet acteur. Pendant ce temps-là, elle fréquente depuis des années [une autre actrice bien connue à Hollywood] totalement à l'insu du grand public. C'est donc une situation gagnante pour toutes les parties impliquées lorsqu'une actrice lesbienne fréquente ou épouse un acteur gay. Mais il y a un autre sujet sur lequel nous n'arrivons pas à nous entendre : la bisexualité. »

« Ça n'existe pas ! » s'écria Karl.

« Tais-toi donc », lui rétorqua Lenny. Il m'a alors expliqué que personne ne savait vraiment combien d'acteurs gays fréquentaient et épousaient des femmes pour sauver les apparences et combien étaient en fait bisexuels. Ce débat, me dit-il, fait rage depuis que Hollywood existe.

Il a cité l'exemple de Cary Grant, un des plus grands sex-symbols de Hollywood. Grant, selon les dires de Lenny, était amoureux de Randolph Scott, une autre vedette du grand écran. « Tout le monde sans exception à Hollywood le savait. Ils passaient d'interminables soirées au Brown Derby à se manger des yeux en se tenant la main. Ils partageaient même une maison sur la plage. Pourtant, Grant s'est marié à cinq reprises. Ses femmes ne peuvent pas ne pas avoir été au courant au sujet de Scott et lui, et c'est sans compter ses nombreux amants au fil des ans. Il y a même un livre qui prétend qu'il aurait eu une aventure avec Marlon Brando, un autre bisexuel réputé. Alors, pourquoi voudraient-elles l'épouser ? Leur a-t-on fait miroiter une vie de star hollywoodienne et de l'argent ou un coup de pouce dans leur propre carrière ? Après tout, trois de ses femmes étaient des actrices qui tentaient de percer. »

Je me suis remémoré un incident qui s'est produit au début des années 1980. Tom Snyder interviewait Chevy Chase et ce dernier a dit, au sujet de Grant : « C'est un homo, n'est-ce pas ? » Grant l'a poursuivi en diffamation et a eu gain de cause, bien que tous les détails de ses aventures aient été rendus publics après sa mort. Cela soulevait une question primordiale : comment prouve-t-on qu'une personne est homosexuelle à moins de la surprendre au lit avec quelqu'un du même sexe ?

Karl a mentionné un acteur de comédie masculin parmi les plus célèbres du monde, qui est gay et marié. « Lui et sa femme habitent un immense manoir, mais selon les gens qui y sont déjà allés, ils occupent chacun leur moitié de la maison et ne se voient jamais. Pratique, mais la question se pose encore : pourquoi l'a-t-elle épousé ? D'après ce qu'on m'a dit, voici comment ça fonctionne : la femme accepte de ne pas demander le divorce avant une période prédéterminée, contre quoi on lui donne une carte de crédit platine pour toute la durée du mariage et une généreuse pension après le divorce. Pardi ! J'accepterais volontiers de marier une riche gouine pour lui servir de compagnon officiel. Elle n'aurait pas besoin de me supplier. »

« Puis, il y a [un acteur superstar qui s'est marié récemment], qui était sur le point de voir son orientation sexuelle révélée au grand public. Apparemment, il aurait carrément fait passer des entrevues d'embauche à plusieurs femmes. Il leur offrait d'énormes sommes d'argent, sans parler de rôles alléchants, pour le marier et ne pas divorcer avant un certain nombre d'années. »

Il a poursuivi : « Ce qui est le plus tragique pour les vedettes hollywoodiennes qui cachent leur homosexualité et qui ne sont pas bisexuelles, c'est qu'elles doivent perpétuellement vivre dans la tristesse. Ces acteurs n'ont pas le droit de jouir d'une relation au grand jour, alors ils finissent généralement par baiser des gigolos de luxe qu'ils paient deux mille dollars la nuit. »

« À moins que la Scientologie leur mette le grappin dessus », intervint Lenny.

Cette référence à la Scientologie piqua ma curiosité.

« Qu'ont-ils à voir avec tout ça ? » ai-je demandé.

« Eh bien, si t'es gay et que t'as assez d'argent, ils promettent qu'ils peuvent te convertir, expliqua Lenny. Enfin, c'est ce que j'ai entendu dire. »

Lenny n'exagérait pas. L'Église de Scientologie compte de nombreux adeptes à Hollywood, notamment John Travolta, Tom Cruise, Kirstie Alley et Priscilla Presley. Bien que la majorité d'entre eux ne soient pas gays, une partie de ce qui explique l'attrait de la Scientologie pour les acteurs ambitieux pourrait bien être le fait que l'organisation affirme pouvoir rendre hétéros les homosexuels grâce à un processus complexe et dispendieux inspiré de la science-fiction, appelé « audition ». Le 6 mai 1991, le magazine *Time* affichait en Une un reportage controversé au sujet de la secte, dans lequel on affirmait que certaines des célébrités les plus en vue de Hollywood étaient tombées sous le joug de l'Église de Scientologie parce qu'elles craignaient que leur secret soit révélé. Le passage le plus marquant concernait John Travolta :

« Parfois, même les plus grands ténors de l'Église peuvent avoir besoin d'un peu de protection. Travolta, l'étoile du grand écran aujourd'hui âgée de trente-sept ans, est depuis longtemps le porte-parole officieux de la Scientologie, bien qu'il ait déclaré, dans une entrevue accordée en 1983, qu'il s'oppose aux dirigeants de l'Église. Des ex-membres haut gradés ont affirmé que Travolta craint de quitter lui aussi les rangs de la Scientologie, parce qu'on révèlerait alors les détails de sa vie sexuelle. “Il se sentait très intimidé et avait peur que la nouvelle sorte, il m'en a parlé, se souvient William Franks, un ancien président du conseil d'administration de l'organisation. Aucune menace n'a jamais été faite explicitement ; tout était implicite. Si vous quittez la Scientologie, ils se mettent immédiatement à vous chercher des noises." Franks avait été évincé en 1981 après avoir tenté de réformer l'Église. L'ex-directeur de la sécurité, Richard Aznaran, se rappelle avoir entendu le grand patron de la Scientologie, David Miscavige, blaguer à maintes reprises au sujet de la promiscuité homosexuelle de Travolta. Aujourd'hui, toute menace de dévoiler des secrets au sujet de l'orientation sexuelle de Travolta semble superflue : en mai dernier, une star masculine du porno a reçu cent mille dollars d'un tabloïd pour raconter sa liaison de deux ans avec l'acteur. Travolta a refusé de commenter et, en décembre, son avocat a balayé l'histoire du revers de la main en la qualifiant de « bizarre ». Deux semaines plus tard, Travolta annonçait son intention d'épouser l'actrice et adepte de la Scientologie, Kelly Preston. »

La controverse entourant la star de *Pulp Fiction*[11] a refait surface en 2006 lorsque le *National Enquirer* a publié une photo de Travolta en train d'embrasser un autre homme sur l'escalier de son avion privé. L'homme en question était le gardien de son fils.

Depuis ma rencontre avec les « pédés de la table ronde », je suis tombé sur une étude réalisée à l'université du Maryland qui m'a fait réaliser que mes compagnons de poker en savaient moins qu'ils le pensaient au sujet des femmes homosexuelles à Hollywood. Cette étude démontre que les lesbiennes et les femmes bisexuelles sont huit fois plus susceptibles de se diriger vers le théâtre et le cinéma que leurs consœurs hétérosexuelles.

* * * *

11. Titre au Québec : *Fiction pulpeuse.*

Le fait qu'Angelina Jolie a parlé ouvertement de sa liaison avec Jenny Shimizu est d'autant plus impressionnant à la lumière de ces révélations au sujet des efforts consacrés par les stars de Hollywood pour dissimuler leur homosexualité. Ce qui est encore plus surprenant, c'est que non seulement sa carrière n'en a pas souffert, mais qu'elle a depuis été catapultée au firmament des étoiles de Hollywood.

Jess Search, acheteuse de vidéos et de films indépendants pour la chaîne britannique Channel 4, déclarait au *Guardian*, en 2000, que selon elle, une aura mystique rend les lesbiennes plus acceptables que les hommes gays. « Ce n'est pas un phénomène nouveau lorsqu'on observe que les spectateurs sont plus intéressés par une jolie femme s'ils savent qu'elle est lesbienne, affirme-t-elle. On percevait généralement les lesbiennes comme une sous-culture, quelque chose qui se passait derrière des portes closes. Désormais, nous ne sommes plus ghettoïsées, nous sommes socialement acceptables. Les hommes trouvent les lesbiennes séduisantes ; ça crée une rumeur favorable à notre égard. »

L'actrice Sophie Ward, qu'on a connue dans le film *Le secret de la pyramide* de Barry Levinson en 1985, a annoncé qu'elle était lesbienne en 1996, et sa carrière a connu un certain succès depuis, mais elle admet tout de même que son annonce a eu des conséquences. « Après être sortie du placard, je me suis rapidement rendu compte que les directeurs de distribution étaient plus réticents à m'accorder des rôles, surtout pour la télévision. Je crois qu'il y avait un sentiment généralisé, celui que je n'étais pas une valeur sûre. Même aujourd'hui, j'ai parfois l'impression que lorsque je suis en lice pour un rôle à plus fort potentiel commercial, on me perçoit un peu comme un risque. Toutefois, c'est vraiment difficile de dire qu'on ne vous a pas accordé un rôle à cause de votre sexualité. Heureusement, la plupart des gens dans l'industrie ont la tête dure et ne se laissent pas influencer par ce genre de considération, mais ça risque de prendre encore un certain temps avant que les gens se relaxent à mon sujet. »

Pourtant, selon cette même étude de l'université du Maryland, les actrices qui avouent leur homosexualité ou leur bisexualité gagnent en moyenne plus que les actrices hétérosexuelles. Il faut quand même bien garder à l'esprit que cette statistique puisse être biaisée du fait qu'il y a peu d'actrices lesbiennes ou bisexuelles avouées et que la plupart sont de grosses pointures, comme Angelina Jolie et Drew Barrymore.

* * * *

Il n'en demeure pas moins que la réaction de Jolie quand elle a découvert sa bisexualité a été une réaction hollywoodienne typique. Il ne fait aucun doute que sa liaison avec Shimizu battait son plein lorsqu'elle a épousé Jonny Lee Miller, et depuis un moment déjà. « Nous couchions déjà ensemble lorsque j'ai rencontré Jonny pendant le tournage de *Foxfire*, a révélé Shimizu. Angelina nous a dit ce qu'elle ressentait pour nous, et nous sommes sortis au restaurant tous les trois ce soir-là. Elle a été très honnête envers nous, comme elle l'a été tout au long de sa vie. »

S'il est vrai que Jonny Lee Miller était parfaitement au courant de la liaison de sa future épouse avec Shimizu au moment où ils se sont mariés, est-il alors envisageable que Jolie l'ait épousé avec des intentions derrière la tête ? Peut-on raisonnablement croire qu'elle suivait le fameux stratagème hollywoodien voulant qu'elle dissimule sa vraie nature derrière son mariage impromptu à Miller en mai 1996 ?

Peu importent les considérations temporelles, les trois jeunes acteurs ont géré la situation de leur mieux. Il faut noter, entre autres, que malgré la réputation plutôt délurée de Jolie, Shimizu a toujours nié que le trio se soit retrouvé au lit. « Nous n'avons jamais goûté le triolisme, affirmait-elle. Ce n'est pas mon truc. Nous partagions une amitié. Mais il est vrai que Jonny n'était pas très loquace ; je crois qu'il se sentait menacé. » Miller a en effet plus tard avoué qu'il était « quelqu'un d'horriblement jaloux ».

Il était clair que le mariage ne durerait pas, et peu de gens ont été surpris lorsque le couple s'est séparé après seulement un an. Jolie a attribué cet échec à leurs horaires de travail incompatibles : « Je ne suis pas suffisamment présente dans mes relations, que ce soit physiquement ou émotivement, pour qu'elles puissent devenir sérieuses. Ce n'est pas juste pour l'autre que je sois accaparée à ce point par ma carrière et que je sois si distante, même lorsque je suis avec lui. Nous vivions ensemble, mais séparément. Je souhaitais plus pour lui que ce que j'étais capable de lui donner ; il mérite mieux que ce que je peux lui offrir à ce point-ci de ma vie. »

« C'est simple : je n'étais pas une bonne épouse, ajoutait-elle. Je crois que nous devions mûrir chacun de notre côté et nous avons toujours considéré l'option de nous remarier plus tard. Mais ma carrière passe en premier. Je rencontre beaucoup d'hommes qui disent qu'il en va de même pour eux, mais apparemment en fin de compte, ce n'est pas comme ça que ça se passe. »

Presque sournoisement, elle a également ajouté que la relation s'était détériorée en partie parce qu'elle désirait retourner s'installer à New York, mais que Miller, lui, voulait rentrer en Angleterre. Il n'a pas semblé s'en formaliser lorsqu'il a déclaré au journal *Mail on Sunday* : « Je sais que j'aurai probablement l'air d'avoir totalement perdu la raison, mais ce qui me manquait, ce sont des petites choses comme le journal du soir à la TV, les autobus rouges, les odeurs de la campagne, le son de notre musique rock et les nouvelles du football. »

Malgré tout cela, la meilleure explication de l'échec de leur mariage aura été livrée par Jolie, qui confiait à un journaliste, en parlant de Miller, qu'« il a enduré beaucoup de choses ». Ce n'était pas sa carrière qui nuisait à leur mariage, c'était sa maîtresse. Si on se fie à des déclarations publiques ultérieures, on devine qu'en réalité, sa relation avec Shimizu passait avant tout. « J'aurais épousé Jenny si je n'avais pas déjà été mariée », a-t-elle avoué.

Bien que Miller ait accepté de satisfaire le penchant fétichiste et sadomasochiste de Jolie, Shimizu a laissé entendre qu'elle était plus à même d'assouvir ces besoins. « Ce n'est pas une question de se déguiser avec des capes et des masques de cuir et de s'attacher avec des chaînes, précisait-elle dans une entrevue au *Sun* au sujet de leur vie sexuelle hors norme. C'est un lien émotif. Je n'avais besoin que de mes bras pour la contenir, nous n'avions pas besoin d'acheter toutes sortes de bidules. Nous utilisions simplement ce qui se trouvait à portée de main. Elle collectionnait les couteaux et m'a appris plein de choses à leur sujet. » Elle ajoutait : « Angelina est très dominante : une fois qu'elle vous démontre son amour, elle exige aussitôt de savoir à quel point vous tenez à elle. »

Jolie a aussi affirmé, au sujet de ce premier mariage, que Miller et elle étaient très réalistes au sujet de ses chances de survie. « La première fois que je me suis mariée, j'étais jeune, expliquait-elle. Je voulais devenir son épouse et ce fut une expérience unique, mais nous savions très bien que ça ne durerait pas. »

Bien qu'ils n'aient officiellement divorcé qu'en 1999, Miller était bel et bien sorti de la vie de Jolie dès la fin de 1997. Pas Jenny Shimizu.

Dans la pénombre

Lorsque *Gia : Femme de rêve* a été diffusé pour la première fois en janvier 1998, Angelina Jolie aurait dû être aux anges. Sa dernière performance avait été acclamée par le public et la critique, un Golden Globe trônait sur sa cheminée et tous la considéraient comme une étoile montante. Pourtant, elle avait sombré depuis des mois dans un abysse émotionnel qu'elle attribuait à son succès inattendu.

« Vous pensez que la beauté et la gloire peuvent rendre une personne heureuse ? a-t-elle lancé à un journaliste qui lui demandait si elle aimait sa récente accession à la célébrité, après le téléfilm *George Wallace*. Je ne le crois pas. Ce n'est rien si vous n'avez pas l'amour et quelqu'un avec qui le partager. Je crois que nous avons tous ce sentiment que les autres ne s'intéressent pas à qui nous sommes vraiment et ne nous comprennent pas. »

Elle avait pourtant eu l'air de profiter de son succès, surtout lorsqu'un de ses groupes de musique préférés a fait appel à elle, peu de temps après le tournage de *Gia : Femme de rêve*. « Je n'avais aucune idée de ce que les Rolling Stones pouvaient bien me vouloir », se remémora Angelina, qui avait récemment tenu un petit rôle dans le vidéoclip d'une chanson de Meat Loaf. Ce que les Stones lui offraient, c'était d'incarner une strip-teaseuse sensuelle dans le vidéoclip de leur pièce *Anybody Seen My Baby*. « Imaginez ma surprise lorsqu'ils m'ont demandé de me balader dans la rue en petite tenue. Heureusement, nous tournions à New York, alors tout le monde s'en foutait. Les gens dans les restaurants disaient : “Tiens, c’est la fille de *Gia : Femme de rêve* qui se promène en sous-vêtements. Tu me passes le sel, s’il te plaît ?” »

La vidéo très sexy sera certainement plus mémorable que son rôle suivant au cinéma, dans l’horrible film *Le damné*, en 1997. Elle y jouait le rôle de la petite amie d’un chef de la mafia, Timothy Hutton, et partageait la vedette avec David Duchovny, dans son premier rôle au cinéma depuis son succès grâce à la série télévisée *X-Files : Aux frontières du réel*. Le film a été un échec critique et commercial, bien que tous s’entendaient pour dire que c’était la médiocrité des personnages et du scénario qu’il fallait blâmer plutôt que la performance de Jolie. Le film aurait d’ailleurs pu être un peu plus « relevé » : Jolie a dévoilé que le réalisateur avait tourné deux scènes à caractère sexuel, une avec Duchovny et l’autre avec Hutton, mais aucune des deux n’a été gardée dans la version définitive. « Dans la scène avec David, nous nous prélassions au soleil tandis qu’avec Tim, nous baisions sauvagement sur la banquette arrière d’une voiture, révélait-elle plus tard. Je crois que ce qui est arrivé en fait, c’est qu’ils ne pouvaient pas en laisser qu’une seule, alors ils les ont coupées toutes les deux. » La seule bonne chose que Jolie a retirée de son rôle dans *Le damné* fut une brève liaison avec Hutton.

Presque immédiatement après ce projet, elle a inexplicablement entamé le tournage d’un autre scénario de piètre qualité intitulé *Urban Jungle*. Elle y jouait le rôle de Gloria McNeary, une crapule de deuxième génération du quartier new-yorkais Hell’s Kitchen qui attend depuis cinq ans la sortie de prison de son ex-petit ami Johnny, un boxeur qui s’est offert en pâture pour protéger un ami lors d’un vol de banque raté qui a coûté la vie au frère de la jeune femme. Les combines qui s’ensuivent dans le scénario alambiqué sont embarrassantes tant elles sont baroques, mais heureusement pour la carrière de Jolie, à peu près personne n’a vu ce film à sa sortie.

Le tournage en était à mi-chemin, au printemps 1997, lorsque le magazine *Interview* a demandé à Jon Voight d'interviewer sa fille. Le résultat est un portrait fascinant de Jolie à une étape assez obscure de sa vie et de sa carrière. Après une réflexion personnelle sur la naissance de sa fille et ses tout premiers rôles, Voight demande à Angelina quels ont été pour elle les premiers signes qu'elle se destinait à une carrière d'actrice.

« JOLIE : Mon Dieu, mes premiers souvenirs sont de mon frère, Jamie – ton fils – qui pointait le caméscope vers moi et qui disait : "Vas-y, Angie, donne-nous un spectacle." Ni toi ni maman n'avez jamais dit : "Sois tranquille ! Tais-toi !" Je me souviens de toi qui me regardes droit dans les yeux et qui me demandes : "À quoi penses-tu ? Comment te sens-tu ?" C'est ainsi que je pratique mon métier. Je me demande : "Comment est-ce que je me sens par rapport à ceci ?" et je trouve immédiatement la réponse, parce que c'est ainsi que j'ai été élevée.

VOIGHT : Tu as une présence très forte et très concrète à l'écran. Je crois que c'est une qualité qui saura toujours faire une différence, en matière de scénario et d'intrigue.

JOLIE : Oui, j'ai une énergie particulière et soit on en a vraiment besoin, soit on n'en a vraiment pas besoin. Je sais très bien que je peux parfois trop contraster avec ce qui m'entoure. Il y a également un certain type de femme que je ne suis pas prête à jouer. Je suis curieuse de savoir ce que tu as pensé de mes derniers rôles.

VOIGHT : Commençons par *Le damné.*

JOLIE : Ce tournage était très rock'n'roll et amusant, tonitruant et sans souci, habille-toi comme tu veux et aime qui tu veux. Tu connais ce genre de fantaisie. Je me suis réellement permis d'entrer dans ce monde. À mon âge, je me sens vraiment comme une gamine punk lorsque j'arrive sur certains plateaux de tournage, mais pas cette fois-ci. Je me sentais tout à fait femme. En tant que jeune fille, je considère des rôles dans des projets parfois douteux, mais je commence dans le cinéma et j'essaie de trouver comment m'y intégrer. Je dois déjà me démener pour rester habillée et m'assurer qu'on ne m'offre pas des rôles de petite amie. Certaines femmes disent qu'elles ne veulent pas être un homme et qu'elles veulent les opportunités qui s'offrent à elles en tant que femmes. Je pense que les femmes ont une sexualité qui leur est propre et je trouve qu'un corps féminin est magnifique. Je n'ai aucune gêne à explorer ce côté de moi pour un film. On m'offre parfois des rôles vulgaires et violents et j'ai aussi un côté vulgaire et violent.

VOIGHT : Il faut parfois un personnage vulgaire et violent pour représenter la vérité.

JOLIE : C'est vrai, mais dans les films que j'ai tournés récemment, j'ai commencé à apprendre à être sensible au côté plus léger de ma personnalité. Je me rappelle quand je m'habillais tout en noir et que tu me disais : "Sois jolie, garde la tête haute, sois fière. Sois une personne agréable et ne te cache pas derrière toute cette noirceur, tu dois apprendre à te laisser aller." Je ne regrette pas qui j'ai pu être par le passé, parce que j'aime tous les côtés de ma personnalité, mais maintenant, je découvre un peu plus la femme adorable en moi. Je trouverais regrettable que certaines valeurs traditionnelles se perdent en cette ère de féminisme.

VOIGHT : Que fais-tu lorsque tu ne travailles pas ?

JOLIE : Je trouve difficile de ne pas travailler, alors généralement, je me trouve quelque chose à accomplir. Je vais parfois travailler avec Tom Bower, (l'associé de Jolie dans une troupe de théâtre) ou sur une pièce, je vais lire ou écrire. Je crois aussi que c'est important, entre deux projets, de prendre du temps pour moi-même afin d'assimiler celle que je suis devenue après ce rôle, pour lui permettre de continuer à évoluer et à se trouver un endroit à elle à l'intérieur de moi avant que je puisse penser à devenir quelqu'un d'autre. Et je dois également apprendre à me relaxer et à ne pas trop me préparer, à simplement profiter de la vie. J'ai remarqué que mes personnages vont dîner au restaurant et s'amusent et font de beaux voyages, mais je passe tellement de temps dans leur peau que je n'ai pas vraiment de vie propre. Il faut que je commence à penser à moi un peu plus.

VOIGHT : OK, Angelina, on a à peine entendu une fraction des merveilleuses histoires que nous aimons au sujet d'Angelina Jolie, mais je crois qu'on a entrevu l'incroyable énergie qui t'anime. Je t'envoie tout mon amour, ma chérie.

JOLIE : Je t'aime aussi, papa. »

* * * *

Gia : Femme de rêve devait être présenté en janvier 1998 et les parents de Jolie étaient tous deux persuadés que ce rôle la propulserait au sommet. Angelina, quant à elle, n'était pas certaine de vouloir cela.

« Je ne crois pas avoir été aussi déprimée qu'à cette époque, s'est-elle souvenue par la suite. J'étais à un point de ma vie où j'avais tout ce qui est censé vous rendre heureux, mais je me sentais plus vide que jamais. Après *Gia : Femme de rêve*, j'avais l'impression d'avoir tout donné, mais je ne me sentais pas grandie par l'expérience. Je ne pensais pas que j'aurais l'énergie de vivre à Hollywood. Cette vie publique m'effrayait et je ne voulais pas finir comme Gia. Je devais m'éloigner et me retrouver. »

Elle avait failli abandonner sa carrière d'actrice à plusieurs reprises déjà. Cette fois-ci, elle a tenu parole... temporairement. Pensant être plus heureuse de l'autre côté de la caméra, elle s'est inscrite au programme de cinéma de la Tisch School of Creative Arts à la New York University (NYU). Mais l'éloignement de la famille et des amis a semblé empirer les choses.

« Je n'avais pas d'amis proches et la ville me semblait froide et triste et étrange. Tout ce qui me paraissait auparavant romantique à New York, même les balades en métro, est devenu très froid, s'est-elle remémoré de nombreuses années plus tard. Je ne savais plus si j'avais envie de vivre parce que j'ignorais pour quoi je vivais. »

Elle a raconté s'être trouvée dans une chambre d'hôtel où elle prévoyait de s'ôter la vie avec un couteau ou des somnifères : elle n'arrivait pas à décider quelle serait la meilleure méthode. Elle avait même écrit une note pour la femme de chambre lui demandant d'appeler la police avant d'ouvrir, afin d'éviter à la pauvre femme de trouver son corps inanimé. Puis, elle est allée se promener dans les rues de New York. Elle voulait s'acheter un kimono qu'elle porterait pour son dernier acte et, soudainement, elle a réalisé à quel point tout cela était complètement fou. « Je ne pensais pas être capable de m'entailler les poignets », s'est-elle souvenue. De plus, selon son calcul, elle n'avait pas assez de somnifères pour être certaine qu'elle en mourrait. Elle a demandé à sa mère de lui en poster d'autres, mais elle a immédiatement réalisé que cette dernière se sentirait responsable du rôle qu'elle aurait joué dans la mort de sa propre fille.

C'est alors qu'elle a élaboré un plan pour le moins étrange. La femme qui, à peine six ans plus tôt, avait été diagnostiquée « imprévisible et encline à la psychopathie antisociale » allait retenir les services d'un tueur à gages pour la tuer afin d'éviter qu'elle ait l'air de s'être donné elle-même la mort. « Le suicide s'accompagne toujours de la culpabilité des gens autour de vous, parce qu'ils croient qu'ils auraient pu faire quelque chose pour l'éviter, expliquait-elle. Lorsque quelqu'un est assassiné, personne n'a à assumer une quelconque responsabilité. »

ême été jusqu'à rencontrer un homme, l'« ami d'un
t on lui avait dit qu'il pouvait arranger les choses.

Elle avait calculé que cela coûterait sans doute des dizaines de milliers de dollars, alors elle avait économisé l'argent comptant, petit à petit, afin que personne ne puisse remonter jusqu'à elle après la découverte de sa dépouille. « C'était vraiment étrange, compliqué et complètement démentiel, a-t-elle plus tard admis au sujet de son plan. Exactement comme dans un putain de film. » Elle a même expliqué que le tueur qu'elle avait engagé « était quelqu'un de bien : il m'a suggéré d'y penser pendant un mois ou deux et de le rappeler. Les choses ont changé dans mon existence entre-temps, et j'ai décidé de donner une chance à la vie ».

Parmi ces choses qui ont changé, il y a Jenny Shimizu qui est venue rejoindre Angelina à New York, parce qu'elle sentait que quelque chose ne tournait pas rond. Elles tenaient fréquemment des conversations érotiques au téléphone, et c'est durant une de ces séances que Shimizu a cru déceler un appel à l'aide. Sa présence permettait à Jolie de mettre de l'ordre dans ses pensées.

Bien que cette sombre période de sa vie l'ait poussée au bord du suicide, Angelina Jolie l'a néanmoins décrite comme une époque importante, quelques années plus tard.

« C'était vraiment une mauvaise période, car je croyais que je n'avais pas grand-chose à offrir, relatait-elle au magazine *Rolling Stone* en 1999. Je ne pensais pas que j'arriverais à trouver un juste équilibre entre ma vie, mon esprit et mon travail. J'étais de plus terrifiée d'apparaître en public après *Gia : Femme de rêve*, après avoir vu à quel point sa vie privée était anémique malgré les apparences glamour. Je travaillais et donnais des entrevues, puis je me retrouvais seule chez moi et je me demandais si j'aurais un jour une vraie relation, si je pourrais un jour réussir mon mariage ou si je pourrais un jour être une bonne mère, bref si j'arriverais un jour à être... une femme complète. C'était une période très triste de ma vie, mais je crois néanmoins, aujourd'hui, que ça a été une bonne chose que je passe par là, que je sois seule pendant tous ces mois à vivre une vie normale, que j'aille à la NYU pour étudier les tenants et aboutissants de cette industrie, que je me balade en métro et que je sois seule avec moi-même. »

Plutôt que d'en finir avec la vie, elle a décidé de la vivre pleinement. Et même si à une certaine époque, cela aurait aussi voulu dire se droguer, tout cela était derrière elle. La triste histoire de Gia Carangi lui avait ouvert les yeux. « Gia et moi avions suffisamment de points communs pour que je me dise que ce rôle allait me débarrasser de tous mes démons ou me détruire, racontait-elle. Heureusement, j'ai trouvé quelque chose qui remplace l'euphorie des drogues, c'est mon travail. » La déclaration est assez révélatrice : Angelina Jolie était toujours dépendante, ce n'était simplement plus de la drogue.

Lorsqu'elle a reçu son Golden Globe en janvier 1998, pour son rôle dans *George Wallace*, elle n'avait aucune difficulté à trouver du travail. Elle était soudainement devenue l'une des actrices les plus demandées. Les scénarios étaient nombreux et Marcheline Bertrand, sa mère, son agent et son assistante officieuse, l'aidait à choisir ceux qu'il fallait accepter. Jolie aurait peut-être dû écouter son père, qui avait toujours été très sélectif au sujet des scénarios qu'il acceptait. De plus, la carrière de Voight était de nouveau en plein essor grâce à sa performance mise en nomination pour un Golden Globe dans le thriller de John Grisham, *L'idéaliste*.

Malgré son changement de nom, les reporters n'ont jamais vraiment permis à Jolie de sortir de l'ombre de son père. Toutefois, c'était de plus en plus fréquent de voir Voight répondre à des questions au sujet de sa fille. « Elle est impressionnante, authentique : c'est une véritable artiste, a-t-il répondu fièrement lorsqu'un journaliste l'a interrogé au sujet de la carrière prometteuse d'Angelina. Pour moi, c'est une consœur. Son travail est minutieux, plein de décision et de vision. Je l'ai entendue dire en entrevue qu'elle ne m'avait pas connu lorsque j'étais au sommet de la gloire. En fait, elle m'a connu à ce moment-là, mais même à cette époque, je devais me débattre. Nous devons toujours nous débattre. »

Lors d'une autre entrevue, le journaliste décrivait comment le visage de Voight s'était illuminé à la simple mention de sa fille. « Depuis quelque temps, de jeunes hommes m'abordent en me disant : “Monsieur Voight, votre travail est tout simplement incroyable”, mais je me dis : “Mon œil !” Je sais bien que tout ce qu'ils veulent, c'est se rapprocher d'Angie. » Jon Voight a par ailleurs révélé que sa fille et lui avaient un pacte : « Nous voulons jouer ensemble dans un film avant la fin de ce millénaire », promettait-il. « J'aimerais jouer dans une comédie avec elle, précisait-il plus tard. Elle a un magnifique sens ludique et ce serait vraiment plaisant si nous pouvions jouer deux personnages imbéciles, surtout pour briser l'image très sérieuse que nous avons en ce moment. »

Lorsqu'on a demandé à Angelina si c'était aussi un de ses objectifs, elle a été un peu plus circonspecte, tout en restant ouverte à la possibilité. « Jamais je ne travaillerai avec mon père si on a l'impression que j'ai eu le boulot à cause de lui, avait-elle expliqué. Je veux me distinguer de lui, car je veux me prouver à moi-même que je vaux quelque chose et que je sais bien faire mon travail. En vieillissant, notre relation à nos parents change. Il a appris à me connaître à travers les rôles que j'ai joués, et je suis probablement plus forte et plus confiante en mon travail, désormais. »

Même si, en apparence, elle semblait irritée de se faire poser des questions sur son père à chaque entrevue qu'elle accordait, il était clair qu'ils étaient encore très proches et se respectaient mutuellement comme acteurs. Lors d'une de ces entrevues, elle s'est elle-même décrite comme « la fille à papa ». « Je lui parle et il me parle, expliquait-elle. Nous nous aimons, mais par équité pour ma mère, je l'aime elle aussi, mais surtout, je suis une personne à part entière désormais [...] Le métier d'acteur, c'est la vie, et quand on discute de nos carrières, on ne discute pas simplement de boulot. Lorsque mon père tournait *L'arche de Noé*, nous discutions souvent de son approche du personnage, mais ultimement, ce dont nous parlions, c'était de notre attitude par rapport à la religion. Le métier d'acteur m'était enseigné quotidiennement. Parfois, ma mère me regardait et me disait des choses du genre : "Regarde-moi et dis-moi qui tu es avec tes yeux." Ça, ce sont de vraies leçons d'art dramatique. »

* * * *

Les reporters n'avaient d'yeux que pour les symboles les plus visibles et les plus permanents de l'actrice : ses tatouages. Depuis sa rupture avec Jonny Lee Miller, elle s'en est fait ajouter, en a couvert et en a même fait enlever complètement au moins une douzaine d'autres. « Sombre, romantique et tribale » sont les mots qu'elle utilise pour décrire son attirance pour les tatouages. C'est généralement pour souligner des événements importants de sa vie personnelle qu'elle se fait marquer à l'encre : la naissance d'un enfant, la mort de sa mère.

Elle a révélé l'origine de son premier tatouage – le symbole japonais de la mort – lors d'une entrevue. « La première fois que je me suis fait tatouer, expliquait-elle, j'ai choisi le symbole "mort" et Jonny a choisi "courage". Pendant qu'il tournait *Trainspotting*, j'étais en Écosse avec lui et j'ai eu envie d'un autre tatouage, mais je ne savais pas quoi, alors je me suis fait tatouer le symbole de "courage" moi aussi, en me disant : "Tiens, nous formerons la paire, ainsi", mais ce n'était pas vraiment moi. »

Elle a plus tard effacé ces deux tatouages en les recouvrant par d'autres.

Lorsque *Rolling Stone* l'a interviewée dans le cadre de sa première Une du magazine, parue en août 1999, elle offrit au journaliste la traditionnelle « visite guidée » de ses tatouages :

« "OK", commence-t-elle en se levant et en me montrant son bras gauche. "Voici mon dragon, bras gauche." Elle me montre ensuite l'intérieur de son poignet. "Ça, c'est un H. Il y a deux personnes dans ma vie qui ont cette initiale [note de l'auteur : on croit généralement qu'il s'agit de Timothy Hutton et de son frère, James Haven] et de qui je suis très proche, que j'aime et chéris. Et voici mon plus récent, ma mère était avec moi lorsque je l'ai fait faire. C'est une citation de Tennessee Williams : "Une prière pour les âmes libres, gardées en cage", en regardant son avant-bras droit avec son unique sourire d'illuminée.

"Voici ma croix", poursuit-elle en baissant le bord de son pantalon noir, révélant ainsi sa fine hanche, "et celui-ci", pointant une citation en latin qui suit le contour de son ventre juste au-dessus de la ligne du bikini, "signifie *ce qui me nourrit me détruit*. Finalement – dit-elle en se retournant tout en soulevant le rebord de son t-shirt noir, dévoilant un petit rectangle bleu au creux de ses reins – c'est le seul tatouage en couleur que j'ai, mais je vais le faire couvrir de noir. C'est une fenêtre." Une fenêtre sur sa colonne vertébrale ? "Non, explique-t-elle, c'est simplement que peu importe où je me trouve, je finis toujours par regarder la fenêtre avec le désir d'être ailleurs." Elle sourit de nouveau de ce sourire à la fois dément et béat, un mélange d'extase religieuse et de grimace. »

Jolie semblait s'être construit une image publique particulière qui impliquait ses couteaux, ses tatouages et ses cicatrices. Son côté vulnérable et sensible qu'avaient déjà rapporté les journalistes semblait avoir été remplacé par une caricature qu'elle avait élaborée. Jusqu'à quel point était-ce le fruit d'un effort délibéré ? Difficile à dire. Elle a déjà laissé entendre qu'il s'agissait d'une forme de mécanisme de défense qui la protégeait de trop d'indiscrétions : « Pour moi, tout ça ressemble à un stratagème ingénieux qui incite les gens à porter attention aux tatouages et aux couteaux, de cette façon ils n'apprennent rien sur moi tout en ayant l'impression de me connaître intimement. »

D'ailleurs, un jour qu'un journaliste lui a demandé comment elle se décrirait dans une petite annonce, elle n'a pas été très avenante : « J'écrirais : "Laissez-moi tranquille", ou peut-être : "À la recherche de quelqu'un de très discret et très hétéro pour une nuit d'abandon total afin de faire toutes les choses que je n'ai jamais faites auparavant. Choquez-moi et gardez ça pour vous." »

En fait, les couteaux et les tatouages étaient beaucoup moins importants que ses autres passions, comme le tango et la batterie, et personne ne savait que son film préféré, c'était *Dumbo,* un conte fantasque des studios Disney, au sujet d'un éléphant volant, ou encore que son rêve secret était d'être propriétaire d'un motel au milieu de nulle part. « Tout a commencé un jour où je suis passée en voiture devant un motel en Arkansas et je me suis dit que ce serait l'endroit idéal, s'enthousiasmait-elle. J'ai bondi hors de ma voiture, et j'ai demandé aux propriétaires si leur établissement était à vendre. Ils m'ont répondu que oui. Je ne l'ai pas acheté, en fin de compte, mais j'étais amoureuse de ses vingt-deux chambrettes, je m'imaginais une vie faite de balades en moto, d'entretien de mon établissement, de cirage de planchers, et tout ça. Je cherche toujours un motel à vendre, c'est toujours un de mes rêves. J'adore ces endroits un peu de mauvais goût avec des enseignes au néon vraiment funky. Celui que j'aimais cette fois-là s'appelait Happy Hollow, je mourais d'envie d'y rester. »

Un reporter du magazine *Esquire* qui a passé un peu de temps avec elle au début de 1998 s'attendait à rencontrer une dure à cuire qui a toujours un couteau sur elle, mais a plutôt été surpris de découvrir qu'elle est également « très tendre, très près de sa mère, qu'elle lit de la poésie, porte des robes de nuit en dentelle et veut apprendre à cuisiner et à parler français. Elle aime et possède beaucoup de lingerie fine, mais la porte rarement. Lorsqu'elle fréquente quelqu'un, elle porte plutôt ses sous-vêtements de tous les jours, et elle garde la lingerie fine pour se remonter le moral. Elle a très peur d'être enterrée vivante ainsi que de devenir le genre de personne qui achète des vêtements à son chien ».

Jolie laissait rarement les journalistes voir ce côté d'elle. Ça ne cadrait ni avec l'image qu'elle tentait de se créer ni avec les rôles qu'elle espérait jouer. Et, bien entendu, elle ne se lassait jamais de parler de sa bisexualité. « J'ai été mariée à un homme [...], racontait-elle à un magazine, mais j'aime les femmes, je suis attirée par les femmes. Pour moi, ça ne fait aucune différence d'être attirée par un homme ou une femme... J'ai été très intime avec une femme et je me suis dit : "Je pourrais épouser cette personne." »

Elle n'avait toutefois aucune intention de devenir l'héroïne d'un film à court terme, on peut présumer qu'elle ne s'inquiétait donc pas du fait que sa bisexualité pourrait nuire à son pouvoir d'attraction au box-office. À la rigueur, elle voyait même cela comme un avantage. « Je vais probablement commencer à auditionner pour des rôles masculins bientôt, lançait-elle à un journaliste en 1997. Ils ne sont pas écrits pour une femme, mais ce sont des rôles vraiment bien, comme dans certains films de guerre. J'aimerais jouer un shérif, un cowboy, un militaire. Je vais continuer d'essayer d'obtenir ce genre de rôles très fort. »

Elle aura cette chance par la suite, mais pour le moment, elle avait accepté le rôle d'une jeune fille branchée à la recherche de l'amour dans la comédie romantique *La carte du cœur*[12], film dans lequel elle jouait avec une brochette d'acteurs expérimentés tels que Sean Connery, Ellen Burstyn, Dennis Quaid et Gena Rowlands. Lorsque le film a pris l'affiche, fin 1998, le public a pu constater que la jeune Jolie, vingt-trois ans, n'avait aucun souci à partager l'écran avec des vedettes aussi intimidantes. Plus d'un critique a même affirmé qu'Angelina leur avait volé la vedette, bien que le film n'ait pas été très bien reçu, en général. Sa performance lui a tout de même valu une nouvelle distinction à ajouter à sa collection : meilleure performance par une actrice émergente, décernée par le National Board of Review.

Malgré les critiques dithyrambiques, elle demeurait humble et même un peu gênée qu'on la compare favorablement à des légendes comme Connery ou Burstyn. « J'ai gardé un des horaires quotidiens qu'on nous donnait juste pour prouver que mon nom a déjà été associé au leur, parce que j'étais si fière de faire partie de cette distribution, précisait-elle au sujet du film. J'avais l'impression que l'on m'avait invitée à une des plus belles réceptions du monde. »

Durant le reste de 1998 et 1999, Angelina Jolie a tourné deux films consécutifs avec deux des vedettes masculines les plus en vue. Le premier, *Les aiguilleurs*[13], était une comédie sur les contrôleurs aériens dans lequel elle interprétait le rôle de la femme du personnage joué par Billy Bob Thornton, qui venait tout juste de s'offrir un Oscar mérité pour sa performance dans *Sling Blade*[14], un des films préférés de Jolie. Ensuite, elle a

12. Titre au Québec : *Couples à la dérive.*
13. Titre au Québec : *À la limite.*
14. Titre au Québec : *La justice au cœur.*

travaillé sur *Bone Collector*[15], dans lequel elle incarne une jeune policière aux côtés de Denzel Washington.

« J'ai tout fait pour pouvoir incarner Amelia, admettait plus tard Angelina. Je voulais désespérément ce rôle. J'aimais le personnage et sa façon d'être. Elle était habituée à la rue et il y avait beaucoup de questionnements au sujet de mon habillement et de l'accent que je prendrais. Denzel a exigé de me rencontrer. Il avait visionné mes films et j'étais très nerveuse. J'étais en plein tournage de *La carte du cœur* et mes cheveux étaient teints en rose et coiffés en pointes, alors j'ai fait de mon mieux pour les dissimuler sous une écharpe, [mais] à mi-chemin de notre rencontre, j'ai oublié et j'ai retiré l'écharpe. Tout le monde fixait ma tête. Et moi, je tentais d'agir comme une dame, un flic et une femme adulte à la fois. Mais il a donné son approbation, ce qui en dit long. »

Lorsqu'on lui a demandé comment elle choisissait ses rôles, sa réponse fut très révélatrice : « Je me psychanalyse beaucoup, expliqua-t-elle. Mon choix de personnages est une forme de thérapie, d'une fois à l'autre. Dans *La carte du cœur*, j'étais à la recherche de l'amour, quelqu'un qui n'accorde pas beaucoup d'importance à la détermination et au travail. Le rôle d'Amelia dans *Bone Collector* me faisait entrer dans la peau d'une femme flic qui n'est que devoir et responsabilité. C'était ma façon d'explorer tous ces côtés de moi », concluait-elle.

Le 24 janvier 1999, elle se rendait à la cérémonie des Golden Globes pour une deuxième année de suite en tant qu'actrice en nomination, cette fois-ci pour son rôle dans *Gia : Femme de rêve*. Pendant une entrevue sur le tapis rouge, à son arrivée, elle a promis qu'elle sauterait tout habillée dans la piscine du Beverly Hilton, où avait lieu la cérémonie, si elle remportait le prix. Elle affirme que lorsqu'elle était plus jeune, elle avait fait exactement la même chose alors qu'elle accompagnait son

---

15. Titre au Québec : *Le désosseur.*

père dans un événement et que la direction de l'hôtel les avait expulsés.

Une fois de plus, lorsqu'on a ouvert l'enveloppe, c'est son nom qui a été annoncé. Lorsqu'elle est arrivée au micro sur la scène, Jolie n'a pu contenir ses larmes en voyant sa mère rayonner de fierté dans la salle. « Maman, tu savais que je voulais être actrice et tu as abandonné ta carrière pour que je puisse avoir la mienne. Je t'aime. » Plus tard dans la soirée, Jolie a tenu parole et a plongé dans la piscine de l'hôtel vêtue de sa robe à trois mille dollars griffée Randolph Duke.

« Ce que je trouve étrange, en fait, c'est que tout le monde ne soit pas dans la piscine, racontait-elle à *Playboy*. C'est un de ces événements où les gens présents dans la salle devraient être exaltés et excités, mais tout le monde est timide et réservé. » L'incident n'a fait que contribuer à son image de sauvageonne et a été dépeint comme un geste spontané imputable à l'alcool au lieu d'un acte planifié de célébration.

Angelina était déterminée à ne pas laisser le succès lui monter à la tête. « Je vais tâcher de ne pas trop m'y habituer », a-t-elle déclaré après la cérémonie, lorsqu'on lui a demandé comment ce second Golden Globe allait influencer sa carrière. « Je suis parfaitement consciente que ça va m'aider à me trouver du travail, affirmait-elle, et c'est ce que tout acteur veut : un autre rôle. » Elle avait déjà une idée en tête, et c'est ce rôle qui allait définir sa carrière.

Célébrité

Dès que Columbia Pictures a annoncé la mise en chantier du film *Une vie volée*[16], toutes les jeunes actrices de Hollywood ont tenté d'y obtenir un rôle. Le long métrage, basé sur le livre de Susanna Kaysen, immense succès en librairie, représentait une opportunité en or pour toutes celles qui tentaient de percer à Hollywood depuis des années, n'attendant qu'une chance d'être prises au sérieux. C'est Rose McGowan, l'une des actrices principales dans *Scream*[17], qui a le mieux résumé l'attrait de ce film après son audition : « C'est le seul projet intéressant en ce moment qui n'exige pas que vous retiriez vos vêtements. » C'était une vitrine idéale et des Oscars miroitaient devant les yeux de toutes les jeunes femmes de vingt-cinq ans et moins qui se présentaient aux auditions.

Ce n'est certainement pas l'attrait d'une distinction qui a incité Winona Ryder à tenter d'acheter les droits du livre, après l'avoir lu en 1993. « Cette œuvre m'a immédiatement transportée à l'époque où j'ai lu *L'Attrape-coeurs* pour la première fois et que j'ai découvert que je n'étais pas la seule personne qui savait ce que c'était de souffrir de solitude et d'aliénation, a-t-elle expliqué. Je veux faire un film avec ce livre depuis que je l'ai lu quand j'avais vingt et un ans et que j'en suis tombée follement amoureuse. »

16. Titre au Québec : *Jeune fille interrompue.*
17. Titre au Québec : *Frissons.*

Angelina Jolie avait eu la même réaction et elle voulait à tout prix prendre part à ce projet. Le livre la touchait à plusieurs niveaux. Certaines parties de la vie de Kaysen présentaient de nombreuses similarités avec la sienne : en 1967, après une séance avec son psychiatre, Susanna, étudiante dans une école privée de Boston, a été mise dans un taxi et envoyée à l'hôpital McLean de Belmont, non loin de là. Pour la jeune femme de dix-huit ans, la réalité était devenue « trop dense ». Susanna Kaysen a passé le plus clair des deux années suivantes dans un cauchemar alors qu'elle était internée dans une aile psychiatrique pour adolescentes de cet hôpital, un établissement connu pour traiter les problèmes de santé mentale des bien nantis. Cette expérience, elle l'a couchée sur papier deux décennies plus tard dans un témoignage poignant.

Kaysen a été élevée dans l'univers de l'élite universitaire de Cambridge, au Massachusetts. Elle était la fille de Carl Kaysen, un économiste de renom qui enseignait au MIT (Massachusetts Institute of Technology) et qui avait été conseiller du président John F. Kennedy. Lorsque les étouffantes conventions de son éducation à Cambridge sont devenues trop lourdes pour elle, Kaysen a tenté sans conviction de mettre fin à ses jours en avalant une cinquantaine d'aspirines. Cette tentative de suicide l'a conduite à McLean, un hôpital qui avait déjà eu comme patients Sylvia Plath, Ray Charles et James Taylor, qui y ont tous été admis à cause de leurs problèmes mentaux bien connus.

Pendant son séjour à McLean, on a diagnostiqué à Susanna Kaysen un trouble de la personnalité limite et on lui a prestement retiré tout contrôle sur sa propre vie. Après un traitement dentaire sous anesthésie générale à la suite duquel personne n'a voulu lui dire combien de temps elle avait été inconsciente, elle a vécu une crise de panique parce qu'elle était convaincue qu'elle avait « perdu le temps ». Lors d'un épisode de ce que l'on nomme en

psychiatrie la dépersonnalisation, elle s'est mor
sang, persuadée cette fois-ci qu'elle avait « perdu

« Les fous, écrivait Kaysen, sont un peu comme
désignés au baseball. La plupart du temps, c'est
entière qui est folle, mais puisqu'on ne peut pas interner une famille au complet, on désigne un de ses membres comme étant fou et c'est celui-là qu'on interne. » Selon elle, on l'a choisie comme bouc émissaire et envoyée se faire interner pour éviter à ses proches l'inconfort de vivre avec elle.

Presque un quart de siècle après sa sortie de l'établissement, Kaysen a raconté son passage à McLean, mais entre-temps, elle en parlait rarement. « Je ne savais pas quoi en dire », avouait-elle. Lorsqu'elle en parlait, c'était « une bonne façon d'irriter ou d'effrayer les gens ». Toutefois, ses souvenirs de son internement refaisaient constamment surface et elle a finalement ressenti le besoin de les extérioriser.

Au cours des années qui ont suivi sa sortie de l'hôpital, elle s'est découvert un talent pour l'écriture. Elle a publié deux romans, *Far Afield* et *Asa, As I Knew Him*, acclamés par la critique. Son témoignage sur son séjour à McLean fut un succès inattendu et a souvent été comparé au livre *La cloche de détresse* de Sylvia Plath. Elle avait non seulement réussi à capturer ses propres impressions de façon poignante, mais elle avait aussi dépeint avec justesse les idiosyncrasies de ses nombreuses et mémorables compagnes, internées pour diverses raisons.

Un de ces personnages est une sociopathe manipulatrice du nom de Lisa qui, contrairement à Susanna, avait réellement besoin d'un séjour dans un hôpital psychiatrique. Lisa était la rebelle de l'aile, se battant pour la justice et défiant constamment l'autorité. Elle imaginait des diversions à la routine stricte de l'établissement et des plans d'évasion, ralliant les autres pensionnaires à sa cause. En bref, elle était une version féminine personnage de Jack Nicholson dans *Vol au-dessus d'un nid de coucou*, Randle P. McMurphy. C'est le rôle qui intéressait Angelina Jolie, et elle était déterminée à faire tout ce qu'il fallait pour l'obtenir. « Le personnage de Lisa était un des plus convoités, se souvient la productrice Cathy Konrad. Nous avions un choix incroyable de jeunes actrices pour ce rôle. »

Winona Ryder savait qu'elle interpréterait le rôle principal, Susanna, celui auquel elle s'identifiait le plus. Elle le désirait tellement qu'elle était disposée à acheter les droits du livre, mais, malheureusement pour elle, Douglas Wick, le producteur du film *Dangereuse alliance*[18], les avait obtenus avant.

Les studios de production ne croyaient pas à la rentabilité de ce projet et Wick ne réussissait pas à trouver du financement. Ryder, encore très demandée à cette époque comme actrice, lui a donc fait une offre. Elle se joindrait au projet en tant que productrice et userait de son influence pour qu'il se réalise, en échange de quoi le rôle de Susanna lui serait garanti, lui ouvrant ainsi les portes du panthéon des actrices sérieuses, une reconnaissance qui lui avait échappé jusqu'alors.

Ce n'était pas simplement la vanité qui poussait Ryder à tant vouloir qu'*Une vie volée* devienne un film. Lorsqu'elle était une étoile montante, elle a souffert de ce qu'elle a plus tard qualifié de « dépression grand format » et s'est présentée à l'unité des troubles du sommeil d'une institution psychiatrique. Elle avait alors attribué ses problèmes à « la pression de [s]on travail et au fait de vivre [s]on adolescence sur grand écran ».

C'est à cause de cette dépression qu'elle a dû refuser le rôle de Mary, la fille de Michael Corleone dans *Le parrain III*, rôle qui a été confié à Sofia Coppola. Ce ne fut pas une décision facile à prendre : « Je pensais vraiment que j'étais en train de perdre la tête, a-t-elle précisé ultérieurement. Vous savez, cette

18. Titre au Québec : *Magie noire.*

sensation d'être tellement fatiguée que vous n'arrivez même pas à dormir ? Ça a vraiment été une année difficile [...]. C'est cette année dans votre vie où tout devient complètement fou, et tout était complètement fou dans ma vie, mais en plus, tout était amplifié pour moi, car c'était publié dans les journaux. Quand je marchais, chacun de mes pas se retrouvait dans les médias. »

Durant son bref séjour au sein de l'établissement psychiatrique, elle a tenu un journal de ses émotions les plus intimes, à l'instar de Susanna Kaysen deux décennies auparavant. « Je n'ai absolument rien retiré de cet endroit, racontait Winona Ryder. J'étais tellement fatiguée, tout ce que je voulais, c'était dormir. Ils ne m'ont pas aidée du tout... J'avais dix-neuf ans, et j'ai appris que peu importe la somme d'argent que vous donnez à un docteur ou à un hôpital, ils ne peuvent pas vous réparer. Ils ne peuvent pas vous donner de réponses : vous devez les trouver vous-même. J'ai finalement réalisé que je ne suis pas censée tout comprendre. La vie est parfois un fouillis irrationnel, et je devais me débrouiller seule et faire de mon mieux. Je devais choisir entre aller de l'avant ou demeurer misérable, et j'ai choisi d'aller de l'avant. »

Tout comme Susanna Kaysen, Ryder n'a jamais eu la chance de tourner la page sur cet épisode, et après avoir lu *Une vie volée*, elle a compris que d'avoir craqué sous tant de stress ne faisait pas d'elle une folle. « Une des choses qui m'ont taraudée pendant des années, c'est que je ne me sentais pas bien, ajoutait-elle avec conviction. J'étais convaincue que les gens me diraient que j'étais une enfant gâtée si je me plaignais de quoi que ce soit, qu'ils m'attaqueraient si je disais que j'étais déprimée. Maintenant, je sais que j'ai le droit de dire : « Ouf ! J'ai trouvé ça dur. J'apprends à être moi-même. »

Pourtant, pendant très longtemps, tout semblait indiquer qu'*Une vie volée* ne serait jamais produit. Lorsqu'elle a obtenu le feu vert de Columbia pour adapter le témoignage de Kaysen au grand écran, Ryder a elle-même approché le réalisateur de son choix, James Mangold. Celui-ci venait de remporter le prix du meilleur réalisateur au Festival du film de Sundance pour son premier long métrage, *Heavy*, et travaillait sur une production à gros budget intitulée *Cop Land*[19], avec Sylvester Stallone, Robert De Niro et Harvey Keitel.

« Elle [Winona Ryder] est venue me rencontrer à New York pendant que je tournais *Cop Land* en 1996, relate Mangold. Le scénario d'*Une vie volée* était déjà passé entre les mains de deux auteurs et j'avais l'impression qu'il prenait l'eau. C'était une histoire très difficile à raconter. Mais j'étais tellement emballé par son enthousiasme que je lui ai dit oui, même si je n'avais absolument aucune idée de comment j'allais m'y prendre pour bien rendre cette histoire qui est racontée sous la forme d'un monologue intérieur de l'auteure. Mais après mûre réflexion, les idées ont commencé à germer. »

Lorsque les auditions ont commencé en 1998, Ryder travaillait sur le projet depuis presque deux ans. Le studio tergiversait sans cesse, mais finalement, le temps de choisir la distribution du film est arrivé. Bien entendu, Susanna serait incarnée par Winona Ryder. D'ailleurs, il était tout à son honneur de s'être attribué le rôle qui la touchait le plus, même si ce n'était pas le personnage le plus fort du film. Elle savait sûrement que les autres actrices lui voleraient la vedette et attireraient probablement l'attention des membres du comité de nomination des Oscars. Quoi qu'il en soit, sa décision libérait les rôles des autres patientes, et tout particulièrement celui de Daisy, une schizophrène victime d'inceste, et, bien entendu, celui de Lisa.

De nombreuses actrices connues avaient déjà exprimé leur intérêt pour un de ces deux rôles, parmi lesquelles Katie

19. Titre au Québec : *Détectives.*

Holmes, Christina Ricci, Gretchen Mol, Kate Hudson, Reese Witherspoon et même la chanteuse Alanis Morissette, qui venait tout juste d'incarner Dieu dans le film de Kevin Smith, *Dogma*[20]. À cette étape du processus, la seule actrice que les producteurs avaient sélectionnée à l'avance était la Canadienne Sarah Polley, qui avait impressionné Ryder grâce à sa prestation dans le film d'Atom Egoyan, *De beaux lendemains*. Polley a pourtant refusé à la faveur d'un autre projet.

James Mangold n'avait aucune idée précise quant à l'actrice qui devrait jouer le rôle de Lisa. « Tout ce que je savais, c'est que cette personne devait être dangereuse, très volubile et sexy, une version féminine de Robert De Niro », précisait-il.

Angelina Jolie a fait appel à tous les gens qui lui devaient une faveur pour décrocher une audition, mais elle n'avait pas besoin de se donner tout ce mal. Les producteurs avaient déjà mis son nom sur leur liste de favorites pour un rôle, mais rien n'avait été décidé le matin où elle s'est présentée. Sans même dire un mot du dialogue, elle s'est assise, déjà entièrement dans la peau de Lisa. Mangold affirme que dès qu'elle a ouvert la bouche, il savait qu'ils avaient trouvé la sociopathe qu'il leur fallait.

Le réalisateur a décrit l'audition comme étant un des moments les plus incroyables de sa vie. « C'était clair pour moi ce matin-là que je n'étais pas devant une personne en train de jouer un rôle : je regardais quelqu'un parler à travers cette actrice, c'était une partie d'elle qui s'exprimait, confiait-il. La puissance qui se dégageait d'elle, même lors de cette simple lecture, est quelque chose que je n'oublierai jamais. Je n'ai jamais vu quiconque se présenter à une audition et casser la baraque à ce point-là. Elle s'est tout simplement glissée dans la peau du personnage... C'était comme si j'avais reçu un cadeau du ciel. »

---

20. Titre au Québec : *Dogme.*

Cathy Konrad, la coproductrice de Ryder, a été tout aussi impressionnée. « Nous savions, à cause de son énergie, qu'elle avait très bien compris Lisa, et qu'elle habitait totalement ce personnage, s'est-elle plus tard souvenue. Elle l'avait totalement cerné, même pendant l'audition, ce qui est extrêmement rare. »

James Mangold avait encore quelques auditions prévues ce jour-là, mais son idée était faite. « Tout ce que je voulais, c'était aller prendre un café avec elle et signer un contrat sur-le-champ », a-t-il plus tard confié. Il a immédiatement envoyé l'enregistrement de l'audition de Jolie à la direction du studio, qui a appuyé son choix sans hésiter. « C'est la James Dean au féminin de notre époque, commentait la présidente de Columbia Pictures, Amy Pascal, qui avait donné le feu vert au projet. J'approuverais n'importe quel film la mettant en avant. »

Jolie, de son côté, se souvient exactement dans quel état d'esprit elle se trouvait lorsqu'elle a terminé sa lecture devant Mangold, ce jour-là. « Je venais de tourner *Bone Collector*, et j'étais tellement investie dans ce rôle que j'avais un réel besoin d'être Lisa ; elle complète ma personnalité. Elle est la personne qui s'indigne et crie, celle qui n'est pas excessivement cérébrale. Je me souviens très bien m'être rendue à l'audition en me disant : "C'est plus qu'un simple personnage ; j'ai besoin de jouer ce rôle, car je souffre." Et dès que j'ai eu fini, je me suis éclipsée : "C'est tout. Merci. Au revoir." Il fallait que je m'en aille. »

Jolie n'a jamais mentionné à Mangold ou Ryder que, tout comme Lisa, elle avait été diagnostiquée sociopathe à un jeune âge, bien qu'elle ait avoué à de nombreuses reprises qu'elle s'identifiait à la tendance de Kaysen à s'automutiler fréquemment. Malgré sa propre expérience d'un diagnostic à un jeune âge, Jolie s'est préparée pour l'audition en lisant tout ce qu'elle a pu trouver au sujet du problème psychiatrique de son personnage.

« Moi aussi, j'ai été étiquetée comme sociopathe depuis ma jeunesse, alors je voulais savoir ce que c'était vraiment, s'est-elle remémoré. Je me suis présentée dans une librairie et j'ai demandé : "Où se trouvent les livres sur les sociopathes ?" Le préposé m'a simplement répondu : "Regardez dans la section des maniaques et tueurs en série." "Quelle belle compagnie ai-je", me suis-je dit. »

Il lui a fallu peu de temps pour commencer à comprendre la personne sur qui son personnage était basé. « J'ai réalisé que les gens comme elle ne sont pas hantés par des forces sombres ; ils ont simplement des instincts particuliers. En résumé, c'est simple : Lisa ne croit pas qu'il y a quoi que ce soit qui cloche chez elle, pas plus que je crois qu'il y a quoi que ce soit qui cloche chez moi. Pour moi, c'est normal de se mettre en colère et de vouloir continuer de vivre malgré tout. À mon avis, Lisa était très émotive et malheureuse, mais les gens la croyaient psychotique et dangereuse. Ma recherche ne s'est pas faite en étudiant les patients souffrant de maladies mentales, elle s'est faite en étudiant la vie et en y étant sensible. »

Quant à savoir si Jolie s'identifiait au personnage de Lisa, ses réponses étaient inconstantes. Durant la promo du film, elle a clamé avec insistance à un groupe de reporters qu'elle ne lui ressemblait pas, mais plus tard, en entrevue avec un journaliste du *L.A. Times*, elle a dit, de façon plus réservée : « Je suis tous mes personnages. Je dois les choisir avec soin, car ils deviennent tous une part intégrante de qui je suis », ajoutant rapidement : « Je n'ai jamais joué un personnage avec qui je n'aurais pas envie de prendre un café. » Lors d'une autre entrevue, elle a laissé tomber sa garde et a avoué : « Je suis Lisa, je m'identifie à elle. Elle était d'une honnêteté à toute épreuve, elle tentait d'établir un contact avec les gens. Elle s'impliquait et investissait dans les autres. Elle était à la recherche de quelqu'un avec qui elle pourrait parler, quelqu'un qui ne lui jouerait pas la comédie et qui serait authentique... Je comprends ce qui motive Lisa ; moi aussi, je peux aisément faire peur aux gens, et je sais comment les provoquer. Et comme Lisa, je sais que les gens ne sont pas honnêtes avec moi et ça me donne le goût de m'isoler. »

Angelina Jolie a par ailleurs confié qu'elle était très nerveuse de jouer au sein d'une équipe presque entièrement féminine sur *Une vie volée*. Elle se souvenait encore trop bien du fiasco de *Foxfire*, malgré sa relation avec Jenny Shimizu. « Je craignais vraiment que ça ne se passe pas bien. Je préfère la compagnie des hommes. J'ai déjà travaillé avec des femmes auparavant et ça ne s'est pas vraiment bien passé. Mais dans ce cas-ci, je côtoie des actrices incroyables et nous sommes toutes très proches. »

Ce n'est toutefois pas le souvenir qu'en a gardé un des techniciens sur le plateau, qui affirme que les actrices n'avaient vraiment pas l'air de sympathiser. « Elles étaient très, très froides les unes envers les autres, selon ses souvenirs. Je ne dirais pas que Jolie était pire ou qu'elle était vraiment désagréable, mais elle et Winona ne semblaient pas s'entendre du tout. En général, elles s'ignoraient mutuellement, mais lorsqu'elles devaient interagir, elles ne semblaient vraiment pas s'apprécier. »

Même Brittany Murphy, qui incarnait Daisy, a eu cette impression de tension sur le plateau, bien que pour sa part, elle ait imputé celle-ci à la nature des personnages. Elle se rappelle particulièrement bien à quel point Jolie et Ryder s'étaient investies dans leur rôle respectif. « Pendant les douze semaines qu'aura duré le tournage, il a été très rare de les voir décrocher de leur personnage, a-t-elle confié par la suite. Lisa, interprétée par Angelina, déteste Daisy, alors elle m'ignorait totalement. Un jour, elle s'est mise à me parler et, soudainement, s'est tue. Elle m'a dévisagée, puis Lisa a remplacé Angelina et elle s'est simplement éloignée de moi. »

Murphy a néanmoins raconté un geste de bonne volonté de la part de sa partenaire devant les caméras, pour se faire pardonner toutes ces semaines d'indifférence. « Elle passait son temps à me taquiner au sujet de la perruque que je devais porter pour le rôle de Daisy. À la fin du tournage, [Angelina] m'a offert un sac à dos orné d'un chien qui avait exactement la même tignasse, s'est-elle remémoré. Je pense que c'était sa façon à elle de me dire qu'il n'y avait pas de rancune, que tout cela était imputable à sa façon de jouer. »

Toutefois, Brittany Murphy a des souvenirs similaires en ce qui concerne l'attitude de Ryder. « Winona n'accordait aucune importance aux autres acteurs au quotidien, relate-t-elle. Elle entrait dans la peau de Susanna dès l'instant où elle mettait les pieds sur le plateau pour son maquillage. Ce n'est pas la façon dont je suis habituée de travailler, mais je crois que c'était la bonne manière de s'y prendre pour ce projet, parce que c'est un film très intense. »

Pour sa part, Angelina Jolie a avoué qu'elle ne s'entendait tout simplement pas bien avec Winona Ryder, la productrice et sa partenaire dans le film, et que cela n'avait pas grand-chose à voir avec leur méthode d'interprétation, à leur façon de se mettre dans la peau d'un personnage. « Interrogez Winona à propos de la nuit où nous avons couché ensemble, blaguait-elle au sujet des tensions entre elles. J'étais très sociable sur le plateau, mais pas avec elle. C'est comme ça que ça s'est passé, voilà tout. Et quand elle n'était pas sur le plateau, elle était presque tout le temps avec Matt [Damon]. »

Lorsqu'on lui a demandé si elle croyait que Ryder avait été intimidée, elle s'est montrée méfiante. « Je ne crois pas que quiconque devrait être intimidé par une autre personne... mais peut-être a-t-elle pensé que j'essaierais de l'embrasser. » Ce n'était pas la première fois que Jolie sous-entendait que ses tendances lesbiennes créaient une certaine friction sur le plateau. « Je me suis beaucoup rapprochée de certaines actrices, s'est-elle rappelé. Plusieurs d'entre elles avaient une petite amie ou une maîtresse ou étaient bisexuelles. Winona était probablement une des seules femmes hétéros sur le plateau. »

Mais selon le même technicien, les vraies tensions sur le plateau étaient entre Angelina Jolie et le réalisateur, James Mangold. Ils ont eu plus d'une prise de bec au cours du tournage. « Lorsqu'elle lui gueulait dessus, vous ne saviez jamais si c'était Lisa ou Angelina qui gueulait, s'est-il remémoré, mais quoi qu'il en soit, ils se disputaient souvent, principalement au sujet de comment jouer une scène. Il lui disait d'être plus crédible, des trucs de ce genre. Il devait tenir les rennes serrés pour éviter qu'elle ne s'emballe avec le personnage et elle n'appréciait pas trop. Je ne dirais quand même pas qu'elle était difficile, j'ai vu des acteurs bien pires qu'elle. Angelina aimait profondément son rôle. S'il y avait une diva sur le plateau, le titre reviendrait à Whoopi [Goldberg, qui jouait une gentille infirmière]. Je pense qu'elle tenait à ce que nous sachions tous qu'elle était une star du cinéma. Angelina, elle, était très gentille avec l'équipe technique. »

Mangold, pour sa part, avait ceci à dire au sujet des tensions sur le plateau : « Angie est rebelle, explosive et très maligne. Ce rôle la plaçait dans un état d'esprit où elle remettait en question toute autorité. Quant à moi, si quelqu'un tient ses promesses comme elle le faisait, je n'ai aucun souci à m'adapter à cette personnalité. » Il raconte par ailleurs qu'elle avait tapissé sa loge d'images pornographiques, ce qu'il a attribué au processus de jeu d'Angelina, tout comme leurs prises de bec. « Angie vivait littéralement dans la peau de Lisa et testait les limites dès qu'il y en avait à éprouver, poursuivait-il. Elle est ce genre de personne. Elle est très provocatrice, défiante et incroyablement intelligente, toujours deux ou trois pas devant vous. »

Jolie, elle, a estimé que jouer le rôle d'une jeune femme explosive était une expérience libératrice. « C'est exactement ce dont j'avais besoin : sortir de moi-même, parce que j'étais inactive depuis trop longtemps, que je m'étais fait trop de soucis et que j'avais trop souffert. Je craignais que ce soit très, très difficile, et plusieurs scènes l'ont été, surtout vers la fin. Ses impulsions sont totalement libres, alors il a fallu que je libère mes propres impulsions, ce qui m'a paru très étrange, je me sentais complètement ouverte, et j'ai réalisé à quel point nous sommes restreints. Ce personnage pouvait être assis à une table, il pouvait embrasser quelqu'un, lancer un objet, cracher sur une autre personne et dire tout ce qui lui passait par la tête. Elle me brisait le cœur ; tout ce qu'elle voulait, finalement, c'était quelqu'un à qui parler, un ami. Elle cherchait quelqu'un qui baisserait sa garde et serait totalement honnête avec elle, quelqu'un qui serait totalement authentique. »

Douglas Wick, le coproducteur, a été frappé par la puissance d'Angelina Jolie sur le tournage : « Elle a ce talent que Jack Nicholson possède. Jack peut faire les trucs les plus odieux, mais les rendre drôles à regarder. Angie a le même genre de charisme. Lorsqu'elle joue des choses sombres, elle vous fascine plutôt que de vous repousser. Elle n'a aucune limite. »

Mangold a même comparé sa performance passionnée à un tir d'obus. Cette description est appropriée pour décrire cette scène où Angelina-Lisa explose :

« Tu ne sais pas ce qu'est la liberté ! Je suis libre ! Je respire ! Toi… tu vas t'étouffer avec ta putain de vie moyenne médiocre ! Il y a trop de boutons dans ce monde. Trop de boutons et ils… Il y en a beaucoup trop et ils supplient tous qu'on appuie sur eux. Ils supplient qu'on les presse. Et je me demande, je me putain de demande pourquoi personne ne veut appuyer sur le mien ? Pourquoi me néglige-t-on autant ? »

« Il y a dans sa performance un contrôle incroyable, du lyrisme et de la douleur, mais également du rythme et de la vitesse. Sa façon de passer du point A au point B est une méthode de jeu complètement différente », poursuivait Mangold.

À la fin du tournage, Jolie était tout de même soulagée de pouvoir laisser le personnage de Lisa derrière elle. Ce rôle avait occupé tout son esprit et semblait également avoir consumé une partie de son corps : elle avait perdu beaucoup de poids et les gens commençaient même à se demander si elle ne souffrait pas d'un trouble de l'appétit. « Je viens de traverser une phase difficile, j'étais nerveuse, je mangeais moins, même si je me répétais de bien manger. J'essaie de reprendre du poids en ce moment », expliquait-elle au sujet de son physique squelettique. Elle a même raconté à un reporter qu'elle était si mince que son père tentait de la gaver chaque fois qu'il la voyait. « Je compte m'inscrire à un programme bientôt. J'ai visité un ami à l'hôpital récemment, et il avait un soluté, et je me suis dit : "Peut-être qu'en m'installant un de ces trucs et en m'injectant des protéines pures, tu sais ?" J'aimerais retrouver mes courbes, d'autant plus que j'ai toujours trouvé que j'en avais peu. »

Jolie a affirmé qu'elle avait trouvé très ardu le fait de quitter la peau de Lisa pour redevenir elle-même. « À la fin du film, on comprend que l'entourage de Lisa lui dit : "Personne ne se soucie que tu vives, personne n'aime qui tu es. Ce serait mieux pour tout le monde qu'on te mette sous sédation, qu'on t'attache et que tu te taises." » Jolie a confié au magazine *Rolling Stone* que ça l'avait touchée de façon très personnelle. « Si vous vous sentez comme elle, c'est très dur de penser des trucs comme : "Merde, mais est-ce que je suis vraiment si dommageable pour les gens autour de moi ? Suis-je vraiment trop bruyante et trop sauvage, est-ce que je dois vraiment laisser les gens vivre leurs vies et me calmer et me taire ?" »

Malgré ses difficultés à effectuer la transition vers la réalité, elle n'a pas hésité une seconde lorsqu'on lui a offert un rôle dans un film d'action à gros budget produit par Jerry Bruckheimer. Dans ce film, *60 secondes chrono*[21], elle jouerait une femme sexy aimant les voitures et serait l'objet de l'intérêt de Nicolas Cage, dans une histoire de réseau de vols de voitures. « Il y avait tellement de femmes sur le plateau d'*Une vie volée* que lorsque j'ai reçu ce scénario et que j'ai constaté que je serais la seule femme au milieu de vingt hommes, je me suis tout de suite dit : “Dieu merci ! De la testostérone ! Excellent !” »

Elle était par ailleurs surprise de constater qu'elle était désormais suffisamment importante pour qu'on lui offre de tels rôles. Pour *Bone Collector*, à peine quelques mois plus tôt, le studio avait d'abord imposé son droit de véto quant à sa présence dans la distribution pour jouer Amelia. Elle n'a signé un contrat qu'après d'intenses négociations en sa faveur de la part du producteur et du réalisateur. Cette fois-ci, ce sont les studios qui venaient cogner à sa porte. Elle était l'actrice du moment : son visage ornait les pages de magazines *people* et le public était fasciné par sa personnalité atypique. Toute cette attention médiatique la rendait nerveuse.

Elle a fait part de ces sentiments à Jill Rappaport lors d'une entrevue à l'émission *Today Show*. L'animatrice lui a montré plusieurs magazines où l'on pouvait voir son image et Angelina a répondu : « Je pense que c'est une sorte de malédiction. C'est très personnel, mais je perçois cela comme une malédiction. Si toute cette attention se concentre trop sur votre personnalité, cela devient très difficile pour les gens de vous voir au cinéma. » Lorsqu'on lui a demandé si cette célébrité toute récente était « accablante », Jolie a répondu : « Oui. Mais le bon côté de tout cela, ce sont les gens avec qui j'ai la chance de collaborer

21. Titre au Québec : *Partis en 60 secondes.*

et les films sur lesquels j'ai eu la chance de travailler. Ça, c'est vraiment merveilleux. »

De toute évidence, Jolie aimait son travail, mais pas l'attention qu'elle générait. Le fait d'être la fille d'un acteur comme Jon Voight lui avait enseigné de nombreuses choses sur la gloire. « J'ai appris grâce à mon père qui est acteur, confiait-elle. J'ai toujours su qu'il n'était pas cette personne dont tout le monde disait qu'il était génial ou nul. C'était un homme très ordinaire. Lorsqu'il connaissait beaucoup de succès ou de gloire, sa vie n'allait pas mieux pour autant. Il n'était heureux que lorsqu'il pouvait pratiquer son métier, et tout cela m'a enseigné à rester très terre-à-terre. »

« La célébrité me fait peur. Bien que j'aie une personnalité assez extravertie, je préfère être en retrait et observer les gens. Lorsque je vois des couvertures de magazines avec mon visage, je ne sais pas qui est cette personne... Si je ne travaillais pas aussi fort ou que je travaillais dans des projets qui ne me tenaient pas à cœur, tout ça me tuerait parce que j'aurais l'impression d'être un imposteur. Heureusement, je suis fière des films auxquels j'ai participé et je fais mon métier du mieux que je peux. Tout ce que je veux, c'est continuer à travailler. Il y a un certain niveau de célébrité où vous vous permettez de devenir oisif parce qu'on ne vous offre que des rôles qui ne vous demandent pas de travailler très fort. Moi, je me contente de me concentrer sur mon travail. »

Dans une autre entrevue, elle déplorait toutefois que son nouveau statut de vedette hollywoodienne puisse intimider ses collègues ou même monsieur et madame tout le monde dans la rue. « J'aimerais que les gens sachent à quel point j'ai peur qu'un jour, ils n'osent plus m'aborder dans la rue pour me dire bonjour. Cette industrie a le don de vous transformer en autre chose que ce que vous êtes vraiment : je ne veux choquer ni blesser personne. J'ai peut-être des tatouages et l'air de quelqu'un de sombre, mais c'est simplement… » À ce point de l'entrevue, elle s'est mise à marmonner tout en remontant la manche de son chandail noir pour révéler un tatouage qu'elle s'était récemment fait faire alors que sa mère l'accompagnait. Il s'agissait d'une citation de Tennessee Williams : « Une prière pour les âmes libres, gardées en cage. » Puis, devenant plus introspective, elle conclut : « Tout le monde se sent emprisonné par quelque chose. Cette prière incite les gens à être eux-mêmes. »

À ce point de leur carrière, la plupart des acteurs ont appris à mettre de côté leur honnêteté naturelle au bénéfice des profits au box-office. Pas Angelina Jolie. Lorsque *Playboy* a rapporté que selon un sondage, cinquante-sept pour cent des femmes d'âge universitaire, qu'elles soient hétérosexuelles ou non, aimeraient coucher avec Angelina Jolie, l'actrice a répondu une chose qui a dû faire grincer des dents son équipe de relations publiques : « Eh bien, je suis sûrement la personne la plus susceptible de coucher avec ses admiratrices » ; « J'aime vraiment les femmes, et je pense qu'elles le sentent. » Elle a de plus laissé sous-entendre qu'elle possédait une certaine expertise au chapitre de l'amour saphique : « J'ai aimé des femmes par le passé et couché avec elles aussi. Je pense que si vous aimez une femme et désirez la satisfaire, surtout lorsque vous êtes une autre femme, alors vous savez mieux que quiconque comment y arriver. »

Alors qu'approchait la sortie en salles d'*Une vie volée*, Jolie était enthousiasmée par la version définitive de James Mangold, mais elle n'en était pas entièrement satisfaite. La plus grande partie de ce qui représentait le côté le plus vulnérable de son personnage a été selon elle coupée au montage. « Je m'interroge à savoir comment le public pourrait ressentir de la compassion pour un personnage alors que le film lui-même n'en a aucune, disait-elle à *Entertainment Weekly*. Je pense que Mangold a fait un travail remarquable avec ce projet, mais que le message qu'il transmet est plutôt étrange. Je ne crois pas que mon personnage était vraiment une sociopathe, mais, bien au contraire, quelqu'un qui méritait réellement de la compassion. À mon avis, elle est une force très positive dans cette histoire. Il y a cette scène où elle a envie de ressentir quelque chose, alors elle se brûle. Elle a été coupée au montage, mais pour moi, c'était une scène importante. J'ai vu ce personnage tel qu'elle est réellement, c'est cela qui me pousse à dire que je trouve déplorable que le film laisse sous-entendre au public que c'est une bonne chose qu'elle soit internée. »

De nombreux critiques lui ont donné raison, déplorant que le film de Mangold n'ait pas su rendre adéquatement le pathos du livre de Susanna Kaysen. « Difficile de ne pas penser au *Roi de cœur* ou à *Vol au-dessus d'un nid de coucou*, qui tous deux demandaient quels personnages étaient les plus fous, des patients ou des autorités qui demeuraient libres en toute impunité, écrivait le *Seattle Times*. C'est désormais un cliché, et James Mangold n'apporte pas d'eau au moulin. Sur ce plan (et sur bien d'autres), le livre de Kaysen est plus acerbe, plus drôle et plus audacieux. Le film flirte avec la banalité et y succombe, par moments. Une des scènes les plus longues, culminant par un suicide, est tellement prévisible qu'elle en devient kitsch. »

Une chose a toutefois obtenu l'assentiment de la plupart des critiques : Jolie avait volé la vedette à sa consœur et productrice, Winona Ryder, grâce à sa performance incomparable. « Ryder semble avoir égaré sa verve de l'époque de *Fatal Games*[22] et sans elle, est devenue une présence plutôt passive à l'écran », se plaignait même le *Philadelphia Daily News*. « Les choses deviennent si ennuyeuses qu'après un moment, Angelina Jolie est le seul personnage auquel nous avons envie de nous identifier, malgré le fait qu'elle joue une sociopathe », écrivait un autre critique.

22. Titre au Québec : *Série noire au campus*.

Pourtant, certains ont vu les choses d'un autre œil. Le *Time* a salué la performance de Ryder en la qualifiant d'actrice de « première classe » tout en disant de la performance de Jolie qu'elle était « problématique ». Le verdict d'*Entertainment Weekly* était encore plus sévère : « L'adaptation de James Mangold s'embourbe dans les clichés et la performance de Jolie finit par s'écraser alors qu'elle tente de jouer une scène dramatique qui finit par avoir l'air de la mort de la vilaine sorcière de l'Ouest. »

Le film n'a pas réussi à rentabiliser son budget de quarante millions de dollars avec ses recettes au box-office américain, mais ce n'était pas pour autant un échec. Les bonzes de l'industrie cinématographique prédisaient presque une nomination aux Oscars assurée pour Angelina Jolie.

Alors qu'elle remportait son troisième Golden Globe consécutif en janvier 2000, le nouveau millénaire s'annonçait très prometteur pour Angelina Jolie. Cette semaine-là, un portrait de l'actrice publié dans le magazine *Time* la comparait une nouvelle fois à un autre jeune rebelle du grand écran, James Dean, soulignant au passage qu'elle avait le même âge que lui lors de son fatal accident de voiture : vingt-quatre ans. « Je vais probablement vivre très vieille », répondit Jolie lorsqu'on lui demanda si elle pensait mourir jeune comme Dean. Afin de faire valoir son point de vue, elle a décrit comment elle avait débuté la nouvelle année, une semaine auparavant. « J'ai eu un plaisir fou, a-t-elle laissé tomber. Je dormais. »

Elle était également endormie le 15 février au matin lorsque Dustin Hoffman, le partenaire de son père dans le film *Macadam Cowboy*, est monté sur la scène du Samuel Goldwyn Theater de Beverly Hills pour annoncer les nominations en vue de la soixante-douzième cérémonie des Academy Awards, aux côtés du président de l'Académie, Robert Rehme. L'annonce l'officialisait : Angelina Jolie était en lice pour l'Oscar du meilleur second rôle féminin grâce à son incarnation de Lisa dans *Une vie volée.* Elle se mesurait à Toni Collette, pour *Le sixième sens* ; Catherine Keener, pour *Dans la peau de John Malkovich* ; Samantha Morton pour *Accords et désaccords* ; et Chloë Sevigny pour *Boys Don't Cry*[23].

La jeune actrice se trouvait au Mexique, où se tournait le film *Le péché originel* en compagnie d'Antonio Banderas. Lorsque la presse l'a réveillée pour connaître sa réaction, elle a réagi avec nonchalance. Comme bon nombre d'acteurs qui n'ont jamais été nominés avant, elle avait souvent répété que les nominations aux Oscars servent à récompenser les acteurs établis plutôt qu'à faire progresser l'art. « C'est super de recevoir une accolade pour un projet pour lequel vous avez travaillé vraiment fort, disait-elle suite à cette nomination. Mais souvent, vous vous demandez ce que cela signifie véritablement. Est-ce que ça veut vraiment dire que ce rôle est plus important qu'un autre ? Vous finissez souvent par vous dire que ce n'est pas mérité. »

Bien entendu, au fond d'elle, c'était la réjouissance totale. Elle avait deux ans lorsque son père a remporté un Academy Award pour son rôle dans *Le retour*. Elle a donc toujours été consciente de l'aura que la statuette lui conférait lors des interviews. Elle était depuis longtemps habituée à se faire présenter comme la « fille de l'acteur gagnant d'un Oscar Jon Voight », bien que la statuette elle-même ait toujours été gardée dans un aquarium sur le bord de la cheminée de sa grand-mère. Ce ne serait même pas sa première cérémonie des Academy Awards. Son frère et elle y avaient déjà accompagné leur père alors qu'il était en nomination pour le film *Runaway Train*, en 1986, puis de nouveau en 1988.

La cérémonie de remise des Oscars de l'an 2000 s'est déroulée dans l'après-midi du 26 mars au Shrine Auditorium

---

23. Titre au Québec : *Les garçons ne pleurent pas.*

de Los Angeles, animée par le comédien Billy Crystal. Jolie a déclaré que ça avait été une « journée magnifique », quoiqu'on puisse présumer qu'une semaine plus tard, elle aurait aimé réviser son affirmation.

« J'ai passé la matinée avec des amis qui m'ont aidée à me préparer, et ma famille m'a rendu visite, s'est-elle souvenue. Ils m'ont rassurée en me disant que ça n'avait pas d'importance que je gagne ou que je perde, parce qu'ils m'aimaient et qu'ils étaient fiers de moi. C'était déjà le plus beau jour de ma vie. »

Lorsqu'elle avait accompagné son père à la cérémonie en 1986, les paparazzi avaient remarqué la présence d'Angelina, qui n'avait alors que dix ans, à cause de sa robe qui sortait de l'ordinaire, rappelant les ailes d'un ange. *Rolling Stone* avait décrit l'enfant comme « toute en bouche et en yeux, avec ses cheveux très *eighties*, et couverte de suffisamment de perles et de dentelle blanche pour une congrégation entière d'épouses au mariage de Tom Pouce ».

Cette fois-ci, elle a choisi quelque chose de plus sobre : une longue robe noire de Versace qu'*Entertainment Weekly* a qualifiée de « ce que Christina Ricci revêtirait si elle avait continué à porter son costume de *La famille Addams* en public », mais que Jolie adorait. « Elle est très soyeuse, reconnaissait-elle, c'est tout à fait moi. » Lorsqu'on lui a demandé quel serait l'accessoire le plus important pour mettre sa robe en valeur, elle a répondu : « Un ami, et aussi m'assurer qu'on ne voit pas mes tatouages. »

Officiellement, elle était célibataire depuis sa brève liaison avec Timothy Hutton, bien qu'elle ait plus tard avoué qu'elle avait un petit ami secret qu'elle avait réussi à cacher au monde entier. Son choix d'escorte pour cette soirée se résumait à sa mère, et son frère Jamie. Elle faisait la tournée des nombreuses cérémonies de remise de prix depuis déjà quelques semaines, et à chaque fois, c'est lui qui était à son bras. C'est donc à lui qu'elle a demandé de l'accompagner pour cette ultime soirée.

Pour des raisons qu'ils n'ont jamais dévoilées, Angelina et Jamie ne se sont pas présentés sur le traditionnel tapis rouge avant l'ouverture officielle de la cérémonie. Ils sont arrivés en retard ; la soirée avait déjà commencé, et ils ont dû négocier avec les gardes de sécurité pour pouvoir se faufiler jusqu'à leurs sièges pendant que les caméras étaient braquées sur Billy Crystal alors qu'il livrait son monologue inaugural.

Le regretté James Coburn avait remporté l'Oscar du meilleur second rôle masculin l'année précédente et, comme le veut la tradition, c'est à lui que revenait l'honneur d'annoncer l'Oscar du meilleur second rôle féminin cette année-là. « C'est vraiment génial de travailler dans cette ville pleine de femmes créatives, talentueuses, magnifiques et séduisantes, déclara-t-il alors qu'il s'apprêtait à annoncer le premier prix majeur de la soirée, et le deuxième en importance de la cérémonie. Et j'ai l'enviable plaisir de me rapprocher de l'une d'entre elles pour lui remettre un Oscar. »

Après avoir annoncé les actrices en nomination, un bref extrait de leurs performances respectives a été présenté, puis Coburn a ouvert l'enveloppe avec moult effets dramatiques, pour finalement prendre une pause, regarder la caméra, et annoncer : « Et l'Oscar va à Angelina Jolie. » Alors que l'auditorium vibrait sous un tonnerre d'applaudissements, une Jolie en larmes, toujours assise, s'est penchée vers son frère qui l'a agrippée par la tête et a joint ses lèvres aux siennes pour un baiser qui a semblé durer un peu trop longtemps. À la télévision, on ne pouvait voir autre chose que leurs têtes, et c'est ainsi qu'un milliard de téléspectateurs n'ont pas vraiment compris ce qui s'était réellement passé avant le lendemain, alors que des photographies ont illustré l'incident. Ils ont eu une preuve d'une affection fraternelle plutôt inhabituelle lorsque Jolie a pris la parole et a déclamé son discours de remerciement qui a fait couler tant d'encre.

« Mon Dieu, je suis surprise que personne n'ait jamais perdu connaissance sur ce podium. Je suis sous le choc et je suis amoureuse de mon frère en ce moment. Il vient tout juste de m'embrasser et de me dire qu'il m'aime, et je sais qu'il est vraiment heureux pour moi, et je te remercie. Merci à Columbia. Winona, tu es merveilleuse, merci de nous avoir toutes soutenues dans cette aventure. Toutes les filles dans ce film sont incroyables, Whoopi, tout le monde. À ma famille, pour tout votre amour. Janine Shrier et ta soeur Michelle, nous vous aimons. Geyer Kosinski. Ma mère, qui est la femme la plus courageuse et la plus magnifique que je connaisse, et papa, quel acteur tu es, mais tu es un bien meilleur père, et Jamie, je ne suis rien sans toi, tu es simplement l'homme le plus fort que je connaisse, je t'aime et merci infiniment. »

Un employé du réseau ABC qui travaillait comme figurant de salle, ces personnes qui s'assoient dans le siège des gens qui vont au petit coin afin que les caméras ne montrent pas de places vides à l'écran, a décrit l'atmosphère dans la salle au moment où Jolie a embrassé son frère. « J'étais assis directement derrière [une actrice gagnante d'un Emmy Award] et son cavalier ; c'était peut-être son mari. Lorsque le baiser s'est produit, tout le monde ne pouvait pas le voir, je n'ai moi-même pas eu un point de vue parfait, mais j'ai très bien entendu l'homme qui accompagnait cette actrice lui demander : "Tu crois qu'ils baisent ensemble ?" et je pense que tout le monde dans la salle se posait la même question après avoir entendu son discours. »

Amour fraternel

Dès le lendemain matin, le baiser avait fait le tour du monde. Dans la salle de presse des Oscars, Angelina Jolie ignorait tout de la tempête qui allait se déclencher. Encore tout exaltée par sa victoire et s'agrippant à sa rutilante statuette, elle entendit un reporter lui demander d'expliquer ce baiser inhabituellement affectueux : « Expliquez-nous la nature de la proximité que vous partagez avec votre frère ? »

« Oh mon Dieu, répondit-elle, quelque peu déconcertée. Je ne sais pas trop si c'est propre aux familles divorcées ou quoi, mais il me semble que lui et moi étions tout, l'un pour l'autre ; nous avons toujours été le meilleur ami l'un de l'autre. Il a toujours été mon meilleur soutien... Pour tout dire, il m'a donné énormément d'amour et il a pris soin de moi. »

Le frère, lorsqu'on l'a interrogé à propos du baiser, a également nié l'existence de toute relation incorrecte ou immorale. « Je n'ai pas donné de *french kiss* à Angie ; ce fut un geste simple et gracieux. » Haven ajouta : « Elle allait quitter pour Mexico où on terminait le tournage du *Péché originel* avec Antonio Banderas. Je l'ai félicitée pour cette victoire aux Oscars et je lui ai déposé un petit baiser sur les lèvres. »

Lorsque, le lendemain matin, les médias publièrent la photo de ce baiser sur la bouche, les lecteurs y virent plus qu'un petit bisou exprimant l'affection d'un frère pour sa sœur ; un débat féroce s'ensuivit et certains ne purent s'empêcher d'y aller de quelques moqueries. Plusieurs sources notèrent que ces deux-là s'étaient montrés extrêmement affectueux deux mois plus tôt à la cérémonie des Golden Globes où Haven était présent, encore une fois, à titre d'escorte de l'actrice.

Comme il fallait s'y attendre, les rumeurs se multiplièrent sur Internet et des remarques sarcastiques, pseudo-humoristiques, fusèrent sur les sites Internet, de l'*Howard Stern Show* à *Politically Incorrect*. Les médias grand public se mirent également de la partie, ce qui conféra un peu plus de crédibilité à ces spéculations débridées. « La déclaration d'amour d'Angelina Jolie à son frère s'avéra juste un peu trop répugnante pour qu'on laisse passer », écrivit le *Richmond Times Dispatch*. « Partout dans l'auditoire, les téléspectateurs parcourus de frissons offensés lançaient du popcorn sur leurs écrans de télévision », a-t-on même pu lire dans le *Globe and Mail* de Toronto. « Même si on tient compte du lien fraternel inhabituellement ténu qui unit le frère et la sœur lorsque les parents ont divorcé, le geste a quand même paru un petit peu étrange », écrivit un journaliste du *Fort Wayne News-Sentinel*.

À peu près toutes celles et ceux qui furent témoins du baiser ont éprouvé un sentiment proche du dégoût. En règle générale, les auditoires américains sont très mal à l'aise au moindre soupçon ou à la moindre évocation d'inceste. Même dans le film *Clueless*[24], mettant en vedette Alicia Silverstone (1995), la scène entre Cher et son ex-demi-frère (avec qui elle n'a aucun lien du sang) a écœuré les cinéphiles d'un bout à l'autre du pays. La représentation d'un tel acte à l'écran dépasse la limite du tolérable chez beaucoup de personnes.

Une source médiatique sérieuse aura peut-être fait beaucoup plus que toutes les autres pour semer le doute sur l'innocence de cette relation fraternelle ; il s'agit de l'émission *Early Show* à CBS, animée par Bryant Gumbel, personnalité télévisuelle

24. Titre au Québec : *Les collégiennes de Beverly Hills.*

très respectée. Au lendemain des Oscars, dès le matin, Gumbel commentait la cérémonie avec la coanimatrice Jane Clayson, elle-même une journaliste sérieuse. Participaient également à la conversation le météorologue de l'émission, Mark McEwen, et la lectrice de nouvelles, Julie Chen. Des millions de téléspectateurs assistaient à cette discussion à quatre portant sur des images et des extraits vidéo qui montraient le baiser.

« GUMBEL : Et maintenant, la question du jour : qu'est-ce qui se passe...

CHEN : Entre...

CLAYSON : Angelina Jolie et son frère ?

CHEN : Son frère.

CLAYSON : Oui, et alors ?

MCEWEN : Ils sont – enfin vous... – il était avec elle dans les coulisses lorsque je lui ai parlé après sa victoire, il était tard. Elle l'a dit – une famille divorcée, ils n'avaient plus l'un que l'autre au cours de leur jeunesse, de sorte qu'ils sont devenus très, très proches.

CHEN : Ouais.

CLAYSON : Vous savez quoi, Mark ? Il y a là plus qu'il n'y paraît, je vous le dis. Elle – c'est que – elle...

CHEN : Je suis d'accord avec Jane.

CLAYSON : La façon dont elle l'a embrassé, la manière dont ils parlent l'un de l'autre et...

CHEN : Et elle a dit : "J'aime tellement mon frè... frère..."

CLAYSON : Exact.

CHEN : "… en ce moment." Et...

CLAYSON : Et ce fut la même chose aux Golden Globes.

CHEN : Tout juste. Mais ce qui m'a mis la puce à l'oreille s'est passé au cours de l'avant-programme... Bryant, quel est votre avis, je sais que vous êtes d'accord avec nous.

GUMBEL : Quoi ? Non. Mais quoi ?

CHEN : Il était... la façon dont il la tenait. Elle était...

GUMBEL : Je n'ai pas vu cela.

CHEN : OK, quelqu'un interviewait Angelina Jolie. Avez-vous vu...

GUMBEL : J'assistais au match des Lakers et les enfants...

CLAYSON : C'est la façon dont ils se sont embrassés. Je vous le dis.

CHEN : Non, mais avez-vous vu comment il la tenait au cours de l'interview avec Joan Rivers ?

GUMBEL : Mark, vous riez, mais l'affaire est sérieuse.

CHEN : Son dos... son dos était...

MCEWEN : Je ris parce que je n'ai rien vu de tout cela.

CHEN : ... il était exposé comme ceci, et il la tenait comme ceci... très serrée contre lui, et c'était...

CLAYSON : Beurk.

CHEN : C'était comme... je ne crois pas que frères et sœurs...

CLAYSON : Mais enfin... n'avez-vous pas remarqué cela, Mark ?

MCEWEN : Et bien, je ne sais pas. Ma sœur et moi sommes très... Je ne suis pas aussi près que cela de ma sœur.

CLAYSON : J'espère que non.

MCEWEN : Mais je suis quand même pas mal... Nous sommes très près...

GUMBEL : J'espère que non.

MCEWEN : ... ma jeune sœur et moi, de sorte que je peux aussi... je peux comprendre cela.

GUMBEL : J'espère que non.

MCEWEN : Mais je... vous savez, je... Je n'ai pas vu tout cela, parce que j'étais occupé à regarder autre chose. »

Au fur et à mesure de la discussion entre les membres de l'équipe de CBS, des extraits et des photos apparaissaient à l'écran, montrant Angelina et son frère se caressant affectueusement avant et après la cérémonie. Par contre, d'autres journalistes croyaient absolument que ces marques d'affection ne faisaient qu'exprimer le lien qui unit deux enfants issus d'un foyer brisé, comme Jolie l'a expliqué. « Alors, qu'est-ce qui se passe entre Angelina et son frère ? demandait Sandy Banks du *L.A. Times*. Cette relation n'a-t-elle pas des allures étranges ? Les questions soulevées ne sont peut-être qu'une conséquence de l'image que la jeune actrice s'est créée : une excentrique iconoclaste qui repousse les limites des conventions sexuelles et sociales. Ou alors, il pourrait s'agir d'un signe indiquant combien nous sommes devenus étrangers à nos propres milieux familiaux, de sorte que plusieurs d'entre nous éprouvent un certain trouble à la vue de liens fraternels si forts. À titre de femme et de sœur, j'ai été émue par le geste d'Angelina envers Haven... et aussi stupéfaite du discours et du ton lubrique de ces inquisiteurs qui suggèrent que leur affection pourrait cacher quelque chose d'aberrant. »

Ne voulant pas s'en tenir à des rumeurs, le *L.A. Times* a consulté et interviewé un certain nombre de spécialistes ; on expliqua qu'il n'est pas inhabituel que les fratries soient rapprochées et plus soudées par l'effet traumatique d'un divorce des parents. Il n'est pas rare que l'un des frères ou l'une des sœurs remplisse le vide et assume le rôle d'un parent absent. « Lorsque survient le divorce, l'expérience s'avère très intense émotivement, de déclarer au journal Susan Maxwell, une thérapeute établie à West Los Angeles. Tout le monde en souffre, la tristesse et la peine nous envahissent. Le petit noyau familial jusque-là tellement protecteur et sécurisant éclate tout à coup en mille morceaux... On a le sentiment d'avoir été abandonné. C'est le genre de situation qui peut raffermir les liens entre frères et sœurs et les transformer en quelque chose de très fort. Ceux-ci se retrouvent seuls face au monde entier. C'est un peu comme survivre à une guerre, à un cataclysme, à un écrasement d'avion. Lorsque vous partagez avec quelqu'un une expérience de cette nature, vous en sortez tous deux avec un sentiment de rapprochement intense, vous devenez très liés. » Maxwell ajouta qu'elle aussi avait un frère plus âgé avec qui elle a affronté la tempête d'une dissolution familiale. « Et nous sommes maintenant très proches l'un de l'autre. Nous nous parlons tout le temps, nous nous comprenons parfaitement. C'est comme si nous parlions la même langue. »

Camille Paglia, auteure controversée et critique sociologique, a proposé une approche différente en guise d'explication au baiser des Oscars. « Je crois qu'elle [Angelina] a voulu confondre autrui, dit-elle, elle aime agir de façon inattendue. » Ian Drew, l'éditeur d'*US Weekly* sur la côte Ouest, a convenu de l'analyse de Paglia. « Personne d'autre qu'Angelina Jolie n'aurait pu transformer un moment d'harmonie hollywoodienne en cette ultime rébellion », dit-il.

En effet, plusieurs personnes ont cru que cette mystification fait partie de l'image soigneusement entretenue par Jolie, l'enfant sauvage et indomptée de Hollywood. Après tout, écrivit-on dans un quotidien, la vie de Jolie ne fut jamais qu'« un livre ouvert de comportements bizarres », rappelant que « son corps est couvert de nombreux tatouages » et qu'elle aurait « expérimenté la bisexualité et le sadomasochisme ».

N'eût été de certains détails à propos de leur relation fraternelle, la controverse et les spéculations auraient probablement disparu très rapidement. Premièrement, le *New York Observer* a publié le compte rendu de la fête des Oscars organisée par *Vanity Fair*, à laquelle le frère et la sœur ont participé ensemble jusque tard dans la nuit. Frank DiGiacomo a noté les « regards insistants » portés sur Jolie et Haven par les autres participants à cause des

« câlineries qu'ils se manifestaient et qui semblaient dépasser une simple affection fraternelle ». Un des participants aurait dit à l'*Observer* que même leur père, Jon Voight, qui assistait à cette soirée, « semblait quelque peu irrité par leur "proximité" ».

Puis, les médias fouillèrent le passé jusqu'à la cérémonie des Golden Globes deux mois auparavant, lorsque Jolie attira son frère sur la scène après avoir remporté un prix pour *Une vie volée* ; elle voulait partager avec lui ce moment, cette « vue d'en haut ». Le *Fort Wayne News-Sentinel* écrivit alors : « On la voit d'abord, aux Golden Globes et aux Oscars, affichant un penchant étrange et déconcertant pour ce frère qui fut son cavalier pour les deux événements. Aux Golden Globes, elle s'est fait accompagner par lui sur scène pour accepter la récompense, leurs doigts emmêlés, leurs regards plus appuyés que ne sauraient en échanger un frère et une sœur, sans parler de leurs baisers. » Par-dessus le marché, dans les coulisses et la salle de presse des Golden Globes, une autre photo montre Angelina appuyant son dos sur la poitrine de son frère et l'embrassant passionnément sur les lèvres, yeux fermés, un geste qui n'avait apparemment rien de commun avec un petit baiser entre frère et sœur.

Bientôt, la nouvelle filtra jusqu'au magasine *Elle*, qui avait réalisé une session de photographies quelques semaines avant les Oscars à laquelle Jolie s'était présentée avec son frère. Le *New York Observer* a noté que durant la session photo, tous deux s'étaient embrassés à répétition devant le photographe et son équipe de plateau, prenant « leur pose scandaleuse préférée sans même qu'on le leur demande ». Le photographe Gilles Bensimon déclara aux journalistes qu'ils ont d'abord échangé un baiser sur les lèvres, mais qu'il a omis de photographier le geste par discrétion. « Nous n'essayons pas d'utiliser nos photos comme on le fait dans les tabloïds, dit-il, mais la troisième fois qu'ils se sont embrassés, j'ai pris la photo. » D'autres images de la session de photos montrent Haven debout avec Jolie comme s'il était son amoureux, ses mains sur les hanches de celle-ci alors que le haut de sa robe s'ouvre sur un profond décolleté dénudant une bonne partie de sa poitrine et de ses seins.

* * * *

Il est difficile de cerner James Haven, parce qu'il a toujours évolué dans l'ombre de la célébrité de sa sœur et de son père. Jolie a toujours maintenu qu'il était le plus susceptible de suivre les traces de Voight.

Dans l'une des rares entrevues qu'ils ont accordées ensemble se dresse un portrait des origines de leur proximité fraternelle. « Je suis tellement fière de lui, déclare Jolie, car étant jeune, je ne me souciais pas du tout du cinéma et c'est lui qui devait m'y traîner. Jamie a toujours aimé le cinéma. C'est lui qui aurait dû y trouver du travail le premier. » Interrogée sur la façon dont elle se compare à son frère, elle déclare qu'ils sont « presque parfaitement à l'opposé l'un de l'autre ». « Il ne jure pas, prétend-elle, alors que moi, je jure comme un charretier quand je suis en colère. Lorsque l'un de nous deux doit faire valoir l'ordre et la moralité, c'est lui qui gagne ; lorsque quelqu'un doit s'avérer insensible, bruyant et obstiné, il n'y a que moi. »

« Intervieweur : Étant jeunes, lequel de vous deux était le plus "théâtral" ?

Haven : Ça, c'est elle.

Jolie : Parce que c'est toi qui tenais la caméra.

Haven : Je lui demandais de jouer la comédie pour moi. Nous avons réalisé une version d'une publicité pour Subway dans lequel elle disait : "Je vous mets mon poing au visage si vous n'achetez pas un sandwich."

Angelina Jolie et Brad Pitt assistent à l'avant-première de *L'étrange histoire de Benjamin Button*, au Mann's Village Theater de Westwood, Los Angeles.

Ian Halperin devant le Stewart and Lynda Resnick Neuropsychiatric Hospital, où Angelina Jolie fut internée.

En compagnie de son frère, James Haven, Angelina Jolie semble toute timide à l'âge de quatre ans.

Angelina, onze ans, entourée de sa famille lors de la cérémonie des Oscars de 1986.

Brad Pitt et sa femme Jennifer Aniston foulent le tapis rouge de la 56e soirée des prix Emmy au Shrine Auditorium de Los Angeles.

Angelina Jolie et son mari Billy Bob Thornton, à l'avant-première du film *Péché originel*.

Angelina Jolie et ses deux filles au Lee's Art Shop de New York, le 18 février 2009.

Angelina Jolie et Brad Pitt emmènent Zahara, Pax et Maddox, leurs enfants adoptifs, faire du shopping au Lee's Art Shop, au cœur de Manhattan, en août 2007.

Angelina Jolie et son fils Maddox flânent à Central Park, le 3 juin 2005.

Angelina Jolie et son père Jon Voight à Beverly Hills,
Los Angeles, le 25 mars 2001.

61e Festival de Cannes, le 15 mai 2008 - Angelina Jolie à l'avant-première du film d'animation *Kung Fu Panda* dans lequel elle prête sa voix au personnage de Maître Tigresse.

Arrivée du couple Angelina Jolie et Brad Pitt à l'avant-première berlinoise du dernier film de Brad, *L'étrange histoire de Benjamin Button*, le 19 janvier 2009.

INTERVIEWEUR : Quelles impressions conservez-vous l'un de l'autre, enfants ?

JOLIE : Je me souviens de lui comme d'un enfant heureux, puis avec le passage du temps, comme d'une jeune personne plutôt très triste. Lorsque je devais pleurer dans un film, je me surprenais à penser à Jamie alors qu'il avait six ans, lui si plein d'espoir et de bonheur.

HAVEN : Je suis d'accord, je dirais la même chose. C'était une petite fille tellement merveilleuse, puis les choses se mirent à aller de travers et nous avons éprouvé de la souffrance.

INTERVIEWEUR : Une fois pour toutes, c'était quoi l'idée derrière le baiser des Oscars ?

JOLIE : Premièrement, nous sommes les meilleurs amis au monde. Et puis, ce n'était pas un baiser à bouche ouverte. Je suis déçue que quelque chose d'aussi beau et pur soit ainsi tourné en dérision et qu'on en fasse tout un cirque.

HAVEN : C'était un moment étonnant, j'en conviens, mais on l'a très mal interprété.

INTERVIEWEUR : Angelina, comment êtes-vous en tant que belle-sœur éventuelle ?

JOLIE : J'ai toujours été exigeante envers quiconque a fréquenté mon frère. Pour n'importe quelle fille, je suis un cauchemar, mais si elle me plaît, je suis formidable. »

Comme Jolie, Haven a également fréquenté l'école secondaire Beverly Hills High. Un de ses compagnons de classe se souvient de lui comme « plus normal » que sa sœur. « Je ne connaissais pas Angelina, mais Jamie était un type tranquille, plutôt studieux comme la plupart des autres jeunes, dit-il. Son père était célèbre et tout le monde à l'école était habitué à ce genre de situation. Les parents de la plupart des élèves n'étaient pas des acteurs, bien que plusieurs d'entre eux travaillaient dans le monde du cinéma, de la télévision ou dans ce domaine, de près ou de loin. Nous avons vu son père à quelques reprises. C'est le genre de parent qui demandait toujours : "Comment ça va ?" aux autres jeunes lorsqu'il participait à une activité scolaire ; on avait le sentiment qu'il était un personnage connu et que cela déteignait sur son fils. »

Plus tard, lorsque Jon Voight et sa fille sont devenus des étrangers l'un pour l'autre, Haven a attaqué son père à maintes reprises, le traitant entre autres de fier-à-bras insensible. Mais des comptes rendus datant de cette époque suggèrent qu'ils étaient plutôt proches l'un de l'autre. Une amie de Marcheline Bertrand, qui entretient encore des relations avec Voight, se souvient au contraire que James idolâtrait son père.

« Oubliez ce que vous lisez aujourd'hui, a-t-elle dit, ils formaient une famille unie. Jon et Mar demeurèrent des amis et, lorsqu'ils étaient tous rassemblés, vous n'auriez jamais deviné qu'il y avait même eu un divorce ; je crois que c'est la façon la plus adéquate de décrire la situation. Jamie admirait son père et ils étaient très proches, et certainement plus qu'Angie et Jon. Ces deux-là se querellaient beaucoup, néanmoins d'une manière approchant la bonne entente à laquelle on s'attend entre un père et sa fille. Elle pouvait être impatiente à son égard s'il proférait un commentaire à propos de ses vêtements ou autre chose. Mais Jamie s'entendait très bien avec lui, ils allaient souvent au cinéma ensemble, parfois même avec Angie. Jamie avait été son premier enfant, c'était l'aîné, de sorte que Jon avait des activités avec lui qui ne pouvaient inclure Angie au début, parce qu'elle était trop jeune.

Plus tard, lorsque Jamie a fait des films, son père le conseillait. Il a vécu avec Jon durant une partie de cette période, mais je ne suggère pas et je ne veux pas donner l'impression qu'Angie était exclue ou négligée. Tous les trois avaient de nombreuses activités communes. Ils assistèrent même ensemble aux Academy Awards de 1986, avec leur mère, et Jamie en était tout enthousiasmé. Angie était probablement trop jeune pour en apprécier pleinement toute la signification, mais Jamie adorait le cinéma. »

Haven était en effet un obsédé du septième art, mais il semblait incapable de décider s'il voulait travailler devant ou derrière la caméra. À la University of Southern California, il a démontré un sens aigu du cinéma, et il semblait qu'une prometteuse carrière de réalisateur était susceptible de s'ouvrir à lui. Mais dès que la carrière de Jolie prit son envol, la sienne tourna court.

« Je ne sais trop de quoi cela retournait, de dire une amie de sa mère, il paraissait démotivé. Lorsque sa sœur a commencé à percer comme actrice, il s'est montré sincèrement content pour elle, mais en son for intérieur, peut-être y avait-il aussi un peu de jalousie ou d'envie. Il semble même à un certain moment qu'il ait cru que son père lui préférait Angie.

Son père s'est montré d'un grand secours lorsqu'il fréquentait l'université. Il payait les matériaux requis pour les films, pour le développement de la pellicule et pour tout ce dont Jamie avait besoin, sans oublier les frais de scolarité et, bien sûr, tout cela coûtait très cher. Mais il se peut que Jamie ait pensé ou senti que Jon tirait plus de ficelles en faveur de sa sœur, et à son détriment. Je ne l'ai jamais entendu nous dire cela, mais j'ai lu certaines de ses déclarations à propos de son père et cela demeure mystérieux pour moi. J'étais fâchée contre Jon pour d'autres motifs aussi, mais je pense que selon les enfants, il a bien fait son devoir de père ou du moins, il a fait de son mieux. Jon était fier de ses deux enfants et souhaitait vraiment qu'ils soient heureux, mais voyant la tournure que prenait la carrière d'Angie, peut-être a-t-il consacré plus d'attention à sa fille. »

D'innombrables comptes rendus médiatiques rapportent et discutent de l'extraordinaire ressemblance entre Jolie et son frère, soulignant leur allure « identique ». « C'est comme s'embrasser dans le miroir, dit Paul Croughton, l'assistant-éditeur du magasine *Arena*, à propos de Jolie donnant un baiser à quelqu'un qui lui ressemble tant. Je suis certain que Sigmund Freud se serait amusé avec cela. » Freud aurait pris un plaisir fou à voir que leur allure similaire ne résultait pas seulement de leur ADN. Deux sources distinctes, dont un photographe ayant fait la connaissance de Jolie il y a très longtemps, ont confirmé qu'au cours de l'adolescence, elle et son frère ont rendu visite à un chirurgien plastique pour faire amincir les ailes de leurs nez « afin de mieux se ressembler ».

Néanmoins, rien de tout cela ne prouve qu'ils soient plus que frère et sœur l'un pour l'autre. En fait, comme on le comprend, leur affection mutuelle semble tout à fait récente. Bien que Jolie et Haven aient été inséparables pendant près d'une année, à aucun moment de leur passé ne se voyaient-ils plus qu'à l'occasion. James n'avait jamais vraiment fait partie de la vie professionnelle d'Angelina auparavant, mais voilà qu'au moment des Golden Globes de 1999, ils ne pouvaient plus se passer l'un de l'autre. À cette époque, Haven escortait Jolie à presque toutes ses entrevues avec la presse, parfois en compagnie de leur père, mais la plupart du temps seul. « Il était toujours présent, se souvient un photographe, et je présumais qu'il faisait simplement partie de l'entourage de la vedette. En ce temps-là, la presse ne la suivait pas à la trace comme elle le fait aujourd'hui, agrippée à ses moindres déplacements, de sorte que je ne sais pas combien de temps ils pouvaient passer ensemble dans leur vie privée. Mais dès qu'ils assistaient à un événement, on aurait dit des siamois. »

Quelques mois plus tôt, Jolie avait tenté d'acquérir une île privée sur le fleuve Saint-Laurent près de Montréal, comportant un château gothique, et elle aurait déclaré que son frère participait à la transaction. Puis, en novembre, seulement quatre mois avant les Oscars, elle annonçait qu'elle mettait sur pied une compagnie de production avec Haven. Le même mois, il l'accompagnait en Australie dans une campagne de presse pour faire la promotion du film *Bone Collector*.

Au fur et à mesure que la spéculation médiatique s'intensifiait et qu'Internet s'emballait pour cette affaire, le monde entier semblait manifester une rebuffade collective. La carrière de Jolie paraissait tout à coup menacée alors qu'on s'attendait à ce qu'elle atteigne de nouveaux sommets. « Son bilan de popularité était en chute libre », expliqua un agent de publicité qui suivait la controverse et ses effets mesurables dans les sondages utilisés pour évaluer la popularité des stars du cinéma et de la télévision.

Haven fit une première apparition publique pour défendre leur relation, bien que les publicistes de Jolie aient exprimé des réticences face à cette stratégie à la suite d'une entrevue accordée par celui-ci à un reporter. « Je n'ai peut-être pas trouvé la femme qu'il me faut parce que ma sœur est trop exigeante, a-t-il répondu lorsqu'on lui a demandé s'il avait une fiancée ou une amie de cœur. N'importe quelle femme doit passer par deux filtres, moi d'abord et ma sœur ensuite. Je suis perfectionniste de nature. Enfin, parce que je suis très près d'Angie, c'est un peu comme si j'avais déjà la femme parfaite dans ma vie ; j'imagine que ce serait difficile pour quiconque de vivre avec ça, d'admettre ça. »

Afin d'éviter une nouvelle controverse, Haven a tenté de répondre avec ironie quand on lui a demandé s'il avait lui-même des tatouages, surtout après qu'on eut révélé que le *H* sur le poignet d'Angelina signifiait aussi bien le nom de son frère que celui d'un ex-petit ami, Timothy Hutton. « Non, mais je songe à m'en faire faire un », répondit-il. « Et qu'est-ce que ce serait ? »

ajouta le journaliste. « Le nom d'Angelina. » On a également demandé à Haven si, à cause du penchant de Jolie pour les situations corsées, ils n'entretenaient pas un peu tous les deux les rumeurs d'une relation incestueuse. Il répondit en souriant : « Bien sûr. Si vous, les journalistes, pensez que cela est vrai, alors ne vous gênez pas. Tout le monde veut la fréquenter, mais c'est moi qui suis avec elle. Pas de problème ! »

« C'est vraiment une drôle d'affaire, déclara Haven à un autre journaliste inquisiteur. Au début, j'en riais, puis cela m'exaspérait pour enfin me mettre en colère. Maintenant que j'ai eu le temps d'y réfléchir, je pense simplement que vos lecteurs ou vos téléspectateurs ne sont pas habitués à cela, du coup, ils réagissent négativement, de manière automatique ou conditionnée. Mais tous ceux qui sont arrivés à cette conclusion finiront par avoir l'air ridicule. Les journalistes racontent toutes ces histoires qu'ils ne pourront jamais effacer et ils réaliseront avec le temps qu'il ne s'agit que d'une relation fraternelle proche ; cela n'a rien à voir avec ce qu'ils présument ou croient détecter. » Interrogé à propos de la déclaration de Jolie énonçant qu'elle était « amoureuse » de son frère, Haven répondit : « L'expression "être amoureuse" dénote quelque chose de très spécial ; l'amour et la sexualité et tout ce qu'on voudra ajouter à cela sont des sentiments différents. Je pourrais dire que je suis en amour avec quelqu'un qui a quatre-vingt-dix ans, qui enseigne le théâtre et le métier d'acteur et qui vit en Ohio. »

Le journal *US Weekly* lui a carrément demandé si sa sœur et lui avaient déjà couché ensemble ; Haven répondit : « C'est malade comme question », avant d'ajouter qu'ils n'ont pas dormi ensemble depuis leur enfance, alors qu'il avait sept ans et elle, cinq. « Je crois que nous nous étions endormis dans le lit de maman en regardant la télévision », dit-il.

Sur la défensive, Jolie a tenté d'utiliser sa notoriété et son franc-parler afin de prouver que les rumeurs n'avaient aucun fondement. « Voyez-vous, si je couchais avec mon frère ou si j'avais couché avec lui, je l'aurais admis devant vous, insista-t-elle à répétition. Tout le monde me connaît ainsi. » Mais ça n'y changea absolument rien si l'on en juge par les réactions ; plus Angie et Haven niaient, plus les reporters revenaient à la charge. Le *New York Observer* utilisa même une expression toute nouvelle pour décrire la situation : le chic incestueux.

Les démentis répétés n'avaient pas impressionné les hôtes de l'émission *Early Show*, qui ont de nouveau traité de cette relation ambiguë après que l'histoire de la session de photos pour la revue *Elle* eut fait les choux gras de la presse.

« McEwen : Elle est vraiment intelligente, elle dit exactement ce qu'elle pense. C'est pourquoi elle a dit que toute cette histoire avec son frère... c'était dans *Elle*, je crois... je ne sais plus où j'ai lu cela.

Chen : Vous lisez *Elle* ?

McEwen : Bien, je lis les titres... vous savez, s'il y a quelqu'un qui m'intéresse sur la couverture ou dans les titres...

Gumbel : Ils n'avaient pas *Glamour*.

McEwen : Ouais, exact. Moi-même, je ne déteste pas *Glamour*. Mais elle a dit qu'elle était très... tout le monde sait qu'elle est très honnête, et qu'elle dit exactement ce qu'elle pense. Et qu'elle ne faisait que tenir son frère dans ses bras. Pincez-moi, quelqu'un !

Clayson : Dans ses bras ? Elle lui a donné un beau gros baiser mouillé, oui !

McEwen : Mais je ne sais pas s'il s'agissait d'un baiser mouillé. Elle l'a embrassé.

Clayson : C'était un baiser mouillé. Wow ! C'était un... wow.

McEwen : Mais vous savez ce qui est drôle ?

Gumbel : C'était toutes amygdales dehors, oui.

McEwen : Mais, je ne sais pas, je ne dirais pas cela. Elle a tout de même embrassé son frère sur la bouche et toute l'Amérique a fait "Hum". Et ils n'ont pas cherché à se défiler.

Clayson : Qui embrasse son frère ou sa sœur comme ça de nos jours ?

Gumbel : Les personnes qui... laissez faire, je ne devrais pas aller jusque-là.

Chen : Ouais. Mais je sais que je suis tout à fait en accord avec vous.

McEwen : Ne dites rien, ne le dites pas.

Clayson : N'allons pas jusque-là.

Chen : Mais c'est plus que juste un baiser.

Clayson : Wow. »

Il était encore trop tôt pour dire à quel point le bruissement constant des rumeurs évoquant l'inceste allait affecter la vie professionnelle d'Angelina Jolie à long terme. Son projet de l'heure, *Le péché originel*, venait tout juste d'être ficelé, et elle avait déjà signé pour jouer dans la série à gros budget, *Lara Croft : Tomb Raider*. Ses projets d'actrice n'étaient absolument pas menacés, mais les revenus au box-office du prochain film dans lequel elle tiendrait la vedette pourraient sauver ou briser sa carrière.

L'entourage professionnel de Jolie éprouvait de la nervosité. On a décidé discrètement de maintenir autant de distance que possible entre son frère et elle, décision à laquelle le couple fraternel a consenti non sans réticence. Ils ne devaient jamais se faire photographier ensemble, et Haven devait maintenant s'éloigner de sa sœur aussi bien en public qu'en privé. Plus tard, Jolie déclara qu'elle avait elle-même décidé de cette formule expéditive.

Toutefois, le mal était fait en termes de relations publiques. Si la carrière d'Angelina Jolie pouvait survivre au « scandale de l'inceste », il faudrait modifier la perception de l'actrice par le public. Elle faisait déjà le nécessaire pour ça.

Entre frère et sœur

Il est peu probable que le monde sache un jour si Angelina Jolie et son frère ont réellement eu une relation sexuelle ensemble. Mais en tant que biographe qui tente de comprendre la vie et la carrière de l'actrice, je me devais d'examiner cette possibilité plutôt que de la rejeter immédiatement. Et, même si nombreux étaient ceux qui pensaient que l'affection que se portaient ces deux-là les avait conduits au-delà des limites morales, ils étaient peu à véritablement croire, malgré l'attitude bizarre et non conventionnelle d'Angelina Jolie, qu'elle et son frère violeraient ce tabou extrêmement ancien. C'était impensable.

Étonnamment, l'inceste entre un frère et une sœur se produit plus souvent qu'on ne le pense. Une étude publiée dans la revue spécialisée *Archives of Sexual Behavior*, en 1980, fait état de quinze pour cent des femmes et de dix pour cent des hommes ayant eu une expérience sexuelle avec un frère ou une sœur parmi les quelque huit cents étudiants de premier cycle sondés dans six collèges et universités de la Nouvelle-Angleterre. On ne sait pas cependant à quel point ces contacts étaient consensuels.

Il est difficile d'établir les faits quant à l'inceste consensuel entre frère et sœur, car toute la recherche dans ce domaine porte sur l'abus sexuel – c'est-à-dire la contrainte exercée par l'une des deux parties pour avoir une relation – plutôt que sur les contacts mutuellement consentants. La législation stricte en vigueur dans la plupart des pays à propos de l'inceste entre frère et sœur, quel qu'il soit, pose aussi des difficultés, même si nombreux sont ceux qui permettent les relations sexuelles entre cousins. En 1997, au Wisconsin, un frère et une sœur, Allen et Patricia Muth, ont été accusés d'inceste. Séparés durant l'enfance, ils s'étaient retrouvés à l'âge adulte, ils étaient tombés amoureux et avaient eu des enfants. Reconnus coupables, Allen a été condamné à huit ans de prison, Patricia à cinq. Par contre, en Europe, la France, la Belgique, les Pays-Bas, l'Espagne et le Portugal ne poursuivent plus les adultes qui ont des relations incestueuses, alors qu'en Roumanie, on débat actuellement sur une loi qui décriminaliserait l'inceste consensuel.

Les études effectuées se concentrent souvent sur les facteurs psychologiques qui poussent les enfants à avoir des relations avec un frère ou une sœur. En 1987, une étude menée par le Boulder County Department of Social Services Sexual Abuse Team (l'équipe en charge des cas d'abus sexuels du département des services sociaux du comté de Boulder) a examiné vingt-cinq cas de frères et sœurs durant trois années pour établir un ensemble d'éléments communs à la dynamique de l'inceste. D'après les auteurs, un certain contexte a été observé à maintes reprises dans les cas étudiés : 1) des parents inaccessibles et distants, 2) une stimulation parentale de nature sexuelle dans le foyer familial et 3) des secrets de famille, des liaisons extraconjugales notamment. J'exagère à peine en affirmant que le ménage Voight-Bertrand satisfaisait à la plupart de ces critères.

Ceux qui sont pour la libéralisation des lois relatives à l'inceste avancent en général l'idée que les relations consensuelles entre frère et sœur ne font de mal à personne. Paul Federoff, psychiatre judiciaire au Centre de toxicomanie et de santé mentale de Toronto traite depuis de nombreuses années des adultes qui ont eu des relations incestueuses consensuelles avec un frère ou une soeur. Après avoir vu Jolie embrasser son frère à la soirée des Oscars, Federoff a dit au *Globe and Mail* que selon lui, les sentiments incestueux entre frère et soeur, particulièrement entre enfant et jeune adulte, sont une « probabilité courante ». Plus surprenant encore, il affirme que ce n'est pas forcément une mauvaise chose. « L'exploration sexuelle et le contact entre un jeune frère et sa sœur ne sont pas inhabituels ou nuisibles pourvu qu'il n'y ait pas une grande différence d'âge ou une contrainte », assure-t-il. Il souligne cependant qu'il n'encourage pas l'inceste entre un frère et une sœur adultes. Pour Ann-Marie Ambert, sociologue à l'Université York, l'inceste consensuel entre frère et sœur ne représente pas non plus un dilemme moral. « Personnellement, je n'y vois aucun problème », a-t-elle dit.

Edward Shorter, historien des sciences médicales, n'est pas de cet avis. Il soutient qu'interdire l'inceste est bien plus qu'une question légale, il s'agit en fait d'un « commandement génétique ». « La punition de l'inceste par l'ensemble de la société n'a jamais été assouplie quels que soient l'époque ou l'endroit, soutient-il. C'est une loi biologique coulée dans le béton, comme celle qui interdit le meurtre. Les conséquences de tout écart de conduite sont gravées dans notre ADN. »

De nombreux experts, cependant, contestent l'interdiction biologique en avançant qu'elle repose grandement sur la probabilité d'anomalie congénitale, mais que l'existence d'une contraception sûre vient annuler ce facteur. De plus, un certain nombre de chercheurs s'efforcent de différencier l'inceste consensuel entre un frère et une sœur et le soi-disant inceste consensuel entre parent et enfant, où une dynamique inégale en matière de pouvoir et d'autorité remet en question le degré réel de consensualité de la relation. Récemment, l'actrice Mackenzie Phillips a révélé qu'elle avait eu une « relation incestueuse consensuelle » avec son père feu John Phillips, fondateur du groupe The Mamas and the Papas, mais le fait que le père et la fille aient été tous les deux toxicomanes au moment de la relation met en doute cette prétendue consensualité.

Mais qu'en est-il d'une relation entre individus du même âge environ ? J'avais hâte de rencontrer des frères et sœurs ayant des relations sexuelles consensuelles pour connaître leur point de vue. Peut-être pourraient-ils aussi m'éclairer sur ce qui s'était passé entre Jolie et son frère ? S'agissait-il, comme s'était interrogé un journal au lendemain du baiser donné à la soirée des Oscars, du moment où l'inceste sortait du placard ? J'ai vite découvert que trouver des frères et des sœurs disposés à parler de leur relation était plus facile à dire qu'à faire.

Fait peu surprenant, Internet a aidé ces personnes à se trouver et à communiquer entre elles, grâce à un nombre incalculable de forums transformés en groupes de soutien informels. Elles y discutent de leurs points communs et tentent d'éduquer la société sur ce que nombre d'entre elles considèrent être un style de vie inoffensif, et même sain.

Dans un de ces forums sur l'inceste, un homme du nom de « JimJim2 » discutait de ce qui se passe quand « deux adultes ayant un lien de parenté s'intéressent l'un à l'autre » : « Tu ne choisis pas la personne que tu aimes. Ça arrive comme ça. Je suis tombé amoureux de ma sœur et je n'en ai pas honte. J'ai seulement de la peine pour mes parents, j'aurais aimé qu'ils soient heureux pour nous. Nous nous aimons. Ça n'a rien à voir avec un vieil homme qui essaie de baiser son enfant de trois ans. Ça, c'est odieux et dégoûtant. Bien sûr que nous sommes consentants, c'est ce qu'il y a de plus important. Nous ne sommes pas des putains de pervers. Nous avons la chose la plus précieuse au monde. »

Le débat semble avoir continué ouvertement sur tout Internet. Dans un essai diffusé sur son blogue *Anadder*, Michael Fridman, par exemple, donne un aperçu et démolit la plupart des arguments contre l'inceste consensuel entre frère et sœur tout en étant un peu gêné par l'idée :

« 1. *Ce n'est pas naturel* – On a utilisé cent fois cette idée pour prouver l'immoralité de l'homosexualité, du mariage interracial, de la contraception, etc. Désolé, les réponses sont toujours les mêmes : "Et alors ?" (une chose non naturelle n'est pas forcément mauvaise) et "Oui, c'est naturel" (par exemple, dix à quinze pour cent des étudiants fréquentant un établissement d'enseignement supérieur ont affirmé avoir eu un contact sexuel dans leur enfance avec un frère ou une sœur).

2. *C'est universellement condamné* – C'était aussi le cas pour le mariage interracial, etc. Encore une fois : "Et alors ?" et : "Oui, c'est naturel." Partout, il existe un certain tabou sur l'inceste, mais les limites varient beaucoup. Dans de nombreuses cultures, le mariage entre cousins de premier degré est courant (dans certains endroits, la moitié des mariages ont même lieu entre cousins du premier degré).

3. *Il en résulte des anomalies congénitales* – Enfin un énoncé quelque peu vrai (la meilleure stratégie consiste à marier son cousin du troisième degré). Mais si cela constitue une raison pour bannir l'inceste, nous devrions interdire aussi de boire et de fumer durant la grossesse (ce qui n'est pas le cas). Nous devrions empêcher aussi deux porteurs d'une maladie génétique de procréer. Enfin, contrairement à ce qu'on entend dans les nouvelles, nous ne vivons pas au 12e siècle, l'acte sexuel n'aboutit pas nécessairement à la conception d'un enfant. Cet argument ne tient plus. La preuve : deux sœurs ou un couple d'hétérosexuels incestueux qui font l'amour, mais utilisent la contraception.

4. *Les gens qui ont été élevés ensemble ne devraient pas se mettre en couple* – Hum, parce que ?... J'ai déjà entendu cette raison-ci. C'est tordant ; l'illogisme à son apogée. Cela suggérerait que deux amis d'enfance doivent éviter les relations amoureuses. Mais bien sûr, cela se produit très souvent. Je ne connais pas d'études qui avancent que ce type de couple souffre

de problèmes psychologiques ou émotionnels plus graves que le couple moyen. Ce raisonnement ne tient pas.

5. *Ça me rend mal à l'aise* – Voilà enfin la vérité ! Oui, c'est bien le cas. »

Mais le groupe américain de soutien aux victimes d'inceste, Voices in Action, soutient fermement que « l'inceste consensuel » n'existe pas. « On a fait un lavage de cerveau à ces adolescents, on leur a fait croire que ce comportement est naturel, mais c'est faux, affirme le groupe. L'abus sexuel est un comportement acquis. » D'un autre côté, Sean Gabb de Libertarian Alliance, un groupe d'intellectuels britanniques, soutient que « le comportement incestueux consentant ne concerne en rien l'État. C'est aux individus de prendre leurs propres décisions ». Quant à Brett Kahr, chargé de cours en psychothérapie au Regent's College, à Londres, il affirme qu'il n'y a pas de réelles recherches dans le domaine de l'inceste consensuel entre frère et sœur. Il écrit : « Qui sommes-nous pour affirmer que Joe Machin et sa sœur Jane Machin n'ont pas une bonne relation, et que nous ne ratons pas quelque chose de bien ? »

Pour localiser et rencontrer des frères et des sœurs ayant une relation sexuelle, je me suis concentré sur les possibilités offertes par Internet, mais je ne savais pas trop comment m'y prendre. Étant donné les lois strictes en matière d'inceste, je me demandais comment convaincre quelqu'un de m'en parler sans qu'il pense tomber dans un piège. J'ai rapidement découvert un phénomène dont j'ignorais totalement l'existence jusque-là : l'attirance sexuelle génétique (ASG), qui a donné naissance à une série de forums en ligne facilement accessibles.

L'ASG se définit comme l'attirance sexuelle entre des membres de la famille proche, tels qu'un frère et une sœur ou un parent et son enfant, se rencontrant pour la première fois à l'âge adulte. En d'autres mots, ils ont été séparés à la naissance, pour une raison quelconque, puis se rencontrent plus tard et se fréquentent sans savoir qu'ils ont un lien de parenté. Les défenseurs des droits des personnes ayant une relation incestueuse consensuelle soutiennent que l'ASG est plus fréquente qu'on pourrait le penser.

Le cas du couple allemand formé par Patrick Stübing et sa sœur Susan est l'exemple le plus connu. Ils ont grandi à part et se sont rencontrés à l'âge adulte. Patrick a été arrêté et emprisonné pour avoir violé la loi allemande sur l'inceste, une législation que le frère et la sœur essaient de renverser depuis plusieurs années, soutenant qu'elle remonte aux principes d'hygiène raciale du Troisième Reich. Mais les Stübing ne représentent peut-être pas le modèle idéal de l'inceste consensuel entre frère et sœur, car ils ont eu quatre enfants de leur union, dont deux sont handicapés, apparemment en raison de la consanguinité. Le couple semble plutôt démontrer qu'il faut respecter l'interdiction de l'inceste, étant donné que les études montrent l'une après l'autre que la probabilité d'anomalies congénitales et de handicaps augmente radicalement – jusqu'à cinquante pour cent dans certains cas – pour les enfants de frères et sœurs incestueux.

Malgré l'existence de certains exemples, je ne suis pas convaincu que l'ASG est un phénomène aussi répandu que l'affirment ses défenseurs. Je soupçonne qu'il s'agit d'un moyen pour ceux qui pratiquent l'inceste entre frère et sœur de clamer que leurs actes ne sont pas répréhensibles tout en s'attirant la sympathie du public qui, autrement, serait révolté par l'idée qu'un frère et une sœur puissent faire l'amour ensemble. (Par exemple : « Nous n'avions pas l'intention de commettre un inceste, cela s'est produit par accident. Ce n'est pas notre faute si nous sommes tombés amoureux. »)

Quoi qu'il en soit, je n'avais aucun intérêt à localiser des couples incestueux qui n'avaient pas grandi ensemble. Pour comparer rigoureusement, j'avais besoin de trouver des gens vivant des situations semblables à celle d'Angelina Jolie et James Haven. J'ai participé à quelques discussions en me faisant passer pour un homme de quarante-cinq ans ayant des rapports sexuels avec sa sœur, plus jeune d'un an, depuis l'âge de dix-neuf ans. Je cherchais « un groupe de soutien pour nous aider à accepter ces faits et découvrir si d'autres personnes vivent une situation similaire ». Mais la majorité des utilisateurs de ces sites cherchaient à être titillés ou s'attendaient à de la pornographie. Les vrais frères et sœurs incestueux semblaient difficiles à trouver.

Finalement, c'est grâce à un contact établi sur un site d'ASG que j'ai réussi à avoir ma première entrevue. Tout avait commencé par une invitation adressée à ma sœur et moi à rencontrer un autre couple pour discuter. On m'avait donné rendez-vous dans un casse-croûte à Brooklyn. Pour mon simulacre, je devais d'abord trouver une sœur, de mon âge environ. J'ai proposé cent vingt-cinq dollars à Staci, une chanteuse que je connaissais et qui avait déjà été actrice. Je savais qu'elle serait capable de jouer la comédie de manière convaincante. Je n'avais pas encore décidé si je révélerais que j'étais journaliste. Je pensais que si j'informais le couple de mon projet de livre, ils accepteraient peut-être de me faire part de leur opinion sur Jolie et son frère.

Le couple rencontré ce soir-là était formé de Ruby et Jeremiah (noms fictifs). J'ai donné mon vrai nom, Ian, mais j'ai changé celui de Staci pour « Kendall ». Ruby et Jeremiah avaient l'air légèrement plus jeunes que nous et, au premier coup d'œil, ne se ressemblaient pas du tout, bien que nous ayons appris plus tard qu'ils étaient frère et sœur. Nous nous sommes présentés, puis avons échangé des banalités sur les métros de New York. Au cours de cette première rencontre, ils n'ont pas trop abordé notre relation, peut-être parce que nous étions dans un endroit relativement public. En fait, dans un échange précédant notre rendez-vous, ils m'avaient demandé d'être plutôt « discret ». Ils semblaient nous jauger, tenter de mieux nous connaître, peut-être essayaient-ils de déterminer si nous étions vraiment honnêtes.

Pour eux, il ne s'agissait pas d'une mince affaire ! Après des recherches sur la loi pénale de New York, j'ai découvert que leur relation pouvait avoir de graves conséquences. Selon l'article 255.25 du Code criminel de l'État de New York, « une personne est coupable d'inceste si elle se marie ou a des rapports sexuels ou des rapports sexuels déviants avec une autre personne qu'elle sait être un parent, soit légitime ou naturel, et qu'elle en est son ascendant, descendant, son frère ou sa sœur ou demi-frère ou demi-sœur, son oncle, sa tante, son neveu ou sa nièce. L'inceste est un acte délictueux grave ».

Ce type d'infraction est apparemment passible d'un emprisonnement allant jusqu'à quatre ans. Leur prudence se justifiait.

Nous mangions notre tarte sablée aux fraises à la fin du repas, lorsque Jeremiah nous a proposé d'assister à une de leurs réunions mensuelles. Je lui ai demandé s'il s'agissait d'un groupe de soutien. « Nous ne l'appelons pas vraiment comme ça, a-t-il répondu, mais oui, c'est ça en quelque sorte. Pour nous, il s'agit surtout d'une réunion mondaine. »

À peine deux semaines plus tard, il m'a contacté de nouveau et donné rendez-vous le jeudi suivant à sept heures à une adresse de Staten Island. Après avoir vérifié la disponibilité de Staci, je lui ai confirmé notre présence. Le lendemain, j'ai pris le petit-déjeuner avec ma « sœur » pour mettre au point notre fausse histoire. Nous nous sommes mis d'accord sur quelques paramètres essentiels, certains ayant déjà été déterminés avant notre premier souper, y compris nos métiers (j'étais un rédacteur technique et elle, une designer), notre ville d'origine (Tacoma, Washington), la durée de notre relation et si nous avions fréquenté d'autres personnes depuis que nous étions ensemble. Pour le reste, j'ai laissé à Staci le loisir d'improviser comme bon lui semblerait. Il a été convenu que je lui remettrais quatre cents dollars pour la soirée et le temps consacré à notre « mise au point » et que je débourserais les frais du taxi pour qu'elle rentre chez elle ce soir-là.

Au jour dit, nous avons pris le traversier, puis un taxi pour nous rendre dans un quartier résidentiel de classe moyenne de Staten Island à l'air très respectable. Nous avons aperçu des pelouses impeccables et plus d'une grotte où trônait une statue de la Vierge Marie. Nous avons appris plus tard que les résidents étaient majoritairement italiens et très catholiques. À notre arrivée, cinq personnes se trouvaient déjà là, y compris les hôtes, que je nommerai « Allan et Adrian », un autre couple, « Shawn et Leila », et une femme seule d'environ cinquante ans, « Kim ». On nous a proposé du vin blanc. Un assortiment d'amuse-gueules trônait dans le salon spacieux couvert d'affiches d'art. Comme je m'en étais douté, les couples étaient frères et sœurs. Kim, nous l'avons appris plus tard, était en couple avec son frère, mais celui-ci travaillait près de Chicago et vivait à Skokie, dans l'Illinois. Le voyant donc occasionnellement, elle trouvait cela « difficile ». Aux yeux de leurs voisins, Allan et Adrian étaient mariés. « Tant que tu n'es pas italien, on ne se mêle pas de tes affaires. On nous ignore, nous a expliqué Adrian. Voilà pourquoi nous aimons vivre ici. »

Il ne s'agissait pas exactement d'une rencontre en douze étapes des Alcooliques Anonymes (AA) ; ils avaient planifié de regarder plus tard le film *Indiscrétions* avec Katherine Hepburn et James Stewart. Mais comme dans les réunions des AA, ils semblaient attendre des nouveaux membres qu'ils racontent leur histoire. C'est ce qui me rendait le plus nerveux ; je supposais que ces gens-là pouvaient repérer un couple bidon à plus d'un kilomètre à la ronde. Staci m'a laissé parler, même si à un moment donné elle est intervenue, et son improvisation magistrale a même conduit à une nouvelle perspective fascinante.

J'ai raconté que nous étions originaires de l'État de Washington et que nos parents avaient divorcé lorsque nous avions neuf ans et sept ans et demi. Notre mère nous avait élevés, mais notre père dentiste avait subvenu convenablement à nos besoins. Après l'école secondaire, j'avais planté des arbres en Colombie-Britannique pendant un an, tout en ayant l'intention de fréquenter ensuite l'université pour me spécialiser en sociologie ou en création littéraire. Lorsque « Kendall » avait fini son secondaire, nous avions déménagé tous les deux à New York dans un appartement à Alphabet City dans le Lower East Side, quartier de Manhattan, puis nous nous étions inscrits à l'université de la ville de New York. C'est là qu'une nuit, nous avions fait l'amour « par accident ». Depuis nous étions ensemble, notre relation n'avait été interrompue que pendant deux ans, durant lesquels nous avions fréquenté d'autres personnes. Nous prétendions être mariés depuis le décès de notre mère, il y a onze ans, d'une septicémie.

Après avoir écouté notre histoire, Kim nous a demandé si nous avions déjà eu « chaud ». Je pensais qu'elle voulait savoir si nous avions failli être démasqués, mais Staci est intervenue pour raconter qu'elle était tombée enceinte à l'âge de vingt-huit ans et qu'elle avait dû avorter. C'est pour ça que nous avions mis un terme momentané à notre relation, « paniqués » à l'idée que ça puisse tourner au désastre. Après avoir partagé leurs propres expériences, ils ont tous avoué connaître des frères et sœurs ayant eux aussi eu recours à l'avortement, mais aucun n'a reconnu avoir eu affaire à une grossesse involontaire. Allan et Adrian, cependant, ont dit savoir qu'une amie d'une amie enceinte de son frère avait décidé de garder l'enfant pour une raison quelconque, malgré les risques encourus. « Le bébé était normal, a expliqué Allan, mais c'était sacrément stupide. »

Je m'attendais peut-être à un scénario semblable à ceux que l'on trouve sur le forum de *Penthouse*, mais aucune des personnes présentes ce soir-là n'a vraiment expliqué comment elle avait eu un rapport sexuel avec son frère ou sa sœur. Elles ont toutes dit cependant que cela s'était produit durant l'adolescence, apparemment à un âge beaucoup plus jeune que ce que j'avais prétendu dans mon cas et celui de Kendall.

À un moment donné, j'ai dit : « Je suis tellement soulagé de voir que nous ne sommes pas les seuls. Nous n'avons jamais rencontré des gens comme nous, et nous pensions que nous étions peut-être anormaux, même si nous savions que des cas comme le nôtre existaient après avoir consulté Internet. » Ils ont tous acquiescé en connaissance de cause. Je voulais poser tout un tas de questions, mais je devais faire attention de ne pas me trahir. J'ai dû me mordre la langue pour éviter de paraître trop curieux, comme tout bon journaliste.

Ils ne nous ont pas dit d'où ils venaient, mais Kim a déclaré : « Vous vous apercevrez que la plupart des gens comme nous déménagent aussi loin que possible de l'endroit où ils ont grandi. Je n'ai aucune idée des statistiques, personne n'en a une. Je pense que bon nombre de gens comme nous déménagent à New York ; la ville est tellement grande qu'on s'y sent plus en sécurité. Je parierais que c'est la ville où il y en a le plus en Amérique. » « Des gens comme nous », c'est l'expression qu'ils préfèrent utiliser. Rarement, j'ai remarqué, parlent-ils d'inceste.

Tous les frères et sœurs ont dit qu'ils s'étaient sentis seuls durant de nombreuses années jusqu'au moment où ils ont trouvé d'autres personnes vivant une situation semblable. « J'ai suivi une thérapie pour mes soi-disant névroses, a confié Shawn, mais je n'ai jamais parlé de Leila à ma thérapeute. Évidemment, j'aurais bien aimé lui en parler, et je suis sûr que cela n'aurait pas posé de problèmes, mais je n'y arrivais tout simplement pas. Je ne me sentais pas en sécurité. Ce n'est pas parce que j'avais peur qu'elle nous dénonce, mais parce que je sais comment les gens jugent ce que nous faisons. Elle aurait tenté de tout expliquer à partir de ce qu'elle aurait considéré comme un blocage psychologique. Et puis, vous savez, je suis névrosé, mais je pense que ça n'a rien à voir avec ma sœur et moi. En fait, c'est l'inverse, si vous voyez ce que je veux dire. C'est Leila qui m'aide à rester équilibré et qui me comprend malgré toutes mes conneries. » Leila a à peine dit un mot de la soirée lorsque nous avons parlé de ces choses, mais elle a approuvé vigoureusement de la tête quand Shawn a raconté tout ça.

Espérant engager une conversation dans le même ordre d'idées, j'ai ajouté : « Ouais, les gens pensent que nous sommes anormaux, mais pour moi, c'est normal. Nous sommes ensemble depuis plus longtemps que la plupart des couples mariés que je connais, et nous sommes encore heureux. Nous nous disputons parfois, mais ça, c'est aussi normal, non ? » « Exact, est intervenue Adrian. Nous nous considérons comme mari et femme. Je pense que le lien que nous avons rend notre "mariage" encore plus réussi. Ce n'est pas une question de consanguinité, mais peut-être de rapport spécial développé en grandissant ensemble ou quelque chose de ce genre. Vous savez, je connais beaucoup de frères et de sœurs qui ne restent pas ensemble ou qui se marient vraiment à d'autres personnes, alors rien n'est garanti. Toutes sortes de problèmes naissent quand on essaie de cacher la situation, et ça devient stressant. Vous n'avez pas eu chaud comme nous l'avons eu, croyez-moi. » J'ai voulu en savoir plus, mais Shawn a juste répondu : « Des affaires de famille. »

Tous les membres du groupe ont beaucoup insisté sur le fait que l'inceste est vu comme pervers ou comme une violence exercée envers les enfants. Ils ont soutenu de manière convaincante que les relations entre frère et sœur sont dans une catégorie à part, même si à un moment donné, Adrian a rejeté l'idée d'ASG. « Quelle est la probabilité ? » a-t-elle ricané avec mépris. « Ce qui nous fout en l'air, a dit Kim, c'est qu'il y a énormément de cas d'inceste dus au viol ou à la contrainte entre un père et sa fille. Ces choses-là sont dégoûtantes. Il y a aussi des choses perverses parfois dans la vie. Je connaissais une fille qui avait commencé à avoir des rapports sexuels, ou du moins à commettre des actes à caractère sexuel, à onze ans tandis que son frère en avait seize. Elle a réalisé bien plus tard que cela correspondait à un viol, même si techniquement, il ne l'avait pas forcée. Mais ils n'ont jamais connu ce que mon frère et moi avons ou ce que ces gens-là [pointant du doigt les autres] ont. Notre relation, c'est du vrai, il n'y a rien de pervers. C'est une question d'amour. »

À ce stade-ci de la soirée, j'ai décidé qu'il m'était impossible de leur révéler la raison pour laquelle j'avais décidé de les rencontrer, car je doutais qu'ils apprécient ma duperie. Mais je voulais vraiment qu'ils me parlent du sujet en question, alors je me suis jeté à l'eau : « C'est vraiment stupide qu'on ne puisse pas parler librement avec d'autres personnes, car on sait qu'on va être jugés par la société ou arrêtés. Comment allons-nous enfin changer l'attitude des gens si nous ne pouvons pas en parler ? Je me rappelle de tout le tralala à propos d'Angelina Jolie. Je me suis dit qu'elle était sur le point de sortir du placard l'inceste consensuel entre elle et son frère. Nous étions tellement enthousiastes. Nous pensions que l'attitude des gens allait changer. »

Mon allusion à Jolie et son frère a aussitôt animé la conversation. « Ce sont des gens comme nous, c'est sûr, a dit Allen, c'est tellement évident. J'aurais aimé qu'elle ait suffisamment de couilles pour l'avouer. » Seule Adrian était sceptique. « Peut-être », a-t-elle dit.

J'ai demandé s'ils pensaient que la réaction provoquée par le baiser aux Oscars serait différente aujourd'hui, maintenant que Jolie passe pour une sainte. « À l'époque, on la prenait pour une farfelue avec l'affaire du sang et des couteaux et le lesbianisme. Elle n'était pas vraiment la personne parfaite pour la cause de l'inceste consensuel entre frère et sœur. »

« Je ne connaissais pas d'autres gens comme nous à l'époque, a dit Kim. Mais je me souviens que Lars [son frère] et moi nous sommes dit qu'elle allait sortir du placard, qu'elle tâtait le terrain, ou quelque chose du genre. Nous avons souvent envie d'en faire autant. J'ai souvent le désir de laisser échapper ce secret, pensant que la personne en face de moi comprendra que c'est normal, qu'elle me verra et saura que je ne suis pas une malade, que nous nous aimons comme n'importe qui d'autre. »

Kim a suggéré que nous allions sur l'ordinateur dans la salle familiale pour voir le baiser sur YouTube. Nous nous sommes tous regroupés autour de l'ordinateur portable d'Allen qui a tapé « Jolie oscar baiser frère 2001 ». Quelques vidéos débiles sont apparues avant qu'il ne tombe sur la bonne. Au moment de vérité, il était impossible cependant de voir ne serait-ce que les lèvres qui se touchent. Puis Allen a fait une recherche sur Google et trouvé la photo en question, celle montrant le baiser. « Ils y vont carrément avec la langue ! » s'est écriée Kim, complètement énervée. Adrian a fait remarquer qu'on ne voyait pas leur langue. Leila semblait amusée par le débat, mais n'a rien dit.

D'autres photos sont apparues, y compris une du frère et de la sœur en train de se peloter soit avant ou après la cérémonie des Oscars, et une autre de la salle de presse des Golden Globes où Jolie se penche dans les bras de son frère et semble l'embrasser passionnément, comme une amante. « Celle-ci en donne une preuve, a dit Kim. C'est plus doucereux qu'aux Oscars. » Adrian a alors joint la discussion en exposant sa théorie : « Voici ce que j'ai toujours pensé de ces deux-là. Je crois qu'ils avaient une attraction puissante et quasi incestueuse l'un pour l'autre et que la tension sexuelle était forte, mais qu'ils ne sont probablement jamais passés à l'acte, même s'ils le souhaitaient. » Et, bien que nous ne le saurons jamais de façon certaine, c'est à peu près la conclusion à laquelle je suis aussi arrivé.

Et, en fin de compte, que Jolie et son frère aient réellement couché ensemble n'avait aucune importance. La perception du public de leur possible inceste causait de graves torts à la carrière de l'actrice et il fallait faire quelque chose avant qu'il ne soit trop tard.

Billy Bob

Un nouveau potin, tiré d'un mystérieux entrefilet publié dans la presse faisant référence à une star de façon volontairement obscure faisait des gorges chaudes dans le milieu du show-business. Alors que les allégations d'inceste battaient leur plein, un journal new-yorkais publiait l'énigme suivante : « Quelle actrice récipiendaire d'un Oscar est en train de se bâtir une solide réputation de briseuse de ménage ? »

Comme par hasard, Angelina Jolie se trouvait au Mexique sur le plateau du film *Le péché originel* avec Antonio Banderas. Il semblait tout à fait naturel que les lecteurs aient supposé que l'article faisait référence à eux. La femme de Banderas, l'actrice Melanie Griffith, réputée pour sa jalousie, était paraît-il furieuse après la lecture de l'article, convaincue que Jolie avait fait main basse sur son homme.

Personne cependant ne savait que Jolie avait, depuis trois mois, une aventure avec Billy Bob Thornton, à l'époque fiancé à Laura Dern. La liaison était apparemment tellement secrète que même les sources habituellement bien informées ne s'en doutaient pas le moins du monde. Lorsque, durant la deuxième semaine d'avril, le New York Daily News a déclaré que Jolie sortait avec l'acteur de *Sling Blade*[25], gagnant d'un Oscar, la stupéfaction fut générale. Le journal mentionnait aussi qu'elle avait été aperçue dans un bowling de Los Angeles en compagnie de Matt Damon, Matthew McConaughey et Thornton, arborant

25. Titre au Québec : *La justice au cœur.*

un « Billy Bob » tatoué sur son bras gauche. « Elle vient juste de l'ajouter, a expliqué une amie de Jolie au journal. Elle m'a dit qu'elle l'a toujours aimé. »

La révélation ne pouvait pas mieux tomber. Le correspondant de *E ! Online*, Ted Casablanca, venait de s'exprimer sur la relation de Jolie avec son frère dans ces termes : « Ça n'a rien à voir avec Hollywood. Ça donne la chair de poule ! » Mais, encore pire, l'émission *Saturday Night Live* (SNL) avait commencé à se moquer chaque semaine de la soi-disant relation incestueuse de Jolie, et menaçait d'en faire la risée de tous. Dans un segment du *Weekend Update* de SNL, « Angelina » et son « frère » s'envoyaient en l'air dans une scène aux baisers baveux après avoir nié leur liaison. Suivaient ensuite des aveux et l'apparition d'un enfant malformé ; un bras sortait de sa tête et une substance infecte dégoulinait de sa bouche.

La révélation tombait donc bien, au point même de paraître suspecte. L'effet n'en était pas moins réussi. Comme le *Daily News* l'a écrit, la nouvelle de la liaison amoureuse d'Angelina Jolie avec Billy Bob Thornton a servi à « étouffer les rumeurs d'inceste ». L'actrice avait besoin de détourner l'attention et elle est passée à l'action très rapidement. En réalité, il a fallu peu de temps pour que l'Amérique oublie complètement le baiser de la soirée des Oscars et ne parle plus que de Jolie et de son nouvel amour.

À première vue, il pouvait sembler surprenant qu'Angelina tombe amoureuse d'un homme aussi étrange que Billy Bob Thornton. De vingt ans son aîné, l'acteur de quarante-quatre ans a grandi à Hot Springs, en Arkansas, dans une cabane sans eau courante ni électricité. Sa mère est voyante professionnelle ; son père, professeur et entraîneur de basket-ball. Après plusieurs années difficiles confiné dans de petits rôles, Thornton se fait enfin remarquer en jouant, de 1992 à 1995, aux côtés de John Ritter dans la comédie *Hearts Afire*.

Ayant du mal à joindre les deux bouts, Thornton travaille également comme serveur. Il rencontre ainsi par hasard le légendaire cinéaste Billy Wilder, réalisateur de grands classiques comme *Certains l'aiment chaud* et *Assurance sur la mort*. Après avoir discuté avec lui quelques minutes, Thornton lui demande conseil. Wilder lui suggère de tenter sa chance en écrivant des scénarios. Quelques années plus tard, l'acteur signe le film indépendant *Sling Blade*, qu'il réalise et dans lequel il joue le rôle principal. Le film lui vaut l'Oscar de la meilleure adaptation et fait de lui une star, propulsée au firmament de Hollywood.

La vie intime de Thornton était endiablée. Avant de rencontrer Angelina Jolie, il s'était marié quatre fois. Sa quatrième union, avec le mannequin de *Playboy* Pietra Cherniak, s'était conclue par un divorce difficile en 1997. Les allégations de cette dernière, quoique non prouvées, avaient de quoi faire réfléchir sérieusement celle qui prétendrait devenir la cinquième madame Thornton. Dans sa demande de divorce, déposée à la Cour supérieure de Los Angeles, Cherniak a formulé un certain nombre d'accusations troublantes contre son mari :

« Ma relation avec le défendeur a été ponctuée de violence physique, verbale et psychologique envers moi. La violence, physique surtout, a augmenté au cours des douze derniers mois. Le défendeur a besoin d'aide. Je suis terrorisée à l'idée qu'en déposant cette demande de procédure, ma vie soit en danger. J'ai peur que le défendeur mette ses menaces à exécution et qu'il me tue. J'ai besoin de protection, et je requiers de la Cour qu'elle m'accorde les ordonnances demandées. »

Dans sa déclaration sous serment, Pietra Cherniak a soutenu que Thornton lui a dit qu'un psychiatre avait diagnostiqué chez lui un trouble bipolaire et qu'il prenait tous les jours du carbonate de lithium pour se soigner. Mais un mois ou deux après leur mariage, il lui a avoué qu'il ne prenait plus ce médicament, car cela entravait sa créativité et il se sentait comme « un bout de bois à la dérive ». Elle l'a accusé d'être devenu très violent pour la première fois alors qu'elle était enceinte de sept mois. Il l'aurait alors jetée ou poussée sur une table basse. Puis, trois mois après la naissance de leur fils Willie, Cherniak explique que Thornton lui aurait donné un coup de poing dans l'œil alors qu'elle tenait le bébé dans ses bras. Il se serait ensuite mis à genoux pour lui demander pardon.

Dans les documents, elle a décrit comment, trois semaines avant de déposer sa demande de divorce, Thornton se serait mis à l'étrangler. Il aurait placé ses mains autour de son cou et l'aurait regardée dans les yeux, puis lui aurait dit : « Je vais te tuer. Je vais te tuer et je vais aller en prison, les enfants seront des orphelins. »

Thornton s'est défendu en prétendant que c'était sa femme qui abusait de lui. Il l'accusait d'essayer d'augmenter les compensations financières du règlement à l'amiable du divorce maintenant qu'il était riche et célèbre, après l'obtention de son Oscar pour *Sling Blade.* Le juge a délivré à chaque partie une ordonnance de non-communication.

À Hollywood, dépendamment de la personne à qui on a affaire, Thornton est soit complètement fou, soit légèrement excentrique. Dans les deux cas, il est sans aucun doute quelqu'un de bizarre. Ses extravagances englobent quelques phobies curieuses, notamment son aversion célèbre pour les objets français anciens. « Je n'aime pas utiliser de la vraie argenterie, a-t-il expliqué à l'*Independent* de Londres. Vous savez, le genre de couteaux et de fourchettes gros, grands et lourds, je ne suis pas capable. C'est la même chose avec les meubles anciens. Je n'aime vraiment pas ces vieux trucs. Ça me donne la chair de poule ; je n'arrive pas à me l'expliquer… Je n'ai pas la phobie des objets anciens américains. Juste les français. Vous savez, comme les grandes et vieilles chaises sculptées en or, aux coussins de velours. Le style Louis XIV, ça me donne la chair de poule aussi. Je reconnais les imitations d'objets antiques à un kilomètre à la ronde. Ils ne provoquent pas la même sensation. Pas autant de poussière, je suppose. »

Qu'il soit fou ou non, il a avoué avoir des problèmes de santé mentale en plus de sa bipolarité, y compris un trouble obsessionnel du comportement. Pourtant, même ses détracteurs reconnaissent qu'il est créatif, drôle et très intelligent – des traits de caractère auxquels est sensible Angelina Jolie.

Selon la version officielle, propagée conjointement par Jolie et Thornton au cours de la véritable marée médiatique suivant la révélation de leur liaison, ils avaient entendu parler l'un de l'autre depuis très longtemps avant de se rencontrer. Geyer Kosinski, l'imprésario de longue date de Jolie, qu'elle a chaleureusement remercié dans son discours lors de la cérémonie des Oscars, avait aussi été l'agent de Thornton. Il avait suggéré à Billy Bob de rencontrer Angelina, car ils semblaient avoir beaucoup de choses en commun : une affinité mutuelle pour les tatouages par exemple, et une nature sauvage indomptée qui sortait de l'ordinaire à Hollywood. Deux ans avant leur première rencontre officielle, ils avaient assisté à un même événement, mais Jolie aurait délibérément évité l'acteur. Puis, ils ont tous deux signé pour partager l'affiche du film *Les aiguilleurs*, une comédie sur les contrôleurs aériens, filmée à Toronto au printemps de 1998. Le jour où elle est arrivée pour commencer le tournage, ils sont montés dans le même ascenseur sans avoir été officiellement présentés. À propos de cette première rencontre, Thornton raconte : « Je lui ai dit : “Salut, je suis Billy Bob. Comment ça va ?” Et puis nous sommes sortis de l'ascenseur, et je me rappelle juste… cette sensation, quand tu ne veux pas que quelque chose arrête. J'aurais voulu que l'ascenseur se rende jusqu'en Chine. C'était comme un éclair. Quelque chose est arrivé qui ne s'était jamais produit auparavant. »

Jolie se souvient d'avoir éprouvé des sentiments similaires : « J'étais tout à l'envers. C'était chimique. J'avais vraiment l'impression d'avoir foncé dans un mur. C'était l'ascenseur. Je l'ai en quelque sorte démoli lorsque nous sommes tous les deux sortis. Il est monté dans une fourgonnette et il m'a demandé : "Je vais essayer un pantalon, tu veux venir ?" J'ai failli m'évanouir. Tout ce que j'ai compris, c'est qu'il allait enlever son pantalon. Je lui ai juste répondu : "Non." Je suis allée au coin de la rue et me suis assise le dos contre le mur. J'ai respiré, puis j'ai pensé : "C'était quoi, ça ?... Qu'est-ce que c'était que ça, bordel de merde ! Doux Jésus, comment est-ce que je vais pouvoir travailler ?" J'étais confuse. J'étais devenue idiote. »

Ils ont tous deux déclaré qu'une nuit, après le tournage, ils avaient dîné ensemble à Toronto, mais pas seuls. Thornton était accompagné de son assistant et Jolie, d'une amie. Ils ont discuté ensemble à table et une relation s'est établie. « Nous ne pouvions pas former un couple à ce moment-là, a expliqué Jolie. Nous n'avons jamais dit à cette époque-là que nous allions être ensemble. » À propos de cette première étincelle, Thornton a ajouté : « Nous ne pouvions pas. Mais je sais maintenant que c'était inévitable. » Angelina renchérit : « Nous disions des choses étranges. Nous parlions de trucs au hasard à propos de notre vie, comme la difficulté de vivre avec quelqu'un, puis il affirmait : "Je pourrais vivre avec toi." J'avais des doutes… non pas que je me sentais indigne de lui, mais je me demandais si j'étais suffisamment équilibrée, bien dans ma peau, forte ou capable d'apporter quelque chose de bien à quelqu'un. Alors, il m'était difficile de présumer que ce serait une bonne chose d'être ensemble. »

À cette époque-là, Billy Bob Thornton fréquentait l'actrice Laura Dern. À la fin du tournage du film *Les aiguilleurs,* en 1998, ils n'ont plus eu de contacts pendant plusieurs mois, jusqu'à ce qu'ils commencent à se parler au téléphone. Puis, en avril 2000, après plusieurs informations dans les médias confirmant que les deux acteurs étaient en couple, les chroniqueurs Rush et Molloy ont demandé à l'attachée de presse de Thornton, Michelle Beaga, de s'informer de l'état de sa liaison amoureuse avec Dern. Elle a confirmé qu'ils avaient « rompu », mais prétendait « ne pas en savoir plus ».

Laura Dern avait rencontré Thornton en 1997 lorsqu'ils avaient joué ensemble dans un épisode devenu célèbre de la série *Ellen*. La vedette Ellen DeGeneres avouait son homosexualité pour la première fois et se confessait au personnage interprété par Dern. Cette dernière a ensuite joué avec Thornton dans le film *Daddy and Them*, qu'il avait écrit et réalisé. Ils avaient ouvertement parlé de leurs fiançailles. Un mois à peine avant que sa liaison avec Angelina Jolie soit révélée au public, Thornton avait donné une entrevue au magazine *Men's Journal* sur Laura Dern où il expliquait : « Je suis maintenant très heureux, en couple avec une personne qui est aussi ma meilleure amie. Nous avons un chien et un jardin, mes enfants viennent me voir assez souvent et je sens que je suis devenu un bon père, une chose dont je suis fier. »

Le couple s'est séparé après que Dern a entendu parler de la liaison avec Jolie, même si Thornton l'avait apparemment appelée le 1er mai pour lui dire que cette relation n'était pas sérieuse ; il « menait son petit train-train quotidien ». Quatre jours plus tard, cependant, il épousait Angelina. Laura Dern a raconté plus tard cette année-là au magazine *Talk* : « J'ai quitté la maison pour tourner un film, et pendant que j'étais partie, mon copain s'est marié. Je n'ai plus eu de ses nouvelles. C'était comme une mort soudaine. »

Dern est la fille de l'acteur chevronné Bruce Dern et de l'actrice aux nombreux talents, Diane Ladd, trois fois nominée aux Oscars. Ladd, paraît-il, aimait beaucoup Thornton, mais après la confirmation par l'attachée de presse de sa rupture avec Dern, elle aurait déclaré : « Billy Bob Thornton est un vrai docteur Jekyll. Je suis choquée. Il m'avait dit qu'il voulait marier ma fille, et je sais qu'ils parlaient même d'avoir des enfants. Je n'y comprends plus rien. »

À la fin avril, Thornton et Jolie avaient rendu leur relation publique et des centaines d'articles annonçaient leur mariage imminent. Le 28 avril, le correspondant hollywoodien à *E ! Entertainment News*, Ted Casablanca, déclarait que les tourtereaux s'étaient épousés, une information qui s'est avérée fausse. Néanmoins, une semaine plus tard, le 5 mai, Thornton et Jolie conduisent jusqu'à Las Vegas où le palais de justice du comté de Clark leur délivre une licence de mariage. L'après-midi même, ils se rendent à la chapelle Little Church of the West, qui célèbre plus de six mille cérémonies par année, dont bon nombre sont conduites par un ministre du culte déguisé en Elvis. Il chante deux chansons du King et anime la cérémonie au prix exceptionnel de cinq cent soixante-quinze dollars.

Thornton et Jolie se sont contentés du forfait minimal plus traditionnel de près de deux cents dollars, incluant un bouquet de roses rouges et blanches. « Ils n'avaient rien de spécial », s'est souvenu le propriétaire de la chapelle, Greg Smith. Le couple avait choisi *Unchained Melody* des Righteous Brothers comme marche nuptiale. La mariée portait un débardeur bleu et un jeans, le marié, un jeans et une casquette de baseball.

Smith raconte : « Il s'est présenté sous le nom de Bill Thornton pour faire la réservation. Je ne savais pas que c'était lui avant leur arrivée. » Jolie n'était accompagnée par aucun ami ni membre de sa famille. Le directeur de la photographie et ami de Thornton, Harve Cook, était la seule personne présente et il a fait office de témoin. Cook avait été assistant-opérateur de prises de vue pour *De si jolis chevaux*, un film récemment réalisé par Thornton.

Le couple a très vite prononcé des déclarations enflammées. « Je suis follement amoureuse de cet homme, a dit Jolie au magazine *Talk*, et je le serai jusqu'à la fin de mes jours. » Elle a aussi déclaré au magazine *US Weekly* : « Vous savez, quand vous aimez quelqu'un au point de presque le tuer d'amour ? Ça a failli m'arriver la nuit dernière. » Thornton a retroussé son pantalon pour montrer à un journaliste le nom d'« Angie » tatoué à l'intérieur d'un champignon coloré sur son mollet droit.

« Ils en faisaient un peu trop, se souvient un correspondant pour le *Hollywood Reporter*. Tout le monde roulait des yeux en entendant les commentaires. Ça avait l'air tellement peu naturel, comme si quelqu'un leur avait écrit un scénario racoleur. »

Même les attachés de presse, qui gagnent leur vie avec ce genre de couverture, semblaient penser que quelque chose ne tournait pas rond. Dans un geste sans précédent, la très respectable compagnie de relations publiques hollywoodienne Baker Winokur Ryder (BWR), qui représente la crème des acteurs, dont Leonardo DiCaprio, Brad Pitt, Chris Rock et Michael J. Fox, a décidé de rayer Jolie de sa liste de clients. « Qui diable voudrait mettre un terme à une relation de travail avec cette beauté qui a remporté un Oscar ? » a écrit le *New York Magazine* en annonçant la nouvelle. L'ancienne représentante de Jolie à BWR a déclaré au magazine : « Ça ne fonctionnait plus pour moi, j'ai donc dit à l'imprésario de Jolie, Geyer Kosinski, que je devais rompre cette relation. » La compagnie de Kosinski, Industry Entertainment, a tout de suite donné son opinion sur cet acte inusité. « Angelina a décidé qu'elle n'avait pas besoin d'un attaché de presse », ont-ils déclaré.

Ce n'était certainement pas le moment de perdre la personne qui gère ses relations publiques, mais peut-être Jolie savait-elle ce qu'elle faisait. Étaler au grand jour sa liaison avec Billy Bob Thornton avait réussi à étouffer les rumeurs d'inceste dans les médias. Les bruits qui couraient s'étaient tus et, après la mi-avril 2000, on ne mentionnait presque plus le nom de son frère conjointement avec le sien. James Haven, la personne la plus proche de Jolie pendant plus d'un an, l'homme qu'elle avait récemment décrit comme son « meilleur ami » et « plus fort soutien », avait apparemment été banni.

* * * *

Le 1er juin 2000, la chroniqueuse du *New York Post,* Liz Smith, bien connue pour son vaste réseau de sources et d'amis à Hollywood, faisait état d'une rumeur récemment entendue à propos du mariage de Jolie et Thornton : ils étaient en fait « juste de bons amis ». Le mariage « était en gros pour Billy Bob une façon de garder un œil sur Angelina, car il craignait qu'elle s'effondre pour une raison ou une autre. Elle a reconnu qu'elle avait besoin de quelqu'un qui s'occupe d'elle et a accepté ».

En fait, Angelina avait déjà craqué. Même si la rumeur ne semblait pas fondée, une histoire circulait déjà à ce sujet. Ses nerfs auraient lâché avant son mariage à Thornton. Quelque chose s'est produit entre le 1er mai, le jour où celui-ci a dit à Laura Dern que ce n'était pas sérieux avec Jolie, et le 5 mai, le jour où ils se sont mariés. Le *Daily Mail* de Londres a été le premier à annoncer la nouvelle de son admission à l'hôpital, selon des sources du Stewart & Lynda Resnick Neuropsychiatric Hospital de l'UCLA, à Los Angeles. D'après les informations recueillies, Jolie y était entrée au début de mai. Elle y avait été retenue durant soixante-douze heures, le temps maximum autorisé par la loi californienne pour garder quelqu'un sans qu'il soit officiellement interné. Des personnes bien informées de l'hôpital auraient dit au journal : « Elle avait peur d'attenter à ses jours. Elle était très en colère et pensait qu'elle pourrait se suicider si elle n'était pas traitée. » Un porte-parole de Jolie a confirmé au journal britannique qu'elle était entrée à l'hôpital psychiatrique de l'UCLA, mais pas à cause de Bob Thornton. Jolie était traitée pour cause « d'épuisement ».

Un an plus tard, Angelina Jolie a rompu le silence à propos de l'incident dans une entrevue avec *Rolling Stone*. Elle y a déclaré que le séjour en hôpital psychiatrique était en effet lié à sa relation avec Thornton. « Ce qui s'est produit, c'est que nous ne savions pas si nous allions être capables d'être ensemble. Je me souviens qu'il était parti conduire quelque part, et je ne savais pas s'il était vraiment OK… Nous voulions nous marier, mais pour plein de raisons, nous pensions que c'était impossible. Nous étions tous les deux… nous sommes… disons que notre amour est beau, mais il est aussi un peu fou. Et pour une raison quelconque, j'ai cru que quelque chose lui était arrivé et j'ai perdu ma capacité à… J'ai juste pété les plombs… Tout ce que je peux dire, c'est que ce n'était pas à cause de tierces personnes. Aucun de nous n'aimait quelqu'un d'autre. Vous savez, la vie explose parfois… Peut-être qu'une partie de moi-même avait besoin de déconnecter pendant quelques jours pour faire le point avant de continuer ; je ne sais pas. »

Elle a déclaré que juste avant l'incident, elle se trouvait à Nashville avec Thornton. Quand elle était retournée à Los Angeles et que sa mère était venue la chercher à l'aéroport, elle s'était mise à pleurer. « Et je n'arrivais pas à m'arrêter, a-t-elle expliqué. Je ne sais pas pourquoi. » Elle s'était mise à bégayer. Après avoir vu un docteur, on l'avait amenée à l'hôpital. « En gros, je pensais qu'il était mort. Alors, ils ont agi comme on le fait avec quelqu'un qui vit un véritable traumatisme à la suite d'un deuil, comme avec une femme ayant perdu son mari. Je ne pouvais vraiment pas parler. »

Que Jolie soit internée dans un hôpital psychiatrique juste un mois après avoir gagné un Oscar pour son interprétation du personnage de Lisa Rowe n'a pas échappé aux malades qu'elle côtoyait. « Certains me connaissaient, plusieurs avaient vu *Une vie volée*, a-t-elle dit. Même si ça paraît bizarre, c'est bien de savoir que tout le monde est un peu déséquilibré. Je veux dire, pour beaucoup de jeunes filles, pour nous tous, on voit toujours des photos dans les magazines où tous les gens semblent tellement bien dans leur peau et ont une vie parfaite. Je pense que, dans un certain sens, c'était réconfortant pour ces gens-là, aux prises avec les mêmes problèmes que moi dans la vie, de réaliser que ce n'est pas une question de… Il n'y a pas de remède miracle ; il n'y a pas une autre facette à la vie. Les gens ne sont pas différents les uns des autres. »

À sa sortie de l'hôpital le 4 mai, Jolie a dit au magazine que sa mère avait recherché Bob Thornton. « Je pense qu'il avait essayé de me trouver », a déclaré Jolie. Vingt-quatre heures plus tard, ils étaient mariés. C'était un récit touchant et romantique. Mais n'était-ce pas un peu trop hollywoodien ?

* * * *

Depuis que j'avais commencé à m'intéresser à la vie d'Angelina Jolie, je remarquais une constante. Pratiquement toutes les personnes à qui j'avais parlé à Los Angeles – y compris les ardents défenseurs de l'actrice, les journalistes, les attachés de presse, les acteurs et les gens travaillant dans l'industrie – étaient sceptiques quant à sa relation avec Billy Bob Thornton, et ce, depuis le début. « La coïncidence était un peu trop grande. L'histoire avait été révélée au grand jour au moment où les rumeurs l'impliquant avec son frère faisaient des ravages et elle avait besoin de détourner l'attention, a raconté un journaliste.

Personne n'a jamais été capable de trouver quelqu'un – un ami, un parent ou autre – qui était au courant de ce grand amour avant la cérémonie des Oscars de 2000. Il n'y a pas eu la moindre allusion avant que la controverse ait éclaté et soudain, une semaine ou deux plus tard, ils étaient follement amoureux. Il ne faut pas raconter n'importe quoi. Trouvez-moi quelqu'un qui croyait à cette histoire. C'était de la pure fantaisie. »

M'étant fait passer pour un acteur durant plus d'une année et ayant constaté le mal que se donnent les célébrités pour soigner leur image ou cacher un secret, je n'avais pas de mal à être convaincu par les insinuations cyniques de ceux qui croyaient dur comme fer que la relation avec Thornton était un énorme écran de fumée. Mais une question me rongeait encore. Qu'est-ce que Thornton en tirait ? C'est une question à laquelle, encore aujourd'hui, je n'arrive pas à trouver une réponse satisfaisante.

Une chose est sûre : Jolie fut internée dans un hôpital psychiatrique à l'été 2000. Je voulais savoir pourquoi. J'ai donc songé à Nellie Bly, une de mes héroïnes journalistiques. À la fin du 19e siècle, cette journaliste du *New York World* a feint la folie pour dénoncer les conditions du Women's Lunatic Asylum de Blackwell Island à New York, maintenant la Roosevelt Island. Bly s'était entraînée à simuler la maladie mentale et un psychiatre respecté en avait conclu qu'elle était « sans aucun doute folle », ce qui lui permit de se faire interner dans un asile durant plus d'une semaine, et d'expérimenter réellement les conditions pénibles de l'endroit. Le récit de son séjour dans l'asile, consigné dans le livre *Ten Days in a Mad-House* (librement traduit : *Dix jours dans un asile de fous*), causa un émoi qui conduisit à des réformes importantes et durables du réseau américain de santé mentale.

Inspiré par l'exemple de Bly, j'étais décidé à mieux comprendre l'expérience de Jolie en m'infiltrant dans l'hôpital neuropsychiatrique de Resnick, où elle avait séjourné en mai 2000. Je ne savais pas trop ce que je pensais y trouver ou ce que je pouvais y découvrir neuf ans plus tard, mais au moins, j'avais la possibilité d'y pénétrer. Un an auparavant, alors que je me faisais passer pour un paparazzi dans le cadre d'un documentaire, Britney Spears avait fait une dépression nerveuse dont tout le monde parlait. Son père l'avait internée dans le même hôpital contre son gré. Malheureusement, ce jour-là, j'étais à New York, alors j'avais raté toute l'action. Mais à mon retour, j'en ai profité pour nouer quelques contacts avec des employés de faible envergure de l'hôpital, y compris du personnel de sécurité et des infirmiers. Certains d'entre eux y travaillaient encore, plus d'un an plus tard, lorsque j'y suis revenu. Un de ces employés m'a prêté main-forte pour établir mon subterfuge.

« Tu dois faire attention, m'a-t-il dit lorsque je l'ai informé de mon plan. La plupart des gens qui entrent ici ont été envoyés par un autre hôpital. Si tu te présentes comme ça, ils ne t'accepteront pas à moins que tu aies les bons symptômes. » Selon lui, il fallait que je prétende vouloir me suicider ou faire du mal à quelqu'un pour être interné. Disposant de ce renseignement intéressant et d'un peu d'informations sur l'hôpital, j'étais prêt à me lancer dans l'aventure.

À mon arrivée le lendemain matin, un garde de sécurité posté à l'entrée m'a demandé où j'allais. Je lui ai expliqué que j'avais des idées suicidaires et il m'a indiqué immédiatement la salle d'urgence au bout du couloir. Au lieu de me diriger directement là-bas, j'ai décidé de chercher la cafétéria où j'ai mangé un petit quelque chose. Il y avait plusieurs comptoirs remplis de toutes sortes d'aliments sains – salades, jus, mets végétariens. J'ai choisi la salade de poulet et le jus de mangue. C'était bien différent de la description de Nellie Bly à propos de la nourriture servie à l'asile : « Bouillie d'avoine, bœuf avarié, une pâte sèche pour pain et de l'eau sale imbuvable. »

Je me suis assis et j'ai mangé sur une terrasse extérieure surtout occupée par des docteurs et des employés. À côté de moi, un homme d'une trentaine d'années, prénommé Reeve, m'a dit qu'il était un patient externe et qu'il venait pour faire un suivi. Je lui ai demandé pourquoi il avait été interné. « Si je n'étais pas venu ici, je serais mort », a-t-il répliqué. Il m'a expliqué que son divorce avait été difficile et que cela avait provoqué chez lui une dépression catatonique : « Je n'avais nulle part où aller me cacher, sauf ici. » Il m'a dit qu'il était encore déprimé, mais que maintenant « tout allait mieux ». J'ai ajouté que j'avais entendu dire que des célébrités étaient internées ici. En avait-il déjà vu ?

« Je sais que Britney Spears était ici l'année passée, a-t-il mentionné. Mon docteur m'a tout raconté. C'était un vrai cirque. Il y avait des caméramans partout. Elle a apparemment fait un esclandre dans l'hôpital parce que tout le monde essayait de la photographier en cachette. Une photo d'elle dans le service psychiatrique aurait soi-disant rapporté un million de dollars. J'ai même entendu dire qu'on l'avait mise dans une chambre insonorisée à un moment donné. »

Après le déjeuner, j'ai rencontré un autre patient aux toilettes, un gars du nom de Mark. Je lui ai dit que j'étais en dépression depuis la mort de Kurt Cobain et que je ne m'en étais jamais remis. C'était un type de maladie mentale que je connaissais un peu, étant donné que j'avais écrit un livre sur la mort du chanteur de Nirvana, dans lequel j'abordais entre autres les soixante-huit suicides qui avaient eu lieu par la suite, inspirés par le sien. Il s'agissait surtout d'adolescents, et j'avais la quarantaine, mais j'ai livré mon meilleur boniment. Dernièrement, je pensais mettre un terme à mes jours pour de bon. Est-ce que ça valait la peine d'être interné ici ? Pouvait-on m'aider ?

« Bien sûr que oui. Tu serais fou de ne pas le faire. Ce serait une vraie connerie, a-t-il dit avec emphase. Ici, ce n'est pas

Vol au-dessus d'un nid de coucou. Tout le monde pense que c'est comme ça. » Je lui ai demandé s'il avait vu *Une vie volée,* mais il n'en avait jamais entendu parler. C'était pourtant un admirateur d'Angelina Jolie ; il avait vu *Wanted : Choisis ton destin*[26]. « Elle déchire ! dit-il. Ici, ils te remettront d'aplomb, mais ne t'attends pas à des résultats du jour au lendemain. Ça prend du temps. »

Il m'a avoué avoir suivi le programme d'urgence de trois jours il y a quelque temps, sans pour autant me révéler ce qui l'avait conduit là. « Les thérapies de groupe sont incroyables. Elles t'aident à faire ressortir tout ce qui est enfoui en toi. C'est comme une séance d'autorévélation, mais en présence d'autres personnes. Au départ, c'est difficile de raconter des choses intimes, mais tu t'y habitues. Tu en ressors en sentant que tu n'es pas fou et que tu n'es pas tout seul. »

J'ai fini par me rendre aux urgences, où se trouvaient des réceptionnistes derrière des bureaux. Il y avait la queue alors je me suis assis dans la salle d'attente. Après un moment, un docteur est venu me voir, un résident certainement, et il m'a demandé : « Est-ce que ça va ? » Je lui ai raconté que j'avais eu des problèmes ; je n'étais pas sûr de pouvoir « m'en sortir ». Il m'a répondu que j'étais au bon endroit et que je devrais remplir des formulaires lorsqu'on m'appellerait et qu'on prendrait soin de moi. Lorsque mon tour est arrivé, une infirmière m'a tendu des papiers à remplir. Lorsque je me suis informé à propos du numéro d'identification médical, elle m'a demandé de quelle façon j'avais l'intention de payer. Je lui ai répondu que j'étais canadien et que je n'étais probablement pas couvert par une assurance. J'ai proposé de payer en espèces, mais elle m'a dit que sans assurance, ce serait très cher – « des milliers de dollars » – si j'étais interné. Elle m'a donné un numéro où

26. Titre au Québec : *Recherché.*

appeler, en me disant que ce serait beaucoup moins cher de me faire soigner en tant que patient externe. Je suis finalement parti, promettant d'appeler ma compagnie d'assurance voyage pour obtenir de l'information sur ma couverture. J'ai découvert plus tard qu'à moins d'être conduit à l'hôpital en ambulance dans des circonstances particulières, je n'étais probablement pas couvert.

J'avais planifié de réaliser un documentaire en plus de mon livre, et je me suis rendu compte que j'allais avoir besoin de séquences dans l'hôpital ainsi que de scènes où je recueillerais de l'information. Une tâche difficile, étant donné que des pancartes partout dans l'hôpital interdisaient les caméras. Il existe aussi une loi sur la protection de la vie privée de l'État de la Californie condamnant à une amende considérable toute personne publiant des photos ou filmant le visage d'un patient dans un hôpital. Néanmoins, je devais me procurer des images. Ce qui signifiait que lors de ma prochaine visite, j'avais besoin non seulement de me glisser à l'intérieur, mais aussi d'un caméraman. J'ai un ami, opérateur de système vidéo et photographe accompli. J'ai déjà retenu ses services pour d'autres projets similaires. C'est un acteur qui a autrefois joué un rôle important, celui d'un comédien, dans un téléfilm, mais qui depuis a du mal à joindre les deux bouts. Je savais qu'il ne refuserait pas du boulot. Par le plus pur des hasards, il venait de commencer à travailler sur la réalisation du pilote d'une émission de téléréalité dans laquelle on donnait aux participants une caméra vidéo miniature – de la taille d'une carte de crédit – pour enregistrer leurs expériences. Je l'ai convaincu de m'accompagner lors de ma prochaine visite après l'avoir assuré que c'était sans risque.

Nous nous sommes présentés à l'hôpital cinq jours plus tard. Au départ, il semblait considérer notre infiltration clandestine comme une aventure. Mais peu de temps après nous y être glissés, il a commencé à être nerveux. Il se faisait passer pour mon frère ; il avait décidé de m'amener consulter un médecin, car j'agissais bizarrement et il avait peur que je me fasse mal. Une fois dans l'hôpital, il a semblé se rendre compte que les gens pouvaient y être internés contre leur volonté pour plusieurs semaines ou mois consécutifs.

Encore une fois, on nous a dirigés vers la salle d'urgence, mais j'étais déterminé à me faufiler dans les étages des malades hospitalisés pour voir ce qui s'y passait et filmer des séquences pour mon film. Nous étions tous les deux nerveux, surtout parce que certains gardes de sécurité étaient armés. Un peu plus tard, nous avons réussi à nous introduire dans une aile de l'hôpital où je supposais que je serais conduit si on m'internait pour une période d'observation de soixante-douze heures. Cela semblait être la zone réservée aux patients, un endroit calme. Chacun portait ses propres vêtements, ce qui ne donnait pas le sentiment de se trouver dans un service d'hôpital. Dans un des salons, nous nous sommes assis à côté d'un patient nommé Roy. Son histoire était la plus poignante de toutes.

Il m'a raconté qu'il avait été interné dans un établissement psychiatrique d'État durant plusieurs années avant d'en sortir. Il venait maintenant régulièrement à Resnick pour y être soigné. Il n'a pas hésité à raconter ses expériences. « J'ai subi des électrochocs dans l'hôpital d'État », a-t-il expliqué. Je pensais qu'ils avaient arrêté cette pratique il y a longtemps. Je croyais de plus que la sensation d'un électrochoc ressemblait à celle d'un saignement occasionné par des sangsues, mais je me trompais. « Ils utilisent encore [les électrochocs] de nos jours. C'est plus sûr qu'avant, mais ça fiche en l'air ton cerveau. Tu dois y consentir. Ils te disent que ça va t'aider, mais ils te demandent d'accepter alors que tu n'es pas en état de prendre des décisions. J'ai souffert de pertes de mémoire et de problèmes mentaux que je n'avais pas avant d'être interné. Ici, c'est complètement différent. Ils ne font pas ce genre de choses. Ils s'inquiètent vraiment du bien-être des patients. J'aurais aimé être dans un lieu comme celui-ci en ce temps-là. L'autre endroit m'a complètement bousillé. Ils te gavent de médicaments ; c'est comme ça qu'ils gardent le contrôle sur leurs patients. Ici, tout est volontaire ; tu as le droit de refuser la médication. »

Lorsque nous sommes retournés aux urgences, une réceptionniste m'a demandé encore une fois de remplir un formulaire. Je lui ai répondu que je ne m'en sentais pas capable, car j'avais le vertige. Elle a demandé à un préposé de s'occuper de moi. Deux minutes plus tard, j'étais étendu sur une civière dans un espace étroit juste à côté du service.

Allongé pendant environ quarante-cinq minutes, j'ai pu observer et entendre ce qui se passait. Tout semblait calme pour une soi-disant maison de fous. C'était un environnement très différent de ce à quoi je m'attendais. À un moment donné, j'ai entendu un docteur parler à un membre du personnel à propos d'un patient devant sortir ce jour-là. À ma grande surprise, le médecin insistait sur le fait que le patient n'avait pas besoin de médicaments et qu'il était prêt à réintégrer la société.

Pendant ce temps, je mourais d'envie de me lever de ma civière pour explorer d'autres endroits. Un préposé est enfin venu me voir pour me demander comment j'allais. Je lui ai répondu que je me sentais beaucoup mieux. Mon « frère » n'avait pas eu le droit de m'accompagner dans cette section, mais il a pu me voir brièvement pour s'enquérir de moi au moment où je partais ; il en a profité pour filmer des séquences. Encore une fois, j'ai expliqué à la réceptionniste que je n'avais pas d'assurance. Une fois de plus, on m'a donné un numéro où appeler à ma sortie.

Partout où je m'étais promené dans l'hôpital, j'avais essayé de caser Angelina Jolie dans la conversation. Moins de la moitié des gens à qui j'avais parlé savaient qu'elle avait été une patiente ici, presque tout le monde était au courant pour Britney Spears et plusieurs personnes m'ont raconté qu'un certain acteur de télévision, dont je n'avais jamais entendu parler et dont j'ai oublié de noter le nom, avait dernièrement été interné et avait attiré une certaine attention de la part des médias.

Peu de temps avant ma troisième visite prévue à l'hôpital, j'ai enfin eu un léger coup de pouce de la part d'un de mes contacts. Il savait que je cherchais de l'information sur le séjour de Jolie et m'a informé qu'il avait rencontré une personne disposée à parler. Il s'agissait d'une employée ayant travaillé autrefois dans le « service de soins intensifs psychiatriques ». Je m'imaginais que notre rencontre se déroulerait dans le plus grand secret, car peu de temps avant, un autre employé du même hôpital avait été formellement accusé d'avoir eu accès et vendu les dossiers médicaux de célébrités à un média national pour environ cinq mille dollars. Je ne savais pas ce que je ferais si quelqu'un proposait de me vendre les dossiers du séjour de Jolie, mais la somme de cinq mille dollars me paraissait être une bonne affaire.

Au jour et lieu dits, l'employée m'a rencontré à l'extérieur d'un édifice portant le nom de Ronald Reagan Medical Center. Lorsque nous nous sommes rencontrés, j'ai tenu de menus propos sur le fait que j'avais autrefois été cascadeur dans un téléfilm sur Ronald Reagan. Peu impressionnée, elle a poursuivi en me racontant qu'elle avait une histoire pour moi à propos de Jolie, qu'elle n'avait jamais rencontrée, à ma grande déception.

« Je regardais *Larry King* à la télé avec un membre du personnel qui avait fait partie de l'équipe du service où Jolie avait été soignée, a-t-elle dit. Soudain, King lui demande de raconter son séjour à l'hôpital. Nous l'avons écoutée déballer son histoire sur son copain Billy Bob Thornton, le fait qu'elle ne pouvait pas vivre sans lui, qu'elle avait cru l'avoir perdu… Mon amie s'est tournée vers moi et m'a dit : “Ça, c'est une histoire fictive. C'est une très bonne actrice. Rien de tout ça n'est vrai", ou quelque chose du genre. Je me souviens qu'elle a utilisé le mot "fictif". Je pense lui avoir demandé quelle partie de l'histoire n'était pas vraie, mais c'est tout ce qu'elle a voulu dire. Cela remonte à des années. » Elle a ensuite accepté de me donner le nom de cette femme, qui travaillait désormais dans un autre hôpital californien. J'ai tenté de la joindre à plusieurs reprises, mais elle n'a jamais retourné mes appels.

Ma soi-disant opération secrète était moins bien réussie que celle de Nellie Bly. J'avais maintenant une meilleure idée des raisons ayant mené au séjour de Jolie – c'est-à-dire les fausses raisons. Par contre, je n'étais pas plus avancé au sujet des vraies raisons. Faute d'obtenir les dossiers médicaux, nous ne le saurons probablement jamais avec certitude.

Si je devais avancer une hypothèse sur les raisons les plus probables, fondée sur ma propre enquête, je me fierais aux occasions où elle n'était pas sur ses gardes durant les entrevues au cours des mois suivant son mariage à Billy Bob Thornton. À cette époque-là, elle a déclaré publiquement n'avoir jamais été aussi heureuse. Dans une entrevue de juillet 2001 avec Chris Heath de *Rolling Stone*, elle a semblé confirmer ce que plusieurs ont répété à maintes reprises quand le flot incontrôlable de rumeurs qui a suivi le baiser aux Oscars se répandait, à savoir que tout le monde lui conseillait de prendre ses distances vis-à-vis de son frère pour sauver sa carrière : « "C'était un moment difficile pour ma famille, a dit Jolie. Je n'ai pas parlé à Jamie depuis quelques mois. Je pense qu'il… je ne suis pas sûre… mais en quelque sorte, il a pris la décision de… de…" – elle s'est interrompue et s'est mise à pleurer – "ne pas me voir aussi souvent, pour que n'ayons pas à répondre à des questions stupides." »

Certains éléments de la version officielle n'ont pas de sens. Si elle fréquentait en secret Thornton depuis des mois et qu'elle était follement amoureuse de lui, comme elle l'a prétendu, on peut comprendre qu'elle ait gardé l'affaire secrète aux yeux de tous. Mais son propre frère, dont elle a dit qu'il était son roc, avec qui elle partageait tout depuis qu'ils étaient enfants, a reconnu qu'il n'avait rien su de la liaison ou même du mariage jusqu'à ce que leur union soit prononcée. « Je lui ai demandé si elle était heureuse, se souvient-il. Et elle a dit : "Oui, c'est le bon." »

Encore plus surprenant, Jolie déclare s'être rendue directement à l'hôtel de Thornton après les célébrations suivant les Oscars et avoir discuté avec lui dans le jardin. « Il était en pyjama. Il venait de coucher les enfants », a-t-elle raconté à *Rolling Stone*. Mais Liz Smith du *New York Post* m'a dit qu'elle avait assisté à la même soirée et qu'elle y avait vu Jolie en train de s'amuser jusqu'à plus de deux heures cette nuit-là. D'autres personnes présentes ont des souvenirs similaires. Des récits dans les médias ont également prétendu qu'elle avait fêté jusqu'au petit matin tout en étreignant fortement son Oscar. Jolie devait en outre se rendre à l'aéroport à quatre heures pour prendre un vol à destination du Mexique, afin de continuer le tournage du *Péché originel.* La séquence d'événements de son récit maintes fois répété ne colle donc pas avec la chronologie réelle. De plus, elle a aussi dit à *Rolling Stone* que « peu de temps après », son frère l'a aidée à préparer ses affaires pour qu'elle puisse partir se marier. Pourtant, James Haven a toujours déclaré qu'il n'était pas au courant du mariage jusqu'au jour où il a eu lieu.

Son récit à propos de sa liaison secrète avec Billy Bob Thornton durant les mois qui ont précédé les Oscars comporte plusieurs passages inexpliqués. Mais peut-être qu'après tout, Angelina Jolie avait trouvé son âme sœur et un réel bonheur, comme elle l'a répété sans cesse au cours de l'année qui a suivi. Cela en avait tout l'air, du moins pendant un certain temps.

Du sang et du sexe

Les noces à peine célébrées, le couple s'affichait partout, proclamant son amour éternel. « C'était Roméo et Juliette avec des tatouages », s'est attendri un journaliste. Les Américains ne pouvaient pas ouvrir un journal ou un magazine sans qu'il n'y ait un article à propos des nouveaux amoureux de Hollywood.

« Je me sens tellement pleine de vie, a déclaré Jolie à NBC. Toute mon existence, j'ai pensé n'être qu'à moitié heureuse. Je croyais être folle. Puis, je l'ai rencontré et je me suis dit que j'étais peut-être folle, mais qu'il l'était tout autant. Je suis tellement fière d'être sa femme ; je fais maintenant partie d'un tout. J'ai toujours été très, très seule. J'ai toujours cru que je passais mon temps à survivre. Je vivais dans mon monde secret, dans ma tête, sans que personne ne communique avec moi. Je l'ai rencontré et j'ai aimé la vie. Je l'ai rencontré et soudain, toutes les choses à propos desquelles je me questionnais ont trouvé leur sens, et tout ce que je souhaitais et espérais avoir dans la vie… était maintenant possible. »

Parlant de Thornton comme de son « âme sœur », Jolie a déclaré à un journaliste curieux : « C'est la personne la plus extraordinaire que j'aie jamais rencontrée. C'est un non-conformiste, un audacieux, il est vraiment fort, passionné et un peu fou. Mais c'est aussi quelqu'un de très gentil, vraiment, un bon ami… Je ne me suis jamais sentie aussi équilibrée dans ma vie… Tout d'un coup, je suis plus satisfaite, plus vivante que jamais et vraiment libre. » Elle a également proclamé que Bob

Thornton était la « créature la plus sacrément sexy qui ait jamais vécu ».

Ils ne pouvaient s'empêcher de parler de leur vie sexuelle. Lorsque Thornton a dit à un intervieweur qu'il avait dû s'empêcher de serrer sa nouvelle femme à l'en étouffer pendant qu'elle dormait, ajoutant que le sexe était presque « trop fort » pour eux, Angelina Jolie a confirmé.

D'après les propos enthousiastes livrés par Thornton à un autre journaliste, faire l'amour était un « sixième sens ». « L'autre jour, nous nous disions que j'aurais besoin d'un de ces moniteurs cardiaques, car je suis convaincu que je vais défaillir dans le feu de l'action. » Jolie a répondu : « Il m'a embrassée l'autre jour et j'ai failli m'évanouir. Je le jure sur ma famille. »

Comme s'ils percevaient un certain cynisme ambiant, ils ont tous les deux saisi toutes les occasions possibles pour certifier que leur amour était durable. « Je ne peux certainement pas vous prouver que nous allons rester ensemble à tout jamais, mais c'est ce qui va se produire. Dans cinq ans, quand vous nous reverrez, vous me demanderez : "Comment ça va ? Comment va votre femme ?" et je vous répondrai : "Super." La différence, c'est que par le passé, je n'avais pas trouvé ma vraie place. »

Lorsque les mots d'amour ne suffisaient pas à apaiser les sceptiques, ils relevaient leurs commentaires en mentionnant constamment leur fabuleuse vie sexuelle, sans hésiter à donner des exemples concrets. Lors de la cérémonie des MTV Music Awards en 2000, un journaliste les a arrêtés sur le tapis rouge, puis leur a demandé : « Billy Bob et Angelina ! Quelle est la chose la plus excitante que vous ayez jamais faite dans une voiture ? » Thornton s'est arrêté, a réfléchi un moment, puis a répondu avec son accent typique de l'Arkansas : « Nous avons tout simplement baisé dans la voiture. »

Lorsque le *New York Daily News* a fait remarquer que de nombreuses personnes s'attendaient à ce que leur relation se désintègre et s'en aille en fumée, Jolie a répondu : « C'est possible, mais ce sera à force de faire l'amour. [...] C'est un amant incroyable, et il connaît très bien mon corps. » À une autre occasion, elle s'est plainte aux journalistes de souffrir d'irritations après avoir fait l'amour sur une table de billard. Elle a de plus révélé à un journal britannique que Thornton était un tel étalon au lit qu'elle ne pouvait plus marcher après une relation sexuelle. « Sans crier gare, je me suis retrouvée dans un coin de la chambre à bout de souffle, a-t-elle dit. Et je ne sais pas ce qui s'est passé, j'ai essayé de retourner au lit, mais je ne pouvais pas marcher. »

Lorsqu'on lui a demandé si son nouvel amour signifiait qu'elle avait mis une croix sur les femmes, elle a répondu : « Quand j'avais vingt ans, je suis tombée amoureuse de quelqu'un, une femme en l'occurrence. Je voulais être proche d'elle parce que j'éprouvais des sentiments à son égard. En fait, j'aime les gens. Si Billy était une femme, alors je serais tout simplement lesbienne. Si j'étais un homme, nous serions un couple gay. »

Même si tout le monde connaissait plus ou moins les goûts et les préférences de Jolie en matière de sexualité, elle n'avait jamais parlé en détail de ses pratiques et ne prodiguait pas de démonstrations d'affection en public. Elle avait aussi souvent exprimé son inconfort de se voir dépeinte comme une fille sexy. En février 2000, trois mois seulement avant son mariage avec Thornton, elle a dit au magazine *Esquire* qu'elle avait pleuré alors d'une séance de photos pour la page couverture de *Rolling Stone*, car on l'avait obligée à porter une camisole en dentelle très « semblable à de la lingerie ». Son « beau teint » sur la photo en page de couverture, a-t-elle expliqué, n'était pas dû au maquillage, mais plutôt aux larmes. « Sur la couverture... j'étais toute rouge d'avoir pleuré, parce que je me sentais comme une putain. » Elle avait souvent décrié les tentatives des médias d'exploiter son côté sexuel, même si elle était en partie responsable de la situation, ayant admis publiquement avoir pratiqué le sadomasochisme, la bisexualité et avoir utilisé des couteaux dans ses ébats.

Et pourtant, chaque fois qu'elle apparaissait en public et lors de ses entrevues avec les médias, elle continuait de décrire minutieusement sa vie sexuelle avec Thornton. Elle s'assurait d'en offrir un échantillon à presque chaque journaliste et photographe. « Ils s'embrassent, et pendant qu'ils parlent de tout ce qu'ils ont fait dans la journée, elle passe distraitement son index de haut en bas sur la fermeture éclair de son pantalon », a-t-on pu lire dans un portrait décrivant une soirée à la maison avec Thornton et Jolie.

Lors d'événements publics, ils se pelotaient, effectuant des gestes à connotation sexuelle sous-entendant qu'ils ne pouvaient pas attendre de rentrer pour faire l'amour. Après la soirée des Golden Globes, le *Los Angeles Daily News* a déclaré que le « couple s'est bécoté tout le long du tapis rouge ». Après les avoir vus se tripoter devant les journalistes à la première de *60 secondes chrono*, l'auteure Robin Gorman Newman, connue sous le nom de « Love Coach », aurait déclaré avec désapprobation : « Je pense que ceux qui font vraiment l'amour n'agissent pas ainsi. » Newman savait peut-être de quoi elle parlait. Après avoir rompu avec Angelina, Thornton a accordé une entrevue dans laquelle il sous-entendait que sa vie sexuelle avec cette dernière n'était pas tout à fait telle qu'il l'avait laissé entendre à l'époque. « Pas besoin de coucher avec un mannequin pour avoir du plaisir, a-t-il expliqué peu de temps après que Jolie soit nommée la personne la plus sexy au monde par le magazine *Esquire*. Parfois, l'amour avec un mannequin, une actrice ou la "personne la plus sexy au monde" peut être aussi emmerdant que de baiser son divan. »

À cette époque-là, personne ne pouvait s'empêcher de penser que les jeunes mariés en faisaient trop afin de passer pour le couple parfait. « Ça avait l'air trop artificiel, a dit un journaliste qui a suivi Jolie pendant de nombreuses années. Quand les caméras tournaient, surtout pour la télé, ils donnaient un spectacle quasi pornographique, mais unc fois rentrés chez eux, ils s'ignoraient pratiquement. Dans les rédactions, les journalistes lançaient des paris sur la durée de leur relation. »

Les paparazzi étaient enchantés par ces images juteuses, mais la plupart se demandaient ce qui se passait réellement. « Jolie ne nous a jamais offert ce genre de prises de vue avant de se marier avec Thornton. Elle était toujours très digne, surtout si on tient compte de sa réputation extravagante. Et puis, tout d'un coup, elle est pratiquement en train d'avoir des rapports sexuels avec Billy Bob pour notre plus grand profit, a remarqué un photographe couvrant l'actualité de Hollywood pour un journal londonien. On se demandait ce qui se passait entre eux. Il se peut qu'il ait fait ressortir le côté exhibitionniste d'Angelina, qui sait ? »

Même si le tout Hollywood était sceptique à propos de leurs effusions en public, c'était bon pour les tirages, et personne n'osait exprimer ses doutes par écrit. En Grande-Bretagne, cependant, les médias étaient moins candides et se moquaient ouvertement de leurs câlins persistants. « Plus deux vedettes insistent pour que l'on voit leur union éternelle, à en donner la nausée, plus le risque qu'il se sépare augmente, a écrit le *Evening Standard* de Londres. Il suffit d'observer Pamela Anderson et Tommy Lee, Jennifer Lopez et Puff Daddy ou l'enfant chérie de l'Amérique, Julia Roberts, qui a déclaré son attachement éternel à tout ce qui bouge et même à plusieurs objets. Les couples de célébrités qui restent ensemble, comme Tom Hanks et Rita Wilson, évitent de donner des entrevues depuis l'entrejambe de leur partenaire. » Le journal a qualifié les fumisteries de Jolie et Thornton de « chef-d'œuvre de la performance ».

Les deux époux ont parfois offert des détails croustillants pour retenir davantage l'attention des journalistes. D'abord, Jolie a révélé que Thornton portait souvent ses dessous pour se sentir proche d'elle. Il a confessé plus tard que des gens du club de gym où il s'entraînait l'avaient surpris vêtu des sous-vêtements d'Angelina. Puis, le couple a annoncé qu'ils portaient autour du cou des amulettes contenant le sang de l'autre. « Nous nous échangeons notre sang tout le temps, a avoué Billy Bob. Pour mon anniversaire, elle m'a fait cadeau d'un testament où figure l'emplacement de nos tombes côte à côte. C'est pas sensationnel, hein ? » Jolie a renchéri : « Il a signé un contrat avec son sang devant un notaire, qui stipule que nous resterons ensemble pour l'éternité », avant d'ajouter : « Certains pensent qu'un diamant, c'est joli. Le sang de mon mari, pour moi, c'est ce qu'il y a de plus beau. »

Bob Thornton a même convoqué une infirmière sur le plateau de tournage du film *The Badge*, en Louisiane, pour qu'elle lui prélève deux flacons de sang et le mélange avec un anticoagulant. Il a expliqué qu'il voulait s'en servir pour écrire à Jolie une lettre d'amour. « Je ne suis pas quelqu'un qui aime particulièrement les bijoux, mais j'adore son sang, a encore raconté Jolie à des journalistes, en caressant la petite fiole en verre contenant l'hémoglobine de son mari. Si je pouvais boire son sang, dévorer chaque partie de lui, je le ferais. Il est mon âme. »

Peut-être parce qu'ils s'étaient enfuis pour se marier, privant les journalistes du récit de leur imminente nuit de noces, ils ont décidé de convoler à nouveau, cette fois dans une villa de Beverly Hills achetée pour près de quatre millions de dollars à Slash, le guitariste de Guns n' Roses. « Nous voulons nous marier dans plusieurs pays, de différentes manières, selon des coutumes variées », a dit Jolie au *L.A. Times*. « Nous adorons nous marier », a ajouté Thornton.

Les médias étaient très curieux de savoir si Jon Voight approuvait le mariage de sa fille avec son nouveau copain, qui était d'ailleurs son partenaire dans le film *U Turn : Ici commence l'enfer*, d'Oliver Stone. « Mon père l'aime bien, a dit Jolie. Il ne m'a jamais vue aussi heureuse, alors bien sûr, il apprécie Billy Bob. Ils ont travaillé ensemble, vous savez. Je pense que c'est drôle qu'ils aient joué dans *U Turn : Ici commence l'enfer*, leurs personnages étaient tellement étranges. Nous plaisantons à ce sujet. "Ouais, c'est ma famille dans ce film, les deux personnes les plus étranges !" »

Les médias s'interrogeaient pour savoir si Thornton était capable de réussir un mariage. « En ce qui concerne mes relations amoureuses, c'est peut-être la première fois de ma vie où ce n'est pas un échec, a-t-il répondu. Angelina est tout pour moi en tant qu'être humain, artiste et épouse. »

Mais aux premiers moments de leur vie matrimoniale, des rumeurs couraient déjà, vraies ou non, selon lesquelles les apparences étaient trompeuses. Dès l'été 2000, le *New York Daily News* a affirmé que Jolie et Thornton envisageaient le divorce. Au même moment, le journal citait un témoin qui avait vu Jolie sortir du Hellfire, un club sadomaso que Jenny Shimizu et elle avaient l'habitude de fréquenter au plus fort de leur liaison.

C'est à cette période que Jolie avait signé pour tenir le rôle principal d'un grand film d'action adapté d'un jeu vidéo populaire, *Lara Croft : Tomb Raider*. On raconte d'ailleurs que Lara Croft aurait été la cause de la séparation de Jolie et de son premier mari, Jonny Lee Miller. Ce dernier serait devenu tellement mordu de *Tomb Raider* sur sa console de jeu Sony qu'il y passait plus de temps qu'en compagnie de sa femme.

« Quand on m'a appelée pour [jouer] Lara Croft, j'ai pensé : "Oh non, pas elle !" », s'est souvenue l'actrice. Et même s'il est peu probable que les jeux vidéo soient responsables de son premier divorce, on peut penser que Lara Croft a bel et bien mené au deuxième.

* * * *

Alors que Jolie était en cinquième année au El Rodeo Elementary School de Beverly Hills, l'établissement traversait une crise budgétaire. On s'apprêtait à licencier neuf enseignants ; parmi eux, le professeur favori d'Angelina, l'entraîneur Bill Smith. Jon Voight a par la suite décrit la campagne organisée par sa fille de dix ans pour annuler la décision du conseil d'administration de l'école. « Angie et ses amis se sont réunis et ont décidé qu'ils allaient se battre pour lui. Ils ont lancé une campagne "Sauvez notre Smith" », s'est-il remémoré.

Smith lui-même se souvient très bien du rôle d'Angelina. « Elle a manifesté en se promenant dans la rue avec sa pancarte. Ils ont eu l'idée d'organiser une vente de biscuits, de gâteaux et autres pour recueillir des fonds pour mon salaire. Ils formaient une vraie petite armée. Ils étaient très déterminés à faire quelque chose de bien pour quelqu'un. » La croisade a fonctionné. Sur les neuf enseignants menacés de mise à pied, seul Smith a gardé son emploi.

« Je pense que ça a été un déclic pour elle. Elle a senti qu'elle pouvait influencer les choses, faire une différence », a raconté Jon Voight, lui-même activement engagé dans un certain nombre de causes politiques, y compris les droits des Amérindiens et des vétérans de la guerre du Vietnam.

Jolie est arrivée au Cambodge à l'automne 2000 pour le tournage des scènes extérieures de *Tomb Raider*. Mais ce qui aurait pu être une simple partie de plaisir dans un paradis tropical l'a exposée à ce qu'elle a par la suite décrit comme « les profondeurs ténébreuses de la souffrance humaine ». À son retour à Hollywood, elle trouvait difficile de regarder sa vie sous le même jour. Elle avait, comme elle allait bientôt le déclarer publiquement, trouvé « un nouveau sens » à sa vie.

Brad et Jennifer

Alors que la vie sexuelle de Billy Bob Thornton et Angelina Jolie était étalée au grand jour dans tous les journaux, un autre couple célèbre faisait aussi la Une, avec davantage de dignité. En juillet 2000, juste deux mois après que Jolie s'est enfuie à Las Vegas avec sa nouvelle âme sœur et qu'elle a juré de rester à ses côtés « à tout jamais », Brad Pitt et Jennifer Aniston se sont mariés à Malibu. La mise en scène de cette cérémonie somptueuse au bord de l'océan Pacifique a, paraît-il, coûté plus d'un million de dollars. « Superbe emplacement, super scénario, distribution géniale », a mentionné le magazine *People*, déclarant que le mariage avait tout d'une production hollywoodienne.

Les deux acteurs avaient été vus ensemble pour la première fois en public à l'occasion d'un rendez-vous organisé deux années plus tôt, en mars 1998. L'événement avait été annoncé par leurs imprésarios respectifs, ce qui n'a rien d'inhabituel à Hollywood ; la plupart des rencontres sont manigancées par les attachés de presse afin que la photo de leurs clients apparaisse dans les tabloïds. Ceux-ci n'avaient toutefois pas osé espérer que la chimie opère à ce point entre les deux stars. « C'était juste un gars sympa du Missouri », a dit Aniston plus tard.

La première semaine d'avril 1998, Pitt a appelé Aniston la veille de son départ pour Londres où elle devait tourner dans un épisode de la série *Friends*, celui du mariage entre Ross et Emily. Il lui a laissé un message sur son répondeur, lui offrant de l'aider à faire ses valises et de lui apporter du café, mais sa proposition est demeurée sans réponse. « J'étais tellement nerveuse que je ne l'ai jamais rappelé, a raconté Jennifer à Oprah Winfrey. J'ai prétendu avoir reçu le message trop tard. À mon retour d'Angleterre, nous sommes sortis ensemble. » Elle a déclaré être tombée amoureuse en écoutant de la musique dans la garçonnière de Brad à Los Feliz. « Nous avons tous les deux su tout de suite, c'était étrange, s'est-elle souvenue. La première fois qu'il m'a embrassée, j'ai arrêté de respirer. Il m'a littéralement coupé le souffle. »

Au cours des mois suivants, ils se sont fréquentés, bien avant que les médias soient au courant de leur liaison. Ils jouaient au poker, regardaient la télé et appréciaient la compagnie l'un de l'autre dans ce qu'elle a plus tard décrit comme un « nid d'amour ». « Dès notre deuxième rencontre, nous nous sommes blottis dans cette petite maison, s'est-elle rappelé. Nous nous étendions sur le divan, commandions du steak et de la purée. C'est comme ça que tout a commencé. C'était un de ces sentiments curieux où tu sais, en quelque sorte, que tout est parfait. Tu sens que tu passes du bon temps avec ton meilleur ami. Tout me semblait familier. C'était comme si ça devait se passer ainsi. » Aniston a aussi dit qu'elle savait qu'ils étaient faits l'un pour l'autre, car son chien, Norman, adorait Brad.

Ce n'est qu'à la mi-juin de 1998 que les gens ont appris leur relation, quand ils se sont embrassés en coulisse au Tibetan Freedom Concert à Washington, D.C. Le lendemain, le *Washington Post* a déclaré qu'ils étaient très « câlins » l'un envers l'autre. Et même si leurs porte-parole respectifs insistaient pour affirmer qu'ils étaient juste de « bons amis », selon le *Post*, l'expression appropriée serait plutôt « des amis aimant le contact physique ».

La mèche étant vendue, la presse à sensation et les tabloïds se faisaient une vraie fête de la liaison entre les deux stars. Lorsque

Aniston a confirmé qu'ils étaient ensemble, l'enthousiasme passionné qui l'animait faisait penser à une adolescente amourachée du quart-arrière de football américain de son école. « Brad est le gars le plus mignon sur la terre, et il est tellement profond et spirituel, a-t-elle raconté à un journaliste. J'adore être dans ses bras. Je veux avoir un enfant de lui. » Les médias ont bientôt spéculé sur un éventuel mariage. Après avoir filmé *Sept ans au Tibet*, l'histoire d'un alpiniste autrichien qui devient très proche du dalaï-lama, Pitt s'est passionné pour le bouddhisme tibétain. Selon les rumeurs, il voulait même avoir une cérémonie de mariage bouddhiste. « Il aimerait un mariage complètement tibétain au sommet d'une montagne, avec les costumes traditionnels, en compagnie du dalaï-lama », a commenté un de ses amis au journal *Sunday News* d'Auckland, en Nouvelle-Zélande.

Pitt a finalement demandé la main d'Aniston en novembre 1999, et un mariage somptueux fut planifié pour l'été. Quatre mois plus tard, le couple se trouvait à la fête annuelle de *Vanity Fair* tenue après la remise des Oscars, quand Joan Rivers s'est approchée de la fiancée et lui a demandé d'une voix tonitruante de lui montrer la bague. Pitt a tendu la main d'Aniston et Rivers s'est exclamée : « On ne peut pas demander mieux ! » À quelques mètres de là, Jon Voight a jeté un coup d'œil pour voir ce qui causait tant d'agitation. Près de lui se trouvait sa fille Angelina, serrant fort son Oscar, remporté un peu plus tôt ce soir-là.

* * * *

Jennifer Aniston est née à Sherman Oaks, une banlieue de Los Angeles, en février 1969. Tout comme Angelina Jolie, elle a été immédiatement plongée dans le milieu du spectacle ; ses deux parents étaient acteurs eux aussi. Et comme sa future rivale, son enfance a été marquée par leur divorce. Son père, Yannis Anastassakis, né en Crète en 1933, a vu son nom changer pour John Aniston quand, à l'âge de deux ans, sa famille a déménagé aux États-Unis. Il a commencé sa carrière sur Broadway à la fin des années 1950. Quelques années plus tard, il a déménagé à Hollywood où, grâce à ses traits exotiques, il a obtenu plusieurs rôles. En 1964, il incarnait le « Grec numéro deux » dans un des épisodes de *Combat !*, une émission dramatique portant sur la Seconde Guerre mondiale. Il s'est alors lié d'amitié avec un jeune acteur américain d'origine grecque, Telly Savalas, vedette invitée de l'épisode. La future tête d'affiche de *Kojak* sera désigné parrain de la petite Jennifer à sa naissance, cinq ans plus tard.

John Aniston a par la suite épousé Nancy Dow, une actrice divorcée et mère d'un garçon de trois ans. Savalas était témoin à leur mariage. Ni Aniston ni sa femme n'ont eu du succès en tant qu'acteurs ; ils sont cependant parvenus à tourner dans quelques comédies et des séries policières. À la naissance de Jennifer en 1969, le plus grand rôle de Nancy Dow demeurait son apparition dans *Beverly Hillbillies* en 1966, tandis que John Aniston continuait à jouer des Grecs dans des émissions comme *Les espions* et *Mission impossible*.

Tout comme Marcheline Bertrand avec Angelina, Nancy Dow s'est consacrée à l'éducation de sa fille, en soutenant la carrière de son mari. Après plusieurs échecs professionnels, John Aniston a décidé de changer de carrière pour devenir médecin. Même s'il a réussi les examens de qualification, l'homme de quarante et un ans ne peut pas être admis dans une école de médecine aux États-Unis à cause de son âge avancé. Il s'est alors tourné vers l'étranger. Il a décidé de vendre la petite maison familiale de la San Fernando Valley et de déménager chez lui, en Grèce, où il fut accepté dans le programme de médecine de l'université d'Athènes.

Un an après avoir commencé ses études, cependant, ses plans furent contrariés par l'envahissement de Chypre par la Turquie. L'université de l'île a été forcée de fermer ses portes et les étudiants grecs se sont rendus à Athènes où on leur a accordé la priorité d'admission. On a alors demandé aux étudiants étrangers de se désinscrire pour un an, et la famille Aniston s'est vue contrainte de rentrer aux États-Unis. Par bonheur, pratiquement dès sa première audition, on a offert à John Aniston un rôle récurrent dans le feuilleton bien établi *Love of Life*, filmé à New York.

La famille s'est donc installée à Manhattan où, pour la première fois de sa carrière, Aniston gagnait un salaire stable. Sa fille est alors devenue une vraie New-Yorkaise. Chaque fois que Telly Savalas débarquait à New York pour son travail, il passait du temps dans l'appartement des Aniston dans l'Upper West Side, où il a appris à la jeune Jennifer à jouer au poker et même à fumer le cigare – des aptitudes qui séduiront Brad Pitt des années plus tard. Malgré son excellente relation avec son parrain, le bref séjour en Grèce de sa famille a suffi à persuader Jennifer de ne jamais se marier avec un Grec. « Les femmes sont comme des citoyens de deuxième classe, a-t-elle expliqué plus tard. Enceintes, elles restent dans la cuisine pendant que les hommes sont assis à boire du ouzo et à fumer des cigarettes après le repas au lieu d'aider. Et les Grecs ont la réputation d'être des coureurs de jupons. » Son père y compris, semble-t-il.

À la différence d'Angelina Jolie, trop jeune au moment du divorce de ses parents, Jennifer Aniston se souvient très bien du jour où, à neuf ans, au retour de la fête d'anniversaire d'une amie, sa mère lui a appris que son père ne serait pas là pendant un moment. John était tombé amoureux de sa partenaire dans *Love of Life*, Sherry Rooney, et il a demandé le divorce. Nancy Dow était anéantie. Même si elle essayait de le cacher à sa fille, qui n'a pas revu son père durant presque un an, Jennifer a très vite compris ce qui se passait.

« C'était horrible, s'est-elle souvenue. Je me sentais totalement responsable. C'est vraiment un cliché, mais j'ai cru que je n'étais pas suffisamment importante… Elle n'a pas dit qu'il était parti à tout jamais… mais je me rappelle m'être assise et avoir pleuré, sans comprendre pourquoi il nous avait quittées… » De son côté, John Aniston a reconnu l'effet que sa liaison a eu sur Jennifer. « Je savais que le divorce était dur pour elle. Je suis sûr que j'aurais pu rendre les choses plus faciles, mais c'était très compliqué. »

Lorsque Aniston a emménagé chez Sherry Rooney, Jennifer lui a rendu visite tous les week-ends dans leur maison du New Jersey, de l'autre côté de la rivière Hudson. Mais alors que la plupart des pères divorcés profitaient de ce temps pour faire des activités amusantes avec leurs enfants, il n'en allait pas de même pour John. Jennifer se souvient d'avoir été envoyée dans sa chambre à douze ans, car elle n'était pas assez intéressante. « Mon père m'a affirmé que je n'avais rien à dire et il m'a demandé de quitter la table. »

En fait, Jennifer avait beaucoup à dire. Sa mère l'avait inscrite dans une école Waldorf, consacrée aux principes du philosophe et éducateur autrichien Rudolf Steiner, qui encourageait le côté artistique des enfants et nourrissait leur imaginaire. John Aniston payait les frais annuels de près de quinze mille dollars et sa fille évoluait véritablement au contact de ce milieu propice à la création.

À neuf ans à peine, la jeune Aniston a vu une de ses toiles sélectionnée pour une exposition du prestigieux Metropolitan Museum of Art de New York. Peu après, sa mère l'a emmenée à une représentation de la pièce *Les enfants du silence* sur Broadway. Aniston a immédiatement décidé qu'elle voulait devenir actrice. À son inscription à la Waldorf School, à onze ans, elle s'est jointe au club d'art dramatique de l'école. Pour sa première représentation, elle jouait un ange dans une scène de la Nativité. En 1984, à quinze ans, elle a fait une demande pour entrer à la High School of Performing Arts de New York (PA), où les places étaient limitées. C'est cette même école qui avait inspiré le film *Fame* d'Alan Parker quelques années plus tôt. Trois mille enfants de New York se battaient pour une des sept places disponibles. Après un processus d'audition rigoureux, elle y fut acceptée.

Mais contrairement à Jon Voight, ravi du choix de carrière de sa fille, John Aniston était résolument opposé à ce que la sienne suive ses traces. « Mon père ne voulait pas que je travaille dans cet univers, s'est-elle souvenue. On y expérimente si souvent le rejet. » John Aniston a confirmé ses dires : « Eh bien, je n'étais pas très enthousiaste. Je ne pense pas qu'un père connaissant un peu ce milieu puisse être heureux d'y voir sa fille. »

Après avoir reçu son diplôme de PA en 1987, Jennifer a suivi des cours de comédienne pour perfectionner ses compétences dans le but de jouer sur scène ; la High School of Performing Arts prépare en général ses étudiants à faire carrière sur Broadway, pas à Hollywood. Elle a aussi pris des cours du soir en psychologie, pensant qu'elle pourrait toujours devenir psychologue si ses velléités de comédienne se révélaient infructueuses.

Le jour, elle passait des auditions et a bientôt décroché son premier rôle professionnel dans une très petite production intitulée *Dancing on Checkers' Grave*. Entre les auditions, elle travaillait comme messagère à vélo et serveuse pour payer le loyer de son appartement dans le West Village où elle habitait depuis l'âge de dix-huit ans. Son second rôle professionnel était dans une production légèrement plus importante intitulée *For Dear Life*, qui a compté quarante-six représentations. Broadway ne semblait pas être sa véritable vocation.

Finalement, en 1989, elle a décidé d'abandonner ses ambitions pour la scène et s'est rendue à Hollywood, où son père avait récemment emménagé pour jouer un nouveau rôle, celui d'un méchant Grec dans le populaire feuilleton *Des jours et des vies*. Même si elle ne s'est jamais déguisée en mascotte de poulet pour survivre, ses premières années en ville ressemblèrent beaucoup à celles de Brad Pitt. En attendant de percer comme actrice, Aniston vivait avec son père et sa deuxième femme, travaillant comme serveuse et accumulant les boulots minables – télévendeuse, messagère et réceptionniste. Elle a tenu son premier vrai rôle à Hollywood dans un téléfilm du nom de *Camp Cucamonga*, avec John Ratzenberger de *Cheers*. Elle a aussi participé au pilote de la comédie *Molloy* et a fait une apparition dans *Ferris Bueller*, une série dérivée de la comédie mettant en vedette Matthew Broderick, *La folle journée de Ferris Bueller*. À une fête durant cette époque, Jennifer Aniston fut présentée à un jeune acteur inconnu du nom de Matthew Perry, qui interprétera plus tard Chandler dans *Friends*. Les deux acteurs sont immédiatement devenus bons amis.

Quand elle ne travaillait pas, c'est-à-dire la plupart du temps, Aniston se prélassait à la maison et regardait la télé en mangeant des sandwichs à la mayonnaise. Bientôt, sa silhouette s'est modifiée et, comme l'ont remarqué ceux qui l'entouraient, est devenue plus ronde. Elle a déjà décrit son physique comme le produit de son bagage génétique : « En bonne femme grecque, j'ai des gros seins et un gros derrière. » Selon elle, c'est à ce moment-là que son imprésario lui a un jour annoncé que si elle n'obtenait plus de rôles, c'était à cause de son poids. Elle a rapidement entrepris de suivre un régime, faisant une croix sur les sandwichs à la mayonnaise, et elle a perdu presque immédiatement plus de treize kilos. La rumeur est peut-être exagérée, mais il n'y a aucun doute qu'elle a soudain exhibé un corps qui continue de faire tourner les têtes même après avoir passé le cap de la quarantaine et qui demeure encore aujourd'hui sa marque de commerce.

« J'étais tout aussi contente avant d'être mince », a-t-elle commenté. Mais les agents de distribution ont vite remarqué le changement. On lui a bientôt offert des rôles dans des projets comme le film d'horreur *Leprechaun*, la série humoristique *The Edge*, diffusée sur Fox, et dans une sitcom, *Muddling Through*, en ondes durant une saison en 1994.

Quand son ami Matthew Perry l'a informée de son intention de tenter sa chance pour une série intitulée *Six of One*, Aniston a demandé à son imprésario de lui obtenir une audition. On recherchait six acteurs, trois hommes et trois femmes. Les rôles de deux femmes, Monica et Phoebe, étaient déjà attribués, mais le dernier, Rachel, était toujours disponible. Bien que personne ne se soit douté du succès que cette série obtiendrait, plusieurs jeunes actrices voulaient à tout prix décrocher le rôle, parmi lesquelles les futures vedettes Elizabeth Berkley, Denise Richards et Tea Leoni. Mais lorsque Aniston a fait sa lecture, elle a éclipsé ses rivales ; son aisance et son flair naturel pour la comédie ont tellement impressionné le régisseur de distribution que, deux heures après l'audition, elle recevait un appel du producteur l'informant qu'elle avait obtenu le rôle.

Le pilote tourné quelques mois plus tard, à l'été 1994, a d'abord emprunté le titre de *Friends Like Us*, puis celui de *Friends*. Il ne fut toutefois pas bien accueilli par les téléspectateurs ; sur une échelle de cent dans le « rapport de test de l'émission », il n'a obtenu qu'une faible note de quarante et un. Pendant un temps, on se demandait si NBC allait poursuivre la série.

Dans ce premier rapport, seul le personnage de Monica suscite des réactions favorables chez les téléspectateurs. On prévoyait que Courteney Cox, déjà connue pour son rôle de la fiancée d'Alex Keaton dans *Sacrée famille*, serait l'héroïne de cette nouvelle série. « Aucun des seconds rôles n'a atteint des niveaux d'appréciation, même moyens, auprès du public cible », indiquait le rapport.

Avant la fin de la première saison, cependant, Jennifer Aniston est déclarée nouvelle vedette de la série à succès. Elle aurait préféré penser qu'elle devait ce statut à son jeu ou à sa personnalité, mais il semble en fait que cela ait eu quelque chose à voir avec sa coiffure. À la mi-saison, elle arborait une coupe carrée qui encadrait son visage d'une manière jamais vue auparavant à la télé. « Ça avait l'air horrible sur moi », a-t-elle affirmé. Mais des millions de femmes américaines semblaient ne pas être du même avis, se précipitant au salon de coiffure pour demander la coupe de « Rachel ».

Le succès de *Friends* a fait en quelque sorte d'Aniston l'enfant chérie de l'Amérique ; sa franchise et sa simplicité ont plu au public. Elle n'avait pas de copain sérieux et sa nature casanière lui permettait de garder sa vie privée loin de la presse à sensation. Le seul problème qu'elle semblait traîner dans ses bagages était son éloignement vis-à-vis d'un de ses parents – un autre point commun avec Angelina Jolie.

En 1996, la mère d'Aniston, Nancy Dow, a accordé une entrevue à un talk-show à la télévision, qui portait soi-disant sur la pédagogie utilisée dans les écoles Waldorf. Mais lorsque l'émission est passée à l'antenne, aucune allusion à la philosophie éducative de Rudolf Steiner n'a été faite. À la place, Dow a parlé de sa célèbre fille et de son succès dans *Friends*. Ce soir-là, Aniston a appelé sa mère, furieuse de sa « trahison ». Les deux femmes ne se parlent plus depuis. La situation s'est envenimée par la suite lorsque Dow a publié « son témoignage », l'ouvrage intitulé *From Mother and Daughter to Friends*, un texte de piètre qualité la montrant sous son meilleur jour. Le livre ne dit rien de particulièrement négatif sur sa fille, mais il contient des passages gênants sur son enfance et dénigre ses amis – « une bande branchée », selon les dires de sa mère – au langage cru et au comportement excentrique. Le livre a rendu Aniston encore plus furieuse, et tout espoir de réconciliation semblait perdu.

Lorsque la troisième saison de *Friends* s'est achevée, Jennifer Aniston, superstar confirmée du petit écran, était célibataire depuis un bon moment. Elle avait entretenu au début de la diffusion de l'émission une brève liaison avec Adam Duritz, le chanteur principal du groupe Counting Crows. En 1997, elle s'est rendue à une rencontre arrangée avec Tate Donovan, pour qui l'idée d'une soirée romantique semblait au départ peu conventionnelle. « Il m'a dit que nous allions souper ensemble, alors je me suis rendue chez le coiffeur, s'est-elle remémoré. J'ai enfilé une super robe, puis il m'a conduite à l'aire de restauration d'un centre commercial. Plus tard, il m'a avoué qu'il l'avait fait pour voir si j'étais une fille snob. »

Donovan avait du mal à s'habituer à cette vie en vase clos avec sa célèbre copine, suivie partout par les paparazzi. Il a rompu un mois plus tard, mais les deux tourtereaux se sont bientôt remis ensemble, et Aniston s'est rendu compte que son copain se distinguait des hommes qu'elle avait déjà fréquentés à Hollywood. « C'est un gars gentil et bon, a-t-elle dit de Donovan. Je suis arrivée à un stade où je ne veux plus avoir affaire à des salauds. »

Leur liaison a duré plus de deux ans. Jennifer s'est même débrouillée pour qu'il apparaisse dans quelques épisodes de *Friends*, où il a tenu le rôle d'un amoureux de passage. Lorsque les épisodes furent filmés, leur relation dans la vraie vie était cependant un peu tendue. Donovan a donné plus tard un aperçu révélateur du style de vie d'Aniston à ce stade de sa carrière.

« Nous nous disputions quand je participais au tournage de *Friends*, a-t-il révélé en 2003. Nous étions déjà en train de nous éloigner l'un de l'autre. Notre séparation n'a pas eu lieu du jour au lendemain. C'était prévisible. Elle aime les hôtels cinq étoiles et le luxe ; j'aime les chambres d'hôtes et monter à vélo. C'est une description un peu sommaire, mais ça résume bien nos personnalités. » Son explication ne sonne toutefois pas juste et relève plus de l'amertume d'avoir été plaqué que de la réalité. Les gens de l'industrie de la télévision décrivent habituellement Aniston comme une personne terre-à-terre et accessible, pas une diva typiquement hollywoodienne accrochée aux choses matérielles.

Son mécontentement à la suite de sa séparation d'avec Aniston est peut-être dû à une autre raison. Les épisodes de *Friends* où Donovan apparaît ont été diffusés en avril 1998, le mois où Aniston est revenue de Londres et où elle est sortie officiellement avec Brad Pitt.

* * * *

L'épopée de *Thelma et Louise,* en 1991, a littéralement sorti Pitt de l'obscurité. Lorsqu'il a commencé à fréquenter Aniston en 1998, il était déjà une vraie star du cinéma. En 1992, Robert Redford l'a dirigé dans le film *Et au milieu coule une rivière*, où il incarnait un des deux frères adeptes de la pêche à la mouche. Dans ce film, Pitt livre une interprétation qui, aux dires du *Los Angeles Times,* « vient de lui assurer sa carrière », des éloges considérables pour un acteur qui pourrait se fier uniquement à son physique pour réussir. « C'est comme le tennis, a dit Pitt à propos de son travail avec Redford. Quand tu joues avec quelqu'un qui joue mieux que toi, ton jeu s'améliore. »

Deux ans plus tard, Pitt partageait la vedette avec Tom Cruise dans le film à gros budget *Entretien avec un vampire.* « J'ai détesté faire ce film, a-t-il dit plus tard à *USA Today.* Vraiment détesté ! J'ai adoré le voir, mais j'ai complètement détesté mon rôle. Mon personnage est déprimé du début à la fin. » Il n'a pas non plus aimé travailler avec Tom Cruise, qui a essayé de l'enrôler dans son église controversée. Pitt ne s'est pas laissé faire. « Il pensait que Cruise était un trou du cul superficiel, a raconté dix ans plus tard un membre de l'équipe. Il n'a pas caché son dédain et n'a jamais socialisé avec lui pendant le tournage. »

Le producteur du film, David Geffen, habituellement peu éloquent, a prédit à ce moment-là : « Brad est un des hommes les plus sexy et les plus talentueux au monde. Il va devenir un très grand acteur. » En effet, cette année-là, Pitt a obtenu sa première nomination aux Oscars pour son interprétation d'un malade mental fantasque dans le film de science-fiction *L'armée des douze singes*[27].

Cette même année, il est tombé amoureux de Gwyneth Paltrow, vingt-deux ans, qui incarnait sa femme dans le film à suspense *Seven*[28]. Au départ, elle aurait résisté à ses avances, persuadée qu'il était un autre don Juan hollywoodien. « Puis, j'ai eu le béguin pour lui, a-t-elle confié au *Los Angeles Times*. Je me suis dit : "Ça va pas ? Tu ne peux pas en pincer pour Brad Pitt. Contrôle-toi un peu." »

Pitt, par contre, semble avoir été très épris dès le départ. Lorsqu'il a reçu un Golden Globe pour son interprétation dans *L'armée des douze singes* en 1996, il a remercié Paltrow d'être « son ange ». Après l'avoir fréquentée durant une longue période, au cours de laquelle ils sont le couple glamour préféré de Hollywood, Brad Pitt l'a demandée en mariage en décembre 1996, alors qu'il tournait *Sept ans au Tibet* en Argentine. Les deux amoureux ont alors commencé de longues fiançailles publiques.

---

27. Titre au Québec : *Douze singes*.
28. Titre au Québec : *Sept*.

« Brad est le bon et il est à moi », s'est vantée Gwyneth. « Je ne peux pas attendre, mon vieux, a déclaré Pitt à *Rolling Stone*. Marcher jusqu'à l'autel, porter l'anneau, embrasser la mariée. Oh, ça va être super. »

Mais en juin 1997, la relation s'est terminée aussi abruptement qu'elle avait commencé. Brad Pitt a mis un terme aux fiançailles. Aucune explication n'a été donnée, mais apparemment, ce n'était pas à cause d'une autre femme. « Cela n'est pas dû à un événement en particulier », a dit son attaché de presse. Pitt, semble-t-il, n'était tout simplement plus amoureux.

Lorsque Jennifer Aniston et Brad Pitt ont commencé à se fréquenter sérieusement, ils venaient tous deux de sortir d'une longue relation. Cela ne semblait pas les affecter outre mesure, probablement parce que leurs amis semblaient tous convaincus qu'ils étaient faits l'un pour l'autre.

« Tu vois tes amies nouer un tas de différentes relations, mais je n'ai jamais été aussi sûre de son choix qu'avec Brad, s'est souvenue la meilleure amie de Jennifer Aniston, l'héroïne des *Dessous de Veronica* Kathy Najimy, à propos de l'instant où elle a su que Pitt était l'homme qu'il lui fallait. J'ai vu combien il l'aimait. Je suis rentrée chez moi et j'en ai pleuré. Avec lui, elle était complètement elle-même, et c'est tout ce que je souhaite à mes amies. »

Avant le mariage, l'ami de Pitt, James Gray, réalisateur de *Little Odessa*, a raconté au magazine *People* une soirée passée en compagnie du couple fiancé. Pitt essayait de cesser de fumer. « Ils finissent les phrases l'un de l'autre ; ils se ressemblent comme deux gouttes d'eau. Jennifer lui a dit de porter son timbre antitabac. Elle tente de lui faire abandonner la cigarette, mais elle-même fume. Il lui a dit : “Ne fume pas toi non plus, chérie !” et elle lui a répondu : “Arrête la cigarette en premier !” Ils sont parfaits ensemble. » Marcia Gay Harden, qui a joué aux côtés de Brad Pitt dans *Rencontre avec Joe Black*, a tenu des propos similaires : « Épouser Jennifer est pour lui ce qu'il y a de mieux. Être sexy, ce n'est pas juste une question d'être beau et célibataire. Il y a quelque chose de magnifique dans sa promesse de mariage. »

Après leur union en 2000, leurs amis ont continué à s'émerveiller publiquement sur la solidité de leur relation de couple. « Ils se rendent mutuellement heureux, c'est totalement manifeste », a déclaré Catherine Keener, une amie de longue date de Pitt, à *Rolling Stone*. Ils ne se séparaient que lorsque ce dernier devait tourner des scènes extérieures pour des films. L'éloignement, d'après des témoins, était dur pour tous les deux. Lorsque Pitt a dû passer cinq semaines à Real de Catorce, au Mexique, pour le tournage du film *Le Mexicain* avec Julia Roberts, le producteur Lawrence Bender a remarqué la tristesse de sa vedette sur le plateau. « Il semble vouloir rentrer chez lui. "Je dois voir Jen." Ils sont tellement amoureux, il n'y a rien à ajouter. »

Les membres de la distribution de *Friends* étaient tout aussi enthousiastes à propos du mariage de Jennifer et Brad, un visiteur régulier sur le plateau et également un invité vedette dans un épisode où il joue un ancien camarade de classe qui déteste Rachel. « Jennifer est une femme beaucoup plus sereine maintenant, comme toute femme dans une bonne relation, a remarqué Lisa Kudrow à un journaliste. Il n'y a pas grand-chose à dire à leur sujet, car il n'y a pas de problèmes. Leur relation est très mûre. Vous savez, comme quand vos grands-parents ont une certaine perspective de la vie ? Eh bien, ils l'ont déjà. »

Même si les efforts philanthropiques d'Aniston ne peuvent être comparés à ceux de sa future rivale, elle s'engage depuis longtemps dans plusieurs causes, notamment des associations caritatives pour enfants et la défense de l'égalité pour les gays et lesbiennes. Pitt, à l'époque de ce premier mariage, a également démontré de quoi il était capable en tant qu'activiste. Il a participé à la campagne pour l'élection présidentielle de 2004, dans le camp du démocrate John Kerry.

Même si chacun défendait ses causes respectives, le couple a donné son accord en 1994 pour mettre sa célébrité à contribution dans un mouvement international appelé *One Voice,* une campagne visant à unir les Israéliens et les Palestiniens dans un effort de rétablissement de la paix au Moyen-Orient. Peu après leur adhésion à cette initiative, Pitt et Aniston ont fait une déclaration commune sur leur engagement : « Les dernières années de conflit signifient qu'une génération de plus d'Israéliens et de Palestiniens vont grandir en se haïssant. Nous ne pouvons pas permettre que cela se produise. » Ils ont dit aux médias qu'ils pensaient que la plupart des gens de la région étaient pour la négociation d'un accord qui mettrait fin à la violence et croyaient qu'en faisant appel « aux gens ordinaires », les parties en conflit pourraient se réconcilier.

D'un point de vue personnel et professionnel, tout allait pour le mieux en ce début de 2005. Il ne manquait plus qu'un bébé.

Angie la philanthrope

Dans son brillant essai de 2006 *The Many Faces of Celebrity Philanthropy* (librement traduit : *Les dessous de l'engagement philanthropique des stars*), Joseph Epstein se souvient d'une vieille blague à propos d'une jeune vedette hollywoodienne qui demande à son impresario de lui trouver une cause charitable à laquelle s'associer afin de mousser sa célébrité. « Morty, tu dois me trouver ma propre association caritative. Bob Hope et Bing Crosby ont leur tournoi de golf. Doris Day travaille à la protection des animaux. Danny Thomas s'occupe du St. Jude's Children's Research Hospital, Jerry Lewis, de la dystrophie musculaire. Ça marche pour eux, Morty. Ça fonctionnera pour moi aussi. Attelle-toi à la tâche tout de suite. » Une semaine plus tard, l'imprésario le rappelle. « Tu as trouvé mon association caritative ? » lui demande la jeune vedette. « Ça n'a pas été facile, Rick, répond l'imprésario. Presque tout était pris. » Son interlocuteur demande, plein d'espoir : « Que restait-il pour moi ? » Après un bref silence, l'imprésario se racle la gorge et dit : « L'acné. »

Le but de la blague, explique Epstein, est de montrer à quel point la charité des célébrités est artificielle, de dévoiler « le côté insignifiant du geste, qui le réduit à un simple avancement de leur carrière. Cela est-il injuste ? Bien sûr que oui. Pour ma part, je ne suis pas prêt à dire que Doris Day n'aime pas réellement les chiens errants ni à me moquer, comme le comédien Lenny Bruce l'a fait, en disant que Jerry Lewis a intérêt à travailler pour la dystrophie musculaire puisqu'il l'a causée ».

En fait, comme tout attaché de presse vous le dira, la philanthropie hollywoodienne – associant un acteur à une cause humanitaire – est une des méthodes les plus efficaces pour réparer ou modifier une image entachée. Pas surprenant que le magazine *Time* ait lancé une remarque moqueuse en apprenant en août 2001 qu'Angelina Jolie avait été nommée porte-parole de l'Organisation des Nations Unies (ONU). « Ricanez si vous le voulez – on vous comprendra – mais Angelina vient d'obtenir le titre d'ambassadrice de bonne volonté des Nations Unies pour les réfugiés », a écrit le magazine, mentionnant qu'un bébé avait récemment hurlé de terreur en Sierra Leone à la vue de l'actrice, apparemment en raison de sa peau blanche. « Ça n'a certainement rien à voir avec ce flacon contenant le sang de son mari Billy Bob Thornton qu'elle porte autour de son cou », continue le *Time*. Mais les moqueries n'ont pas fait long feu. Les gens ont commencé à se rendre compte que Jolie n'était pas une célébrité sans scrupule. Elle paraissait sincère en adoptant une cause chère à son cœur.

Tout a commencé lorsqu'elle s'est rendue en avion au Cambodge à la fin de 2000 pour filmer *Lara Croft : Tomb Raider*. Sur place, on lui a fait découvrir la situation désespérée des réfugiés à la frontière thaïlandaise ; elle a exprimé son choc en voyant les conditions auxquelles ils étaient réduits. « En grandissant aux États-Unis, j'ai appris l'histoire de l'Amérique, et c'était tout, a-t-elle raconté à *Scotsman*. Je me concentrais sur ce qui nous touchait, pas sur le reste de la planète. »

Jolie a longtemps admiré Audrey Hepburn, actrice légendaire qui, vers la fin de sa grande carrière, fut désignée porte-parole de l'UNICEF par les Nations Unies. Elle a alors voyagé sans relâche, consacrant les dernières années de sa vie à aider les enfants démunis des nations les plus pauvres du monde. Contrairement à Hepburn, connue pour son engagement soutenu envers les enfants, Jolie n'aurait pas été sollicitée par l'ONU ; ce serait elle qui leur aurait offert ses services. Angelina a affirmé qu'elle a tout simplement appelé l'organisation pour obtenir des renseignements et qu'on lui a alors offert de s'y joindre. D'autres, y compris l'ONU elle-même, ont déclaré que c'est l'actrice qui a proposé de devenir ambassadrice.

Plusieurs histoires contradictoires circulent aussi sur la manière dont elle a commencé à s'intéresser à la cause des réfugiés. Au départ, elle a déclaré que son voyage au Cambodge lui avait ouvert les yeux sur cette situation. Mais en 2003, durant la promotion de son nouveau film *Sans frontière*[29], elle a accordé une interview à *Newsweek* dans laquelle elle présente une version des faits différente. Elle a expliqué que son intérêt remontait à 1998, quand ce film portant sur les travailleurs humanitaires internationaux était en conception, mais peinait à trouver du financement :

« J'ai lu le scénario de *Sans frontière* il y a cinq ans. J'ai été très touchée par son contenu et j'ai éprouvé de la curiosité pour un monde duquel je ne connaissais rien. J'ai senti qu'il fallait que je me cultive, ce que nous devrions tous faire en vieillissant. Lorsque j'ai appris que le film n'aurait pas lieu, j'étais très triste parce que je voulais explorer cette cause et savoir de quoi il retournait. Puis, j'ai compris que je pouvais m'instruire moi-même et voyager dans ces régions pour voir les choses de mes propres yeux. J'ai donc lu de nombreux livres différents sur plusieurs organisations et sections de l'ONU. J'ai été choquée d'apprendre que vingt millions de personnes de nos jours ont été déplacées loin de chez elles. Je n'arrivais pas à comprendre comment cela pouvait être possible. J'ai appelé [le bureau de l'ONU] à Washington et, à cette époque-là, j'avais entendu des histoires sur la Sierra Leone. Cela a donc été le premier endroit

29. Titre au Québec : *Au-delà des frontières.*

dont nous avons discuté, afin de m'y envoyer pour que je puisse observer et aider. »

Quelle que soit sa première motivation, son nouvel intérêt pour les questions humanitaires semblait sincère, surtout lorsqu'elle a joint le geste à la parole en donnant un million de dollars et en voyageant dans des zones dangereuses en Afrique et en Asie pour s'instruire par elle-même sur les différentes situations à risque.

Par le passé, l'ONU a nommé seulement des célébrités non controversées au poste d'ambassadeur – des gens comme Danny Kaye, Richard Burton, Sophia Loren et Mohamed Ali. Maintenant, on désigne des célébrités comme Angelina Jolie ou Geri Halliwell des Spice Girls pour interpeller une nouvelle cible : les adolescents. « Les jeunes perçoivent souvent l'ONU comme une bureaucratie ennuyeuse », a expliqué un porte-parole.

À la cérémonie officielle de sa nomination en tant qu'ambassadrice de bonne volonté, Jolie a fondu en larmes en décrivant ses rencontres avec des réfugiés afghans durant un récent voyage au Pakistan. « C'est encore très difficile d'en parler. C'est la pire situation, je pense, parce qu'on ne voit pas la lumière au bout du tunnel quant aux besoins de ces gens, a-t-elle dit avec émotion. Mais en m'asseyant avec ces femmes et ces enfants, j'ai été surprise par nos discussions. Ils étaient tellement aimables, chaleureux, drôles, généreux, travailleurs et reconnaissants pour la moindre aide reçue. Pourtant, ils vivent une situation à laquelle probablement personne dans cette salle ne pourrait survivre plus de quelques jours. »

Alors qu'un an plus tôt, Jolie parlait à n'en plus finir de sa vie sexuelle avec Billy Bob Thornton, ses déclarations portaient maintenant sur un tout autre sujet. Le bavardage constant sur le sexe, le sang et les sous-vêtements avait été remarquablement efficace pour détourner l'attention de sa supposée relation incestueuse avec son frère, mais Angelina Jolie était presque devenue une caricature. On ne lui offrait plus le genre de rôles sérieux qui lui avait fait gagner trois Golden Globes. À la place, on cherchait à tirer profit de l'image qu'elle s'était créée dans *Lara Croft : Tomb Raider* en lui proposant des films d'action médiocres. Son équipe était inquiète face à la perte de vitesse de sa carrière ; de nombreuses sources bien informées ont raconté qu'on lui a demandé de transformer son image ou au moins d'arrêter les bouffonneries en public avec Thornton.

Même s'il est incontestable qu'elle avait un intérêt réel pour la cause humanitaire qu'elle défendait, elle étalait maintenant sa nouvelle passion dans presque toutes ses entrevues. Elle a commencé à rejeter publiquement les valeurs matérielles de Hollywood et à parler de la manière dont elle pouvait utiliser sa renommée pour aider les autres. Elle a expliqué comment ses voyages à l'étranger l'avaient aidée à poser un nouveau regard sur sa célébrité. « Vous savez, ce qui est drôle, c'est que je pensais que j'allais revenir très fâchée ou distante, a-t-elle dit de son premier voyage international au nom de l'ONU. Mais au lieu de ça, je me suis sentie mal pour les gens qui se concentrent uniquement sur les biens matériels ou la gloire. Je leur souhaite juste de ne pas se laisser absorber par ces choses et espère qu'ils comprendront que ces dernières n'ont aucune importance par rapport à la situation du tiers-monde. »

En 2001, à son retour d'un voyage en Afrique pour l'ONU, elle a déclaré aux journalistes qu'elle avait vécu une transformation. « Je suis passée de la jungle africaine à un vol en première classe pour rentrer chez moi, s'est-elle souvenue. Même si j'étais toute sale, je me sentais vivante et plus belle que jamais. Et soudain, j'étais entourée par des gens qui me connaissaient en tant qu'actrice. Je pense que mon apparence les a tous rebutés, eux qui portaient un costume et du maquillage tout en lisant des magazines. J'ai eu la nausée en feuilletant des articles sur des fêtes, des critiques de films, qui possède ceci ou qui est le plus cela. Je n'avais plus aucune envie de retourner dans ce monde. »

Les médias ont aussi commencé à remarquer que Thornton et elle passaient moins de temps ensemble. Lorsqu'ils sortaient en public, le sujet de leur vie sexuelle n'était plus à l'ordre du jour, à la grande déception des chroniqueurs et des paparazzi. Par le passé, ils avaient toujours pu compter sur le couple pour leur faire part de quelque chose de haut en couleur.

Billy Bob Thornton s'est plaint plus tard qu'à son retour du tournage de *Tomb Raider*, Jolie avait changé, qu'elle était différente de la fille excentrique qu'il avait épousée. Angelina a par la suite décrit l'attitude de plus en plus méfiante de son mari envers ce qu'il considérait comme un passe-temps. « Il me disait : "Pourquoi fais-tu ces choses-là ? Qu'est-ce que tu penses pouvoir accomplir ?" » Il n'était pas le seul à se poser des questions. « Certains de mes amis pensaient que c'était un peu fou de vouloir quitter le confort et la sécurité de ma maison. Mais il fallait que je croie pouvoir accomplir quelque chose. Ils me demandaient : "Pourquoi ne peux-tu pas leur venir en aide de chez toi ? Pourquoi faut-il que tu voies par toi-même ? Je ne savais pas quoi leur répondre." »

Pendant ce temps, Thornton se consacrait davantage à son propre passe-temps, le groupe de musique blues avec lequel il enregistrait durant les week-ends, passant souvent plus de temps avec ses collègues qu'avec sa femme. Les deux époux avaient cessé de porter leur tristement célèbre amulette remplie de sang.

Les parents de Jolie, tous deux très engagés socialement, la soutenaient davantage. Ils étaient néanmoins très inquiets pour sa sécurité, surtout avant son voyage en Sierra Leone et en Tanzanie en février 2001. Juste avant son départ pour l'Afrique, Jon Voight a appelé le Haut Commissariat des Nations Unies pour les réfugiés et a tenté de les persuader d'annuler le voyage de sa fille. Dans le journal relatant son voyage, *Notes From My Travels* (librement traduit : *Remarques sur mes voyages*), Angelina Jolie a décrit sa réaction lorsqu'elle a appris ses agissements en coulisse. « J'étais fâchée contre lui, a-t-elle écrit, mais je lui ai dit que je savais qu'il m'aimait et qu'en tant que père, il avait essayé de me protéger. Nous nous sommes étreints et souri. »

Marcheline Bertrand n'en était pas moins soucieuse, a avoué Jolie dans son journal : « Ma mère me regardait comme si j'étais encore une fillette. Elle m'a souri à travers ses yeux baignés de larmes. Elle était inquiète. En me serrant dans ses bras au moment des adieux, elle m'a transmis un message particulier de la part de mon frère, Jamie. "Dis à Angie que je l'aime, et que si jamais elle éprouve de la peur, de la tristesse ou de la colère, qu'elle regarde le ciel nocturne, cherche la deuxième étoile sur la droite et la suive jusqu'au matin." C'est tiré de l'histoire de *Peter Pan*, une de nos préférées. »

Que ses voyages aient été à l'origine de tensions dans son mariage ou qu'elle ait consciemment essayé de se dissocier de leurs anciennes bouffonneries, Jolie était désormais rarement vue en public avec Thornton, sauf pour les grands événements. Maintenant, au lieu de parler aux journalistes de leurs pitreries sexuelles, elle racontait qu'elle s'impliquait auprès de la progéniture de son mari. « Billy Bob a deux superbes enfants, a-t-elle dit à un magazine. Ils vont bientôt avoir sept et huit ans. Ils sont encore jeunes, et ils vivent avec leur mère… Elle est merveilleuse, car elle me permet d'apprendre à mieux les connaître. Nous voulons passer de plus en plus de temps avec eux. »

Les médias ont mordu à l'hameçon. Les propos sur les enfants de son conjoint ne pouvaient pas laisser les journalistes indifférents. Ils ont bientôt commencé à lui demander si elle-même souhaitait devenir mère. Au départ, elle répondait évasivement, puis a fait allusion à une adoption dans le futur. « Nous formons déjà une famille, a-t-elle dit à un journaliste curieux. Mais quand les petits seront plus vieux, je pense que nous adopterons pas mal d'enfants. »

En juillet 2001, après sa signature pour un deuxième volet des aventures de Lara Croft, le correspondant de *E ! News Daily*, Greg Agnew, lui a demandé si *Tomb Raider* était en train de devenir une « franchise ». Sa réponse était révélatrice. « Il y a une pause d'environ deux ans entre les deux tournages au cas où [...] je tomberais enceinte. » Lorsque Agnew lui a demandé si elle envisageait une grossesse, elle lui a répondu : « Non, je n'ai jamais voulu tomber enceinte. J'ai toujours voulu adopter. » Curieux de savoir si elle porterait son choix sur les États-Unis ou sur l'étranger, il a insisté, mais elle a refusé de donner des détails. « Nous en avons beaucoup parlé, et je suis sûre que vous l'apprendrez, tout le monde le saura », a-t-elle dit, énigmatique.

Cette question la préoccupait beaucoup à l'époque. D'après un ami de Thornton, Angelina s'était intéressée à l'adoption aux États-Unis, mais étant donné son passé controversé, cela semblait peu probable. « Je pense qu'elle en a parlé à un avocat, à un moment donné, a-t-il révélé. Elle voulait un nouveau-né, pas un enfant plus vieux, et on lui a répondu qu'elle et Billy auraient du mal à être acceptés comme parents potentiels à cause de leurs problèmes. »

En effet, quand Jolie a annoncé publiquement pour la première fois qu'elle considérait l'adoption, elle sortait d'un établissement psychiatrique où elle avait passé soixante-douze heures. Thornton lui-même avait eu des problèmes de santé mentale par le passé, et ils avaient tous les deux reconnu avoir abusé de stupéfiants. En plus de tout cela, la femme précédente de Thornton l'avait accusé de violence physique et psychologique extrême. Sans doute n'étaient-ils pas les candidats idéaux pour élever un enfant.

J'étais tout de même curieux de savoir si ces questions les excluaient réellement du processus d'adoption. J'ai donc décidé de vérifier par moi-même. Me faisant passer pour un homme voulant adopter un enfant, car sa femme avait des problèmes d'infertilité, j'ai approché un organisme appelé Adoption Network Law Center, spécialisé dans « l'aide à l'adoption légale ».

J'ai rencontré une agente du nom de Robin Elcott, spécialisée dans les adoptions de nouveaux-nés aux États-Unis. Je me suis présenté sous le nom de Billy Bob Jackson et lui ai expliqué que ma femme et moi voulions adopter, mais que nous craignions que nos problèmes personnels nous en empêchent. Je lui ai raconté que j'avais été mis en observation dans un service psychiatrique durant soixante-douze heures en raison de problèmes de santé mentale et que ma femme et moi avions tous les deux par le passé été aux prises avec des problèmes de drogues et d'alcool, mais que nous n'en consommions plus désormais. Est-ce que cela nous empêcherait d'adopter ?

« C'est sûr que vos chances seraient moindres, a-t-elle expliqué. Il vous faudrait passer l'évaluation du foyer, qui examine en détail vos ressources financières, physiques et émotionnelles. » Mais elle a souligné que nous ne serions pas automatiquement exclus. « Si vous aviez déjà été arrêtés, ce serait bien différent, a-t-elle poursuivi. Mais c'est du cas par cas, et on regarde votre situation actuelle avant d'émettre une recommandation. »

Je lui ai demandé si mes chances seraient meilleures en adoptant à l'étranger. « Pas forcément, a-t-elle répondu. Cela dépend du pays. Dans certains endroits, les problèmes de santé mentale excluent officiellement tout candidat, alors vous auriez de meilleures chances ici que dans ces pays. » Même pour une adoption à l'étranger, a-t-elle expliqué, une étude du foyer serait nécessaire.

En août 2001, Angelina Jolie est apparue dans le prestigieux talk-show de CNN, *Larry King Live*, où on lui a demandé quels étaient ses plans pour l'avenir. Encore une fois, elle a laissé entendre qu'elle pensait à l'adoption, mais cette fois-ci, elle semblait s'intéresser aux orphelins, sous-entendant qu'elle se tournerait vers un pays étranger où, contrairement aux États-Unis, les orphelinats existaient encore :

« KING : Vous voulez une famille ?

JOLIE : Oui.

KING : Vous y travaillez ? Aimeriez-vous en avoir une bientôt ? Avez-vous pensé à un moment en particulier ?

JOLIE : Eh bien, j'ai toujours voulu adopter. J'ai toujours pensé que c'était…

KING : Vous ne voulez pas accoucher ?

JOLIE : Ce n'est pas ça. C'est juste que… Je pense que certaines personnes ont des vocations. Certaines sont faites pour accoucher de leur propre enfant et c'est merveilleux. Et d'autres… D'aussi loin que je me rappelle, après avoir entendu parler d'enfants qui ont besoin d'un foyer ou d'orphelins ou autres, vous savez, pas forcément des bébés, mais de jeunes enfants […] j'ai toujours su que j'aimerais [un enfant adopté] comme mon propre enfant. Je serais donc une bonne mère adoptive. »

Le Cambodge, où Jolie avait filmé *Tomb Raider*, est un des pays qui n'exclut pas automatiquement les parents adoptifs en raison de problèmes de santé mentale. Angelina a souvent dit que pendant ces semaines de tournage, elle était tombée amoureuse des gens de la région. Il était évident qu'elle projetait d'adopter un orphelin cambodgien. Au départ, Billy Bob Thornton donnait l'impression de partager son envie, l'accompagnant même en septembre 2001 pour remplir les formulaires exigés par le Service d'immigration et de naturalisation des États-Unis afin d'entamer la procédure d'adoption à l'étranger.

Le couple a passé son évaluation du foyer et annoncé à ses amis qu'il voyagerait au Cambodge pour visiter un orphelinat et choisir un nouveau bébé. « Quelqu'un m'a dit que si tu décides d'adopter un orphelin, il vaut mieux le faire dans un pays que tu aimes, car ce sont les seules racines que tu vas partager avec lui », a expliqué plus tard Jolie à propos de sa décision d'adopter dans ce pays en particulier.

Mais le Cambodge présentait aussi un autre avantage, du moins à ce moment-là : les critères d'adoption étaient relativement souples. D'après la Ligue cambodgienne pour la promotion et la défense des droits de l'homme (LICADHO), une organisation non gouvernementale mondialement respectée, la corruption et la pauvreté avaient attiré dans ce pays de « riches étrangers sans enfants » ; des milliers de bébés étaient adoptés à la hâte pour aboutir surtout aux États-Unis.

En novembre 2001, l'ONU a annoncé que Jolie se rendait en Asie pour visiter les réfugiés rapatriés à la frontière entre le Cambodge et la Thaïlande. Mais selon le photographe local Chor Sokunhea : « Nous savions tous pourquoi ils étaient là : pour adopter un bébé dans un orphelinat où elle avait été pendant son tournage. » Elle s'est en effet rendue jusqu'à un établissement de Battambang, et à la fin de sa visite de deux heures, Jolie avait trouvé son garçon. C'était le dernier enfant qu'elle avait vu, un bébé de trois mois du nom de Rath Vibol, originaire selon ses dires d'un « village très pauvre ». « Je suis entrée dans l'orphelinat en me disant que je ne choisirais pas le plus beau bébé, mais celui qui m'interpellerait le plus, a confié Jolie plus tard. Il dormait, puis il s'est réveillé et il m'a souri. Dès que j'ai vu son expression, j'ai senti que cet enfant était à l'aise avec moi. Il semblait bien dans mes bras. »

Avant que l'adoption puisse avoir lieu et que les nouveaux parents puissent emmener le garçon – que Jolie avait rebaptisé Maddox Chivan – aux États-Unis, il fallait s'occuper de la paperasse, dont la difficile obtention d'un visa américain pour le ramener à la maison. Ce processus s'est soudainement compliqué en décembre quand des rapports ont révélé que des réseaux illégaux au Cambodge achetaient des bébés à des mères dans la misère pour les revendre à des orphelinats. « La clé, c'est d'avoir de l'argent, a expliqué Naly Pilorge, directeur adjoint de la Licadho. Les Américains payent de dix à vingt mille dollars [pour un enfant] dans un pays où le salaire moyen est de deux cent cinquante dollars par an… Ça revient à environ sept millions et demi de dollars par an, tout cela sous le couvert de l'aide humanitaire. »

Cette nouvelle a été relayée dans les médias, incitant même le gouvernement américain à interdire l'adoption d'orphelins cambodgiens à ses citoyens. Une exception a cependant été faite pour les demandes déposées avant décembre ; elles seraient traitées au cas par cas. Cela signifiait que Jolie et Thornton étaient encore dans la course.

Moins de trois mois plus tard, Jon Voight, fraîchement nominé aux Oscars pour son interprétation de Howard Cosell dans le film biographique *Ali*, a participé à un déjeuner tenu en l'honneur des finalistes. À la fin du repas, il a laissé échapper la nouvelle. « Angelina a adopté un bébé cambodgien. Je suis aujourd'hui grand-père », a-t-il dit. En effet, les autorités cambodgiennes avaient soudainement approuvé l'adoption, et bébé Maddox avait été amené à une Angelina Jolie ravie, en Namibie où elle filmait *Sans frontière*.

Pendant ce temps, à la grande frustration des nouveaux parents, l'ambassade américaine au Cambodge n'avait toujours pas délivré un visa à Maddox pour son entrée aux États-Unis. « Je suis certain que Thornton et Jolie savent tous les deux qu'ils doivent suivre la procédure appropriée conformément à la loi américaine avant d'amener l'enfant aux États-Unis », a dit l'ambassadeur américain au Cambodge, Kent Wiedemann.

Finalement, à la fin d'avril 2002, l'unité des enquêtes spéciales de l'ambassade a approuvé l'adoption et Maddox a été autorisé à voyager à destination de son pays d'adoption. Puis, peu après son retour, la nouvelle mère a soudain été prise dans la tourmente d'un autre scandale sur l'adoption au Cambodge. En juin, des organismes pour les droits de la personne à Phnom Penh, la capitale du pays, ont allégué que Maddox n'était pas du tout un orphelin, qu'il avait été « acheté » à sa mère démunie. Tout aussi alarmantes étaient les allégations que son adoption avait été accélérée par des « pots-de-vin importants » payés à des fonctionnaires haut placés du gouvernement. « Je suis sûre que cet enfant n'est pas un vrai orphelin ou qu'il n'a pas été abandonné », a commenté la Dr Kek Galibru, présidente de la Licadho, au *Daily Mail* de Londres. On affirmait que la mère de Maddox avait reçu environ cent dollars en échange de son fils, une petite fortune pour une pauvre Cambodgienne.

L'adoption de Maddox avait été arrangée par la femme d'affaires américaine Lauryn Galindo, ancienne professionnelle de danse hula née à Hawaï, travaillant comme agente aux services d'adoption de Phnom Penh depuis le début des années 1990. En mars, Galindo avait personnellement amené Maddox à Jolie à Walvis Bay, Namibie. Galindo a démenti plus tard avoir payé pour des enfants ou être impliquée dans des activités illégales.

« Lorsque les gens me demandent ce que je fais, je ne réponds pas de l'adoption, mais du travail humanitaire, a-t-elle dit au journal *Cambodia Daily*. Je ne suis pas venue ici pour voler des enfants. Je fais ce que je peux pour aider. »

Face aux questions insistantes, elle a admis que la moitié des honoraires totalisant neuf mille dollars réclamés aux couples américains pour la procédure d'adoption était donnée aux fonctionnaires du gouvernement. Elle a nié que cela revenait à les soudoyer. « C'est correct de donner des pourboires, a-t-elle expliqué. C'est normal, parce que ces gens-là ne peuvent pas vivre de leur salaire… Je suis vraiment contente de partager la richesse. » Interrogée par les journalistes sur la controverse, Jolie a affirmé que l'adoption était légitime et a soutenu que Thornton et elle avaient engagé des détectives privés pour établir son ascendance familiale. Elle n'a cependant jamais publié les résultats de l'enquête ni les documents qu'on lui avait remis sur les origines du petit.

En coulisse, Jolie a immédiatement engagé une équipe d'avocats pour se battre contre un éventuel retour forcé de Maddox au Cambodge comme l'avait laissé entendre le gouvernement américain. « Je ne volerais jamais un enfant à sa mère, a-t-elle insisté. Je peux comprendre à quel point ça doit être affreux. Maddox est mon bébé, il reste près de moi tout le temps, et je pense que j'ai tant à lui donner. Je ne peux pas m'imaginer vivre sans lui, pas plus que je ne peux m'arrêter de respirer. » Ses efforts semblaient avoir porté leurs fruits, et aucune autre mesure n'a été prise contre elle.

Deux ans plus tard, cependant, alors que les allégations étaient oubliées depuis longtemps, l'agente des services d'adoption engagée par Jolie, Lauryn Galindo, a discrètement plaidé coupable à la Cour fédérale des États-Unis pour fraude et blanchiment d'argent dans la falsification de documents pour obtenir des visas à des enfants cambodgiens soi-disant orphelins.

Jusqu'à aujourd'hui, on ne sait pas avec certitude si Maddox faisait partie de ces bébés pour lesquels elle avait falsifié des papiers, mais Jolie n'a jamais été formellement impliquée dans le cas.

L'inculpation de Galindo concernait en fait uniquement les adoptions ayant eu lieu entre 1997 et 1999, plus de deux ans avant qu'elle aide Jolie à recueillir Maddox. Mais cela donne un aperçu intéressant de sa manière d'opérer. Dans un cas de 1998, d'après les accusations, Galindo a envoyé par fax à sa sœur le dossier médical d'un enfant à être adopté où elle avait écrit une remarque à la main : « Père mort, mère très pauvre. » Quatre mois plus tard, elle a soi-disant demandé aux parents adoptifs de donner cent dollars à la mère biologique et de faire un don de plus de trois mille dollars à l'orphelinat où se trouvait l'enfant.

Ce fait n'est certes pas anodin, car en pleine procédure d'adoption, Jolie a annoncé qu'elle faisait elle aussi une importante donation à l'orphelinat. « Avant de partir avec Maddox, j'ai décidé de venir en aide à tout l'établissement, a-t-elle expliqué à l'époque. Je ne peux pas ramener tous ces enfants, mais je peux m'assurer que la vie sera meilleure pour bon nombre d'entre eux. » Par la suite, les gens se sont demandé si sa contribution avait été exigée pour pouvoir adopter l'enfant.

Quel effet pourrait avoir un scandale de trafic de bébés sur la nouvelle image d'actrice philanthrope et de mère de famille d'Angelina Jolie ? Quatre jours seulement après la révélation du scandale d'adoption et du rôle qu'y tenait Galindo par le journal américain *Boston Globe*, Jolie a encore une fois habilement changé de sujet en annonçant subitement sa séparation d'avec Thornton.

« Il faut le reconnaître, a dit une attachée de presse hollywoodienne en riant. Il y a beaucoup de coïncidences dans ce mariage. Ça a commencé avec les rumeurs de baise entre

Angelina et son frère, et ça s'est terminé lorsqu'elle était sur le point d'être accusée d'avoir acheté un bébé. Elle s'en est sortie à chaque fois sans une égratignure, et les médias ont joué son jeu à deux reprises. C'est comme un tour de magie : le truc se fonde sur la façon de détourner l'attention. Angelina maîtrise la magie à la perfection. J'aimerais être à moitié aussi douée qu'elle dans mon métier. Elle est probablement la relationniste la plus talentueuse de la planète. »

L'attachée de presse n'a toutefois pas accordé tout le mérite à l'actrice. « Mon intuition me dit que le vrai génie, c'est Geyer, a-t-elle supposé. C'est son rayon. Il s'occupe bien d'elle. Elle se vante de ne pas avoir besoin d'attaché de presse et elle a raison. Elle a Geyer. » Elle faisait référence à Geyer Kosinski, l'imprésario de longue date de Jolie, une des personnes qu'elle a remerciées à la soirée des Oscars, qui l'a aidée à traverser de nombreuses crises en endossant tour à tour les rôles de garde-fou et de porte-parole tout en limitant les dégâts.

La personne qui a réussi à éviter que le scandale d'adoption ternisse la réputation de Jolie était certainement très habile. À part le titre du *New York Post* : « Angelina a-t-elle acheté son bébé ? », cette histoire a pratiquement été ignorée aux États-Unis, et la plupart des Américains méconnaissent son implication dans cette situation potentiellement dévastatrice.

Pendant ce temps, les détails concernant sa séparation ont été divulgués. Encore une fois, Angelina Jolie allait s'en sortir indemne, alors que Billy Bob Thornton passait pour un rustre insensible, n'apportant aucun soutien aux efforts de sa femme pour sauver le monde. Au départ, Jolie a expliqué qu'ils avaient tout simplement emprunté des chemins différents. « Ce qui n'a pas fonctionné, c'est qu'il se concentrait sur sa musique alors que je lisais à l'étage. J'ai traversé une période de ma vie où je m'intéressais davantage à l'actualité, à d'autres pays et à devenir plus active politiquement. Je disais : “OK, tu vas travailler sur ta chanson et je vais aller à Washington. Nous nous verrons lundi.” Puis, je revenais et nous ne discutions ni de ce qu’il avait écrit en studio ni de ce que j’avais appris à Washington. Deux semaines plus tard, c’était : “OK, je m’en vais en Sierra Leone et en Tanzanie…” »

Bientôt, ses accusations se sont faites plus dures. « Il n’a jamais visité un camp de réfugiés, a-t-elle dit à *US Weekly* en juillet 2002. Je lui ai demandé de venir, mais il a choisi de ne pas m’accompagner. Tu découvres l’identité d’une personne par son comportement. Et parfois, ce qu’elle fait te blesse. »

Les déclarations publiques de Thornton assurant qu’il comptait élever Maddox avec Jolie n’étaient en fait qu’un écran de fumée ; Angelina avait seulement inscrit son propre nom sur les papiers d’adoption. C’était un indice que le mariage était terminé depuis un certain temps déjà. Lorsque la nouvelle de leur séparation fut rendue publique, les deux époux n’avaient été vus ensemble en public que quatre fois au cours des cinq mois précédents, même si Thornton avait accompagné sa femme au Cambodge pour choisir Maddox et en Namibie pour le transfert du bébé. Angelina avait vu son mari pour la dernière fois le 3 juin, le jour précédant son vingt-septième anniversaire, a-t-elle révélé à *US Weekly*. Ils s’étaient fortement disputés. « Ce n’était pas beau à voir », a-t-elle lancé. Depuis lors, elle ne lui avait plus reparlé. Jolie a officiellement demandé le divorce le 17 juillet 2002.

* * * *

Moins d’un mois après la fin de cette relation, un autre homme qu’elle aimait a mis son monde sens dessus dessous. Au début d’août 2002, Jon Voight a appelé les producteurs d'*Access Hollywood* et leur a demandé s'il pouvait paraître à l'émission pour envoyer un message à sa fille. Le lendemain soir, ses propos ont choqué l'Amérique. S'effondrant en larmes, Voight a déclaré, ému : « J'ai essayé de communiquer avec ma fille et de l'inciter à trouver de l'aide, mais j'ai échoué. Je suis désolé, vraiment désolé. Je n'ai pas cherché à comprendre et à traiter les problèmes mentaux sérieux dont elle a discuté si candidement avec la presse au cours des années. Mais en coulisse, j'ai absolument tout essayé. Vous pouvez être sûrs que ça a été ma priorité. Il y a de vrais symptômes de problèmes sérieux [...] d'une maladie réelle. Je ne veux pas regarder en arrière et me dire que je n'ai pas fait tout ce que j'ai pu. »

Il a alors décrit un incident survenu alors que Jolie finissait le tournage d'*Une vie volée*. « Je suis allé à New York, pour être avec elle, essayer de la ramener et de l'aider. Elle m'a dit : "Tu ne peux pas m'aider ! Tu ne peux rien contre ma douleur !" et j'ai senti sa détresse, vous savez, et je lui ai dit : "Angie, on peut t'aider. On peut te trouver de l'aide pour ça." »

Il a accusé les gens de l'entourage de sa fille de ne pas avoir réussi à lui fournir l'assistance dont elle avait tant besoin. « Lorsque les affaires vont bien, tout le monde veut en profiter, personne ne souhaite faire des ajustements, et j'en suis très fâché. Je lui ai demandé de me prêter main-forte à de nombreuses reprises, mais il s'est retourné contre moi. »

Il parlait bien sûr de Geyer Kosinski, qui en juillet avait demandé à un garde du corps de Jolie d'empêcher Voight de la serrer dans ses bras à l'occasion d'un gala célébrant le quatre-vingt-dixième anniversaire des studios Paramount. Dans une tentative pour discréditer l'acteur, quelqu'un a communiqué une fausse nouvelle aux médias selon laquelle les gardes du corps avaient empêché Voight de malmener sa fille, même si de nombreux témoins ont réfuté cette affirmation.

Jon Voight avait terminé cette entrevue choquante en disant que ce qui lui brisait le plus le cœur, c'était de ne pas pouvoir voir son petit-fils adoptif et qu'il savait que ses propos risquaient de compromettre ses futures relations avec le garçon. « Je ne réclame rien, bien sûr, a-t-il dit en fondant en larmes de nouveau. Je veux juste serrer mon bébé dans mes bras et la protéger… Au moins, elle sait que quelqu'un essaie de l'aider. »

Le lendemain, Jolie a fait une déclaration succincte : « Je ne veux pas rendre publiques les causes de ma mauvaise relation avec mon père. Après toutes ces années, j'ai décidé que sa présence ne m'était pas bénéfique, surtout depuis que je suis responsable de mon enfant. » La mère de Jolie s'est tout de suite portée à la défense de sa fille. « Je suis choquée, a dit Marcheline Bertrand. Angelina n'a aucun problème psychologique. Elle rayonne de santé, tant mentalement que physiquement. »

De nombreuses personnes, y compris celles qui connaissaient bien la famille, étaient déroutées par ce drame familial inattendu. Un ami de Voight qui l'avait aidé dans ses œuvres de bienfaisance a déclaré en 2007 que ce dernier avait toujours refusé de lui raconter ce qui avait déclenché la querelle. « Elle ne semble pas avoir été causée par un événement en particulier. Je sais qu'Angie était en rogne parce que son père avait vendu la mèche de l'adoption de Maddox à la presse avant qu'elle ait pu l'annoncer elle-même, mais c'était juste une petite brouille. Ils se sont toujours chamaillés de manière bon enfant et elle l'a parfois réprimandé, mais franchement, ils s'entendaient bien. Nous [ses amis] avons toujours supposé qu'il avait découvert quelque chose sur elle qui l'avait déboussolé, mais nous n'avons jamais su quoi. Ça le rendait triste. Il aimait ses enfants et il les a perdus tous les deux. Jamie l'a mal pris. Et Jon était tellement content de rencontrer son petit-fils. Il parlait de la technique pour changer les couches ; il espérait ne pas l'avoir oubliée. »

La querelle était encore plus surprenante pour ceux qui avaient suivi de près la carrière de Jolie. Ils savaient très bien que, contrairement aux dernières allégations des médias, Angelina et son père ne s'étaient jamais brouillés auparavant. Les constantes déclarations publiques de l'actrice au cours des années montraient qu'elle était proche de lui. Elle avait répété à maintes reprises combien elle l'aimait, et dans les entrevues, le qualifiait toujours de « super père ». Elle avait toujours fait savoir qu'elle n'aimait pas qu'on s'enquière de sa qualité de fille de Jon Voight, parce qu'elle ne voulait pas qu'on la compare à lui, mais elle n'avait jamais hésité à dire combien elle l'appréciait.

Ils se disputaient à l'occasion et elle lui en voulait, semblait-il, de lui faire souvent des remontrances sur ses agissements en public ou sur son habillement, mais c'était un comportement normal entre père et fille. Depuis son enfance, il n'y avait jamais eu de longue période de silence entre eux, sauf quand leur travail les conduisait à des lieux différents pour de longues périodes.

Les médias semblent avoir adhéré à ce mythe créé par Jolie et son frère à propos de leur relation avec leur père. C'est chose fréquente aujourd'hui que de lire des descriptions de la vie de Jolie déclarant que Voight a « abandonné » sa mère au moment du divorce et que sa fille n'a plus eu aucun contact avec lui depuis. Il est quasiment impossible de trouver des preuves que Marcheline Bertrand et Jon Voight avaient la garde conjointe de leurs enfants et que ceux-ci ont été élevés pendant de nombreuses années autant par leur père que par leur mère. Il est encore plus rare de voir mentionner le fait que Voight traversait le continent chaque mois pour se rendre à New York, où Bertrand avait déménagé, pour passer du temps avec ses enfants.

De nos jours, Jolie aime dire aux journalistes que son père et elle « n'ont jamais été proches ». Mais un petit nombre de déclarations faites au cours des années par l'actrice démentent cette idée, en particulier ces propos tenus à un intervieweur en

2001 : « Je ne me souviens pas d'une seule fois où mon père ait manqué à l'appel lorsque j'avais besoin de lui. » Et n'oublions pas ces paroles entendues par des milliards de téléspectateurs en mars 2000 lors de la cérémonie de remise des Oscars : « Papa, quel acteur tu es, mais tu es un bien meilleur père. »

Autre curieuse déformation des faits : après le début de la querelle, James Haven est souvent passé à l'offensive pour discréditer son père dans des entrevues, alors qu'il avait été plus proche de lui que ne l'avait été sa sœur. En 2007, Haven a dit au magazine *Marie Claire* qu'il s'était voué à la cause des femmes victimes d'abus après avoir vu Voight infliger des « années de violence psychologique à sa mère ». Il a aussi affirmé que ce dernier n'avait pas soutenu financièrement son ex-épouse et ses enfants. Pourtant, Jolie avait souvent mentionné au cours des années que ses parents étaient demeurés « meilleurs amis » même après leur divorce. En 2001, juste un an auparavant, elle avait parlé ouvertement du plaisir qu'ils avaient eu ensemble quand, à sa demande, Voight avait incarné le père de Lara, Lord Croft, dans le premier film de *Tomb Raider*.

Des amis de la famille de Voight et Bertrand avaient confirmé de nombreuses fois que tout le monde s'entendait très bien durant toutes ces années et qu'ils ne donnaient pas l'impression de former une famille désunie. Dans des entrevues, Marcheline Bertrand a souvent déclaré que Voight était un excellent père et un bon ami pour elle. « Pour Jon, il n'y a rien de plus important que ses enfants », a-t-elle dit au magazine *People* en 1993.

D'après un ami de l'acteur ayant été le témoin de leur vicieuse querelle publique, « Jon était très blessé par ce que ses enfants disaient de lui. Il savait qu'ils étaient conscients que tout cela était faux. Mais à quoi pouvait-il s'attendre après avoir livré ces propos sur Angie à la télévision ? Il a dépassé les bornes, il me semble. Il aurait probablement dû laver son linge sale chez lui ».

Brad et Angelina

Je n'ai rencontré Brad Pitt qu'une seule fois, le 8 décembre 2004. Je tournais à l'époque un documentaire à Hollywood et tentais d'approcher George Clooney. Avec l'aide de mon attaché de presse, j'avais échafaudé un plan pour m'introduire à la première de son film *Ocean's Twelve*[30], au Grauman's Chinese Theater. J'avais obtenu deux fausses invitations, une pour mon caméraman et une pour moi, sur lesquelles on pouvait lire : « Accès au tapis rouge uniquement ». Nous ne pouvions donc pas assister à la projection, mais étions tout de même autorisés à être présents lors de l'arrivée des vedettes.

Au moment du fameux rituel de la descente de limousine, mon caméraman et moi étions en position, luttant contre les coups de coude des attachés de presse et de l'entourage des acteurs qui nous repoussaient pour laisser passer leurs clients. À la vue de Clooney, ce jour-là accompagné de sa mère et de sa copine, les caméras de télévision, prioritaires dans ce genre d'événements, l'ont immédiatement assailli. Je n'ai donc pas été en mesure de m'approcher suffisamment de lui pour lui parler.

Frustré, je suis resté sur place quelques instants. C'est alors que j'ai aperçu une autre vedette du film, Brad Pitt. Il se tenait un peu à l'écart, à bonne distance des médias et de la foule. Tous les caméramans, y compris le mien, avaient été refoulés de force, mais, grâce à ma fausse invitation, j'ai pu rester où j'étais. Au bout d'un moment, après avoir vu le reste de la

30. Titre au Québec : *Le retour de Danny Ocean*.

distribution du film défiler sur le tapis rouge, je me suis retrouvé à quelques pas de Pitt. Il saluait la foule, mais refusait de parler aux médias, maintenus à distance par un cordon de sécurité. Saisissant l'occasion, je me suis présenté comme un acteur qui essayait de percer au cinéma et qui venait d'obtenir un petit rôle dans le film de Martin Scorsese, *Aviator*[31], dont la sortie était imminente. Pitt a mentionné qu'il aimerait travailler avec Scorsese et semblait disposé à poursuivre notre conversation. N'ayant aucune question particulière à lui poser, je lui ai demandé s'il aurait des conseils à donner à un acteur en herbe comme moi. Sa réponse a été instantanée, comme récitée par cœur : « Prends des cours, travaille comme un malade, et si tu en es toujours au même point à trente-cinq ans, abandonne. » Puis il m'a rapidement balayé du regard. Son expression a changé et il m'a lancé avec un sourire penaud : « Oh, je suppose que tu as plus de trente-cinq ans. » Il a alors haussé les épaules : « Qu'est-ce que je pourrais te dire de plus ? »

Tout au long de notre discussion, les admirateurs hurlaient : « Où est Jen ? » Mais du côté des médias, quelques personnes criaient : « Où est Angelina ? » Avec du recul, c'était peut-être ça la question que j'aurais dû lui poser.

Quoi qu'il en soit, lorsque les vedettes ont finalement quitté le tapis rouge pour visionner le film, j'ai demandé à un photographe de *Splash* de m'expliquer de quoi il retournait. « Ça fait des mois qu'il baise Angelina Jolie », a-t-il répondu. Lorsque je lui ai demandé d'où il tenait cette information, il m'a dit qu'il se trouvait au Festival de Cannes quelques mois plus tôt et que les gens n'avaient que leur liaison à la bouche, même si Aniston était arrivée au Festival au dernier moment pour être aux côtés de son mari. Il m'a dit qu'il avait parlé à toutes sortes de gens qui avaient été témoins de leurs étreintes. « Lorsqu'ils

31. Titre au Québec : *L'aviateur*.

ont commencé à tourner [*Mr. and Mrs. Smith*[32]], m'a expliqué le photographe, on a vu Angelina entrer à plusieurs reprises dans la roulotte de Pitt et y rester des heures durant pour en ressortir avec la mine de quelqu'un "qui vient de baiser". » À un moment donné, a-t-il ajouté, on les avait vus se tenir par la main en public, ce qui avait déclenché les premières rumeurs. D'après lui, ils semblaient s'être « calmés », mais il ne savait pas si c'était parce qu'ils avaient mis fin à leur liaison ou parce qu'ils gardaient leurs distances à cause des ragots qui commençaient à circuler.

Un mois après cette conversation, Pitt et Aniston annonçaient publiquement leur séparation, mais ce n'est que bien plus tard que Brad Pitt a officiellement divulgué sa relation avec Angelina Jolie.

* * * *

Jennifer Aniston n'a rencontré Angelina Jolie qu'une seule fois. C'était sur le plateau de *Friends*, juste avant que Pitt commence le tournage de *Mr. and Mrs. Smith*, l'histoire d'un couple de tueurs à gages recrutés pour se tuer l'un l'autre. « Brad est tellement enthousiaste à l'idée de travailler avec toi, a-t-elle dit à la nouvelle partenaire de jeu de son mari. J'espère que vous vous amuserez bien. » À ce moment-là, tout semblait encore fonctionner à merveille. On demandait constamment à Aniston et Pitt de parler de leur relation, et leurs réponses avaient toujours l'air sincères, quoiqu'un peu mièvres. « Brad et moi étions sur la route quand nous avons vu un vieux couple en voiture, a confié à l'époque Aniston à un magazine. La femme était au volant, ses mains tremblaient. L'homme lui a touché le bras, comme pour lui dire : "Ça fait des milliers d'années que

32. Titre au Québec : *M. et Mme Smith.*

je t'aime et je t'aime toujours." J'espère que Brad et moi serons comme ça un jour. »

De son côté, Pitt semblait tout aussi investi dans leur relation. « Je n'avais jamais pensé qu'être marié me rendrait si heureux, a-t-il avoué à un journaliste. C'est un sentiment incroyable. Je regarde Jen et je me dis : "C'est ma femme." Le mariage, c'est super. Je suis heureux d'emprunter cette voie avec une femme formidable qui souhaite partager sa vie avec moi. »

D'après leurs amis et collègues, le seul motif de discorde entre Jennifer et Brad concernait des questions d'ordre architectural et décoratif. Pitt était un fanatique de design moderne, tandis qu'Aniston était plus traditionnelle, peut-être en raison de ses origines grecques. Durant la rénovation de leur énorme propriété de quatorze millions de dollars à Beverly Hills, qu'ils avaient achetée ensemble, quelques disputes occasionnelles ont certes éclaté, mais dans l'ensemble, ils passaient aux yeux de leurs amis pour le couple idéal.

Pitt et Aniston avaient créé ensemble une maison de production, Plan B Entertainment, et venaient d'acquérir les droits du livre de Mariane Pearl *A Mighty Heart*, racontant la vie courageuse de son mari Daniel, un journaliste du *Wall Street Journal* assassiné par des terroristes. Aniston devait jouer le rôle de Mariane dans ce projet qui lui aurait permis de s'imposer au grand écran.

En 2003, Pitt a confié à un journal australien qu'Aniston et lui commençaient à songer à avoir des enfants : « Jen et moi sommes en phase de négociation. Nous y travaillons. Mais tout va bien, et je me réjouis à l'avance. » Lorsqu'on lui a demandé s'il préférait une fille ou un garçon, il a répondu sans hésiter : « Il n'y a aucun doute là-dessus. J'adore les filles. Je veux des versions miniatures de Jennifer. C'est mon rêve. »

À l'évidence, c'était également le rêve d'Aniston. Elle a déjà choisi un grand espace éclairé dans leur propriété à Beverly Hills pour y établir le futur bébé. Aniston nommait ce coin privilégié « la Chambre », et elle a supervisé sa transformation du début à la fin pendant le long processus de rénovation, qui aurait coûté environ trois cent mille dollars.

Un des entrepreneurs ayant participé aux travaux a confirmé qu'Aniston avait des requêtes très précises pour cette pièce. « Brad contribuait de manière plus concrète aux rénovations. Il faisait toutes sortes de suggestions et se prenait pour un architecte. Mais madame Pitt surveillait la chambre d'enfant, qui devait être conçue pour s'adapter à l'espace. Il ne fallait pas simplement pouvoir y disposer un lit de bébé et un mobile. C'était très recherché, et elle avait des idées très spécifiques à ce propos. Mais la pièce n'a jamais été décorée. C'était en 2003, je pense. Peut-être attendaient-ils de savoir si c'était une fille ou un garçon. »

* * * *

Beaucoup de rumeurs ont circulé sur la relation et la séparation de Brad Pitt et Jennifer Aniston. On a entre autres rapporté que, vers la fin de la série *Friends*, Aniston avait fait une fausse-couche. On raconte aussi qu'en 2003, elle avait cessé de fumer, parce qu'elle était enceinte ou qu'elle « essayait » de tomber enceinte. À l'époque, elle aurait aussi pris quotidiennement un supplément d'acide folique, sachant que les femmes qui essaient de concevoir ou qui sont déjà enceintes en consomment généralement pour prévenir les malformations.

En juin 2004, la chaîne MSNBC a déclaré qu'une source proche d'Aniston les avait informés que l'actrice était enceinte et qu'une annonce devait être faite dans le courant du mois. C'était quelques semaines après son apparition au Festival de Cannes, où elle avait rejoint Pitt. « C'est une chose que Brad et Jen désirent tous les deux », a confié une source à la chaîne de télévision. Fait révélateur, le porte-parole d'Aniston a refusé de démentir la nouvelle. Au lieu de ça, il a tout simplement dit : « J'ai moi aussi entendu cette rumeur à plusieurs reprises. » Mais au final, l'annonce tant attendue n'a jamais été faite.

Jennifer Aniston rêvait d'avoir un bébé avant même de se marier avec Brad Pitt. « J'adore tout d'eux. Leur dos, leur cou, leur odeur et leurs poings, a-t-elle affirmé au *Cosmopolitan* en 1997. Je veux être une jeune maman. » En 2001, elle déclarait dans un magazine qu'elle voulait trois enfants. Selon elle, Brad en voulait sept, mais il n'en était pas question, ajoutait-elle en plaisantant. « À moins qu'il trouve une mariée par correspondance. Mais je fournirai le reste. J'espère que je serai une bonne maman, j'adore les enfants. »

À plusieurs occasions, Aniston a clairement fait savoir que son mari et elle passeraient à l'acte une fois le tournage de *Friends* terminé, soit à la fin de la neuvième saison, en 2003. Lorsqu'un journaliste de *Vogue* lui a demandé quand Pitt et elle planifiaient de fonder une famille, elle lui a répondu en riant : « Vous voulez tous être là au moment de la conception ? Cela se produira quand *Friends* sera fini. » Mais au milieu de ce qui devait être la dernière saison, les producteurs ont soudainement annoncé que les membres de la distribution avaient accepté de prolonger leur contrat, à la condition toutefois que la dixième saison ne comporte que dix-huit épisodes au lieu des vingt-quatre habituels. À l'époque, la rumeur voulait que ce soit Aniston qui ait insisté pour raccourcir la saison. Les médias ont tout de suite relayé la nouvelle et supposé qu'elle voulait finir la série pour commencer une carrière cinématographique.

D'après un ancien employé de Pitt, ce n'était pas le cinéma qui poussait Aniston à quitter le plateau de *Friends*. Selon lui, elle aurait toujours promis à son époux d'arrêter après neuf saisons pour qu'ils puissent fonder une famille. Mais les autres membres de la distribution mouraient d'envie de poursuivre l'aventure et ont fait pression sur leur collègue pour qu'elle leur emboîte le pas. Elle a accepté à contrecoeur, après avoir trouvé un compromis avec Pitt, qui ne souhaitait pas la voir entreprendre une dixième saison.

Avant même que la série soit achevée, l'actrice avait déjà signé pour jouer dans des projets de films. C'est pour cette raison que les médias avançaient qu'elle voulait avant tout devenir une vedette du cinéma et qu'elle n'avait aucune intention de prendre une pause pour fonder une famille. Mais cette hypothèse n'était pas forcément vraie.

« Toutes les actrices font ça, dit un ami de Pitt. Un film peut être tourné en quelques semaines, en fonction de la complexité de la production. Ce n'est pas comme une série télé, qui vous mobilise pour des mois de travail suivis. Et si vous jetez un coup d'œil à ses anciens contrats, ils comportaient tous une clause qui lui permettait de se retirer en cas de grossesse avant le début du tournage. Les compagnies de production ont une assurance pour se protéger dans ce genre de circonstances. L'idée selon laquelle Jenny aurait décidé de mettre de côté ses plans de maternité pour faire carrière dans le cinéma, c'est de la connerie. Elle voulait avoir des enfants. Ça se voyait. Elle disait qu'elle ne pourrait pas repousser l'échéance indéfiniment, car bientôt il serait peut-être trop tard. »

* * * *

Juste avant que Brad Pitt commence le tournage de *Mr. and Mrs. Smith*, Jennifer Aniston a révélé à un journaliste : « Lorsque j'étais plus jeune, il m'arrivait de me montrer jalouse, mais je ne suis plus comme ça maintenant. » La dixième saison de *Friends* touchait alors à sa fin et le dernier épisode devait être diffusé en janvier 2004. Diane Sawyer s'est entretenue avec elle à cette époque dans le cadre de l'émission *Primetime Live* de la chaîne ABC. Elle l'a interrogée sur son projet d'avoir des enfants. Aniston a répondu qu'elle « aimerait absolument en avoir deux », maintenant que *Friends* était sur le point de se conclure. « J'adore mon travail, a dit l'actrice à Sawyer. Mais je pense qu'avoir un bébé sera le travail le plus important que j'aurai jamais à faire. Je dois y consacrer du temps, tout comme je consacre du temps à ma carrière. »

Mais sur le plateau de *Mr. and Mrs. Smith*, à Los Angeles, les deux têtes d'affiche auraient été frappées par le coup de foudre dès le début du tournage, en novembre 2003. « Ils ne se lâchaient pas d'une semelle, a confié une employée du film à Mara Reinstein et Joey Bartolomeo, rédacteurs seniors au *US Weekly*. Il n'y avait pas qu'elle qui faisait tout pour le séduire. Ils se désiraient mutuellement. C'était évident. »

En février 2004, après une journée de tournage à Los Angeles, les vedettes et l'équipe technique ont fait la fête sur le toit du Standard Hotel. Peu de temps après, le bruit a couru que des membres du personnel de l'hôtel avaient vu Pitt et Jolie s'embrasser bien après que les prises de vue eurent été bouclées et que l'équipe fut rentrée chez elle. « Ils se trouvaient sur le toit dans un coin isolé ceinturé d'un cordon, près de la parcelle de pelouse, a rapporté un employé à Reinstein et Bartolomeo. Ils voulaient se retrouver seuls, et le personnel leur a aménagé un espace privé. Je sais pertinemment qu'ils se sont embrassés. »

Les représentants de Jolie ont démenti toute relation autre que professionnelle entre les deux acteurs, mais Aniston avait déjà eu vent des rumeurs, et elle commençait à paniquer à l'idée de perdre son mari. En public, cependant, elle a prétendu ignorer les allégations, supposant qu'elles avaient été fabriquées de toutes pièces. En mai, comme si de rien n'était, Aniston a rejoint Pitt à Cannes. Peu de temps après, l'entourage de l'acteur aurait envoyé un message à Jolie lui demandant de prendre temporairement ses distances.

Pendant ce temps, Pitt ne cachait pas son admiration pour Angelina Jolie. « Je n'ai jamais vu une personne aussi mal comprise par la presse, a-t-il dit aux journalistes en avril 2004. Jolie est vraiment une personne charmante, une mère dévouée et tout à fait normale. Elle se consacre à son travail pour l'ONU. Elle dégage même une certaine légèreté. »

Comme tous les couples de Hollywood, Pitt et Aniston avaient déjà fait l'objet de rumeurs incessantes : liaison, séparation imminente, divorce... Mais dorénavant, un nouveau détail venait corser l'intrigue : Angelina Jolie tenait le rôle de « l'autre femme ».

Jolie était très consciente de la position délicate dans laquelle elle se trouvait. À peine trois ans auparavant, elle avait volé Billy Bob Thornton à sa fiancée, Laura Dern, et sa carrière en avait souffert. Les efforts continus qu'elle avait déployés depuis lors pour redorer son image commençaient à peine à porter leurs fruits. Elle ne pouvait pas se permettre de revenir en arrière. Dern s'était attiré la sympathie du public, et il en irait certainement de même pour une vedette aussi appréciée qu'Aniston. Une liaison avec Pitt, prétendument heureux dans son mariage, ternirait l'image de Jolie qui serait considérée une fois de plus comme une briseuse de ménage. Elle devait agir en douceur afin de protéger la toute nouvelle image de philanthrope et de mère aimante qu'elle s'était donné tant de mal à forger.

On a bientôt eu droit à un avant-goût de la manière dont elle allait s'y prendre. « Des sources bien informées ont déclaré que les réticences de Jennifer Aniston à abandonner sa carrière alors que son mari souhaite fonder une famille ont causé des “pressions intolérables” dans le couple », pouvait-on lire dans un journal. De nombreuses histoires similaires ont proliféré au cours de l'année, citant toutes des « sources bien informées » et faisant toutes allusion à l'égoïsme d'Aniston qui refusait à son mari la famille dont il rêvait tant.

En avril 2004, une pause de plusieurs mois dans la production de *Mr. and Mrs. Smith* a été entamée pour permettre à Pitt de participer à *Ocean's Twelve*. Lorsque le tournage a repris en août, l'équipe s'est rendue en Italie pour filmer les scènes européennes. Sur place, on racontait que Pitt avait beaucoup de plaisir à jouer avec Maddox à l'hôtel Santa Caterina, à Amalfi. Mais Jolie n'a cessé de multiplier les démentis et, en novembre, dans une entrevue au magazine *Allure*, elle déclarait : « Je ne coucherais pas avec un homme marié. J'ai assez d'amants, je n'ai pas besoin de Brad. »

Cependant, six semaines plus tard, le 7 janvier 2005, Pitt et Aniston officialisaient leur rupture dans un communiqué de presse : « Nous aimerions annoncer qu'après avoir passé sept ans ensemble, nous avons décidé de nous séparer. » La décision, ajoutait l'ex-couple, avait été prise après « mûre réflexion » et n'avait rien à voir avec « les allégations véhiculées par les tabloïds ». Ils assuraient le public qu'ils demeureraient « des amis très proches » et qu'ils éprouvaient de « l'affection et de l'admiration mutuelles ».

Dès l'annonce de la séparation, Aniston s'est attiré la sympathie d'une grande partie du public, surtout celle des femmes. À l'été 2005, la boutique Kitson de Hollywood a déclaré que les t-shirts « Team Aniston » surpassaient les ventes de ceux de « Team Jolie » dans une proportion de un pour vingt-cinq. Parallèlement, la cote de popularité d'Angelina a commencé à chuter. Dans le sondage annuel d'*Entertainment Tonight* du 4 juillet, censé déterminer la célébrité préférée des Américains, Aniston s'est classée première, et de loin. Jolie se trouvait en huitième position, tandis que Pitt figurait au bas de la liste en dixième position.

Le camp de Jolie se tenait cependant prêt à réagir. Un jour après l'annonce de la séparation, le *New York Post* a publié ce qui allait devenir une série d'histoires toutes axées sur le même thème et émanant de sources variées. Elles révélaient la soi-disant véritable cause de la rupture du couple chéri de Hollywood. « C'est à cause des enfants, a confié un "ami" du couple au *Post.* Aniston ne veut pas d'enfants dès maintenant et lui, oui. » Chaque fois que l'histoire était relayée, elle avait été révélée au journaliste par une « source bien informée » ou des « amis ». « Une amie a dit qu'Aniston ne voulait pas prendre une pause pour avoir un enfant, ni porter sur son corps les stigmates de la grossesse », apprenait-on dans une autre publication. On pouvait aussi lire : « Trois raisons principales ont conduit à la séparation : le refus d'Aniston d'avoir un enfant, la relation de Pitt avec Angelina Jolie et l'obsession d'Aniston de faire carrière. »

De son côté, Brad Pitt était photographié main dans la main avec Angelina Jolie sur une plage en Afrique. Dans la foulée, des récits ont commencé à circuler vantant la fantastique relation de Brad avec le jeune fils d'Angelina. « Alors que les paparazzi immortalisent la scène, Pitt semble pleinement endosser le rôle de père auprès du fils de Jolie, Maddox, adopté au Cambodge », notait le magazine *Vanity Fair*.

Pitt n'avait toujours pas confirmé qu'il formait désormais un couple avec Jolie. Il continuait à dire que sa partenaire dans *Mr. and Mrs. Smith* n'était pas en cause dans sa séparation et niait avoir couché avec elle alors qu'il était encore marié. Jolie tenait le même discours. Dans le cadre d'une entrevue au magazine *Marie Claire* en mars 2005, l'actrice a essayé d'étouffer les rumeurs persistantes voulant que Pitt et elle aient eu une liaison bien avant sa rupture : « Je ne pourrais pas me pardonner d'avoir une relation intime avec un homme marié, alors que mon propre père a trompé ma mère. Je ne pourrais pas me regarder dans le miroir si j'avais fait ça. »

Bien au contraire, selon l'une des meilleures amies de Jolie, l'actrice aurait un penchant irrépressible pour les hommes mariés : « Elle ne s'intéresse qu'à des hommes qui sont déjà en couple. Je connais Angie depuis très longtemps. Elle m'a avoué être fascinée par les hommes mariés. Ça viendrait, d'après elle, de son éducation et de sa relation instable avec ses parents. Être capable de séduire un homme marié lui donne de l'assurance. »

Cette amie de longue date, qui a accepté de me rencontrer dans un restaurant chic de Berverly Hills, The Ivy, m'a parlé d'Angelina Jolie pendant plus de deux heures. Elle a insisté sur le fait que Pitt n'était que son troisième choix : « Après avoir quitté Billy Bob, c'est sur Johnny Depp qu'Angie a d'abord jeté son dévolu. Elle a toujours été obnubilée par lui. En fait, je pense sincèrement que Johnny Depp est la seule personne à Hollywood avec qui Angelina pourrait bâtir une relation solide. Ils ont tous les deux un côté sombre, ils aiment les enfants et ce sont les acteurs les plus accomplis que nous ayons vus depuis des décennies. »

Cette amie, qui m'a demandé de l'identifier sous le pseudonyme « Dixie », m'a expliqué que le deuxième homme marié qui attirait l'actrice, c'était l'ancien président des États-Unis Bill Clinton : « Elle a fait d'innombrables tentatives pendant plusieurs années pour se rapprocher de Bill Clinton. L'obsession d'Angie à son égard est pour ainsi dire maladive. Elle a suivi religieusement le scandale impliquant Monica Lewinsky et je pense que ça l'excitait carrément. Depuis cet événement, elle a fait tout ce qu'elle pouvait pour ravir Bill à son épouse Hillary. Je me méfierais d'Angie si j'étais à sa place. Si jamais elle se retrouvait seule avec Bill, il serait à ses pieds en moins de temps qu'il faut pour le dire. [...] Si Angie n'avait droit qu'à une seule nuit avec l'homme de son choix, je pense vraiment qu'elle choisirait l'ex-président Clinton. Selon moi, elle le trouve plus séduisant que n'importe quel autre, Johnny Depp et Brad Pitt y compris. »

Un bon ami de Pitt m'a fait part de ses vives inquiétudes après qu'on a annoncé, fin 2009, que Jolie et Depp allaient partager la vedette du film *The Tourist*[33]. « Lorsque j'ai appris la nouvelle, ma première réaction a été de me dire qu'elle avait finalement trouvé une façon élégante de se débarrasser de Brad. Ils ont vécu des moments difficiles et je pense qu'on va voir se répéter le scénario de *Mr. and Mrs. Smith*. Angie va tout faire pour voler Johnny Depp à Vanessa Paradis. Si j'étais à la place de Vanessa, j'interdirais à mon mari de mettre les pieds sur ce plateau si Angie s'y trouve ; j'ignore comment elle peut le laisser jouer dans ce film. Dès l'instant où Angelina se trouvera en présence de Depp, elle fera tout ce qu'elle peut pour qu'il tombe éperdument amoureux d'elle. »

Quelles qu'aient été les préférences d'Angelina, il n'en reste pas moins qu'à l'époque, c'est bel et bien dans les bras de Brad Pitt qu'elle s'est jetée, pour le plus grand malheur de Jennifer Aniston. En septembre 2005, la ravissante interprète du personnage de Rachel dans la série *Friends* a accordé une entrevue touchante à *Vanity Fair*, se montrant quelque peu sur la défensive. La parution a battu tous ses records de vente. Aniston y décriait les histoires parues sur son compte, qui la dépeignaient comme féministe et cruelle : « Un homme qui divorce n'est jamais accusé de choisir sa carrière plutôt que d'avoir des enfants. Ça m'a vraiment mise en colère. Je n'ai jamais dit que je ne voulais pas d'enfants. J'en veux et j'en aurai ! Les femmes qui m'inspirent sont celles qui ont une famille et une carrière ;

33. Remake du film français *Anthony Zimmer* de Jérôme Salle.

pourquoi voudrais-je me limiter ? J'ai toujours voulu avoir des enfants, et je ne renoncerai jamais à cette expérience pour ma carrière. Je veux tout avoir. »

La rédactrice de *Vanity Fair*, Leslie Bennetts, a interviewé certains des amis du couple pour découvrir ce qu'il s'était réellement produit. La plupart lui ont dit que Pitt avait littéralement « mis une croix » sur son mariage dès qu'il avait commencé à travailler avec Jolie. Ils ont aussi nié l'allégation selon laquelle Pitt aurait été obsédé par l'envie d'avoir des enfants alors qu'Aniston aurait continuellement repoussé l'échéance. « Lorsque Brad était marié à Jen, le fait d'avoir un bébé n'a jamais constitué sa priorité. Pour lui, il s'agissait de quelque chose d'abstrait, alors que pour elle, c'était un souhait plus immédiat. » Brad avait-il un petit côté diabolique ? Avait-il inventé cette histoire de toutes pièces pour faire porter le chapeau à Jennifer ?

En réalité, peut-être que d'autres facteurs entraient en ligne de compte pour les deux parties. Jennifer Aniston était soi-disant tombée enceinte à deux reprises, en 2003 et vers la fin du printemps de 2004. La rumeur voulait qu'elle ait fait dans les deux cas une fausse-couche. Aniston était-elle incapable de concevoir des enfants ? Ou son obstination à demeurer ultra-mince pour la caméra contrecarrait-elle ses efforts ? De telles choses sont source de stress dans un mariage. Peut-être Brad Pitt était-il vulnérable durant cette période et incapable de résister à une force de la nature telle qu'Angelina Jolie.

Il semble toutefois que Pitt n'ait pas été complice de cette campagne, mesquine mais efficace, pour retourner l'opinion du public contre Aniston. Jolie, par contre, l'était. À ce stade, elle était passée maître dans l'art de manipuler les médias, cherchant chaque fois à détourner leur attention lorsqu'elle se retrouvait au cœur de la tourmente. « C'est Angelina qui a fabriqué cette histoire selon laquelle Jennifer ne souhaitait pas avoir d'enfants », a dit en février 2009 une source en relation avec la Twentieth Century Fox, qui a produit *Mr. and Mrs. Smith*. « Elle était convaincue que cette histoire toucherait la corde sensible de toutes ces femmes qui la percevaient comme une salope voleuse de mari. »

D'après un journaliste travaillant pour le *Hollywood Reporter*, les informations de première main à propos de Jolie, même les plus anodines, émanaient en général du bureau de son imprésario, Geyer Kosinski, ou du frère de l'actrice, James Haven, devenu un ardent défenseur des intérêts de sa sœur dans les médias depuis un bon moment. Le temps où il s'était éloigné d'elle pour calmer les rumeurs d'inceste était révolu. « C'est comme ça que ça marche dans cette ville, commente le journaliste. Il n'y a rien de mal à ça. Contrairement à la presse à scandales, nous avons besoin de savoir d'où vient l'information et à quel point elle est fiable avant de la diffuser. Si nous citons "une source bien informée", nous connaissons son identité et sommes certains que cette personne sait vraiment de quoi elle parle. Chaque célébrité fait appel à un spécialiste en qui elle a entièrement confiance pour relayer son information jusqu'à nous […]. »

Et ce procédé fonctionne. Vers la fin de 2005, la cote de popularité de Jolie a commencé à remonter. Des millions de femmes croyaient désormais que Pitt avait quitté Aniston parce qu'elle avait décidé de privilégier sa carrière au détriment de sa vie de famille. *Vanity Fair* qualifie cette histoire d'aussi misogyne que fausse et mentionne que des amis communs d'Aniston et de Pitt étaient d'avis que ce dernier aurait pu réfuter plus activement cette version des faits. Dans le magazine, d'autres prenaient l'acteur à partie pour avoir prétendu jusqu'au bout qu'il n'avait pas trompé sa femme durant son mariage, mais l'amie intime d'Aniston et membre de la distribution de *Friends*, Courteney Cox, lui accordait quant à elle le bénéfice du doute : « Je ne pense pas qu'ils avaient une liaison sur le plan physique, mais je crois qu'elle [Jolie] l'attirait. »

Certains ont été choqués par une double page du magazine *W* où Pitt et Jolie posaient comme un couple marié du début des années 1960. Les photos avaient été prises en mars, le mois où Aniston avait demandé le divorce. « Il lui manque le gène de la sensibilité », a déclaré Aniston au sujet de Pitt et de l'étalage public de sa nouvelle relation.

Un ancien employé de Pitt tente de prendre sa défense : « Bien sûr qu'il couchait avec Angelina à ce moment-là. Mais ce n'est pas parce que c'est un con qu'il l'a caché ; il l'a fait parce qu'il était trop gentil. Il ne voulait pas causer de la peine à Jen. Il l'aimait encore et il ne savait pas comment le lui annoncer. En fait, pendant un moment, il pensait vraiment mettre un terme à sa relation avec Angelina et rester avec elle. Je ne sais pas exactement ce qui s'est passé en fin de compte et pourquoi il a décidé de se séparer, mais aurait-il dû agir comme Billy Bob Thornton l'a fait avec Laura Dern ? A-t-il été lâche de ne pas en informer Jen plus tôt ? Probablement. Mais que feriez-vous dans une telle situation ? Ce n'était pas facile pour lui. Je doute qu'il ait réussi à se pardonner encore aujourd'hui. »

Pitt a longtemps soupçonné que les histoires circulant sur Jen provenaient de sa nouvelle compagne et, selon mes sources, il était furieux. Il a demandé à Jolie de cesser sa campagne de dénigrement. Il était encore visiblement en colère lorsque, dans sa parution de juin 2005, le magazine *GQ* lui a parlé des rumeurs selon lesquelles Aniston ne voulait pas d'enfants. « Ça, en passant, c'est totalement faux », a-t-il affirmé avec force. Quelque temps plus tard, dans une entrevue pour l'émission *Primetime Live* de ABC, Diane Sawyer a abordé le même sujet. Cette fois-ci, il a été encore moins équivoque ; il a qualifié les rumeurs de « conneries ridicules » et de « fabriquées de toutes pièces ». Mais il était trop tard ; le mal était déjà fait.

Une image sur mesure

Le 8 janvier 2005, à peine une journée après que Brad Pitt et Jennifer Aniston ont annoncé publiquement leur séparation, une petite fille du nom de Yemasrech est née dans la ville éthiopienne d'Awassa. Six mois plus tard, Angelina Jolie s'est rendue avec Pitt à Addis-Abeba où la petite lui a été remise par les autorités d'adoption. Le magazine *People* a décroché une entrevue exclusive avec Jolie et, dans un article faisant la Une, a annoncé la nouvelle de l'adoption de cette fillette qui serait devenue orpheline à cause des ravages du Sida. « Elle s'appelle Zahara Marley, a déclaré Jolie au magazine. Maddox et moi sommes très contents d'avoir un membre de plus dans notre famille. »

Un mois plus tôt, en juin 2005, Jolie est apparue sur CNN et y a livré le récit poignant d'une scène où elle a assisté, impuissante, au décès d'un enfant dans un camp de réfugiés : « Je l'ai vu mourir. Et vous savez, il s'agissait de mon premier voyage, mon premier contact. Venant des États-Unis et ayant un peu d'argent, j'ai pensé que nous allions juste le transporter par avion jusqu'à l'hôpital et que je pouvais résoudre ça en une fraction de seconde. [...] C'était le genre de situation où tu regardes autour de toi et tu réalises qu'il y a des centaines de milliers de personnes dans le même cas et que beaucoup de ces enfants vont mourir. Je suis rentrée chez moi et je me suis dit : "J'aurais dû au moins en ramener un." »

Elle a ensuite ajouté que c'était Maddox qui l'avait finalement convaincue d'adopter : « Mon fils adore l'Afrique, alors il m'a demandé un frère ou une sœur d'origine africaine. » Jolie avait déjà déclaré publiquement auparavant qu'elle voulait créer une « famille arc-en-ciel ». « Ce sont des enfants de différentes religions et cultures, originaires de divers pays, a-t-elle expliqué. En fait, j'aimerais en avoir sept, une petite équipe de football américain. »

Dans un premier temps, on a d'abord cru que le premier enfant à rejoindre Maddox dans la famille arc-en-ciel de Jolie serait blanc et non noir. En décembre 2004, le *London Daily Mail* rapportait qu'elle avait été vue en train de « ratisser » les orphelinats russes le mois précédent à la recherche d'un bébé. « On nous a informés qu'elle voulait un enfant au physique slave, avançait dans le quotidien l'un des directeurs de Baby House 13, un orphelinat à l'extérieur de Moscou. Elle voulait un bébé blond aux yeux bleus. » L'homme ajoutait qu'elle avait arrêté son choix sur un petit du nom de Gleb : « Madame Jolie l'a pris dans ses bras et l'a embrassé. Puis elle a demandé à l'interprète de dire au personnel : "J'ai trouvé mon fils." »

Mais avant de l'adopter officiellement, elle a aussi visité un autre orphelinat russe, Baby House 22, dont le médecin-chef, Natalia Kostyushina, racontait au journal une histoire similaire : « Comme les responsables des autres orphelinats, nous savions que Jolie s'intéressait seulement aux garçons au physique slave. D'après ce que j'avais compris, elle était censée voir autant d'enfants que possible le premier jour et prendre une décision le lendemain. Un de nos protégés s'amusait avec ses jouets dans son parc lorsque Angelina est entrée dans la chambre. Elle l'a regardé et il lui a souri comme s'il la reconnaissait. Elle s'est précipitée vers lui, l'a pris et l'a serré contre sa poitrine, puis l'a fait tournoyer. Ils ont ri tous les deux. Elle avait l'air d'une mère heureuse en compagnie de son enfant chéri. C'était une scène émouvante. Après ça, nous n'avions plus aucun doute qu'elle ferait de notre garçon son fils. Mais à notre grand regret, cela ne s'est pas produit. »

D'après le *Daily Mail*, le même scénario semblait se reproduire un peu partout. « Elle a démontré de l'intérêt envers un de nos enfants aussi, mais la plupart ne correspondaient pas à ce qu'elle cherchait, révélait le directeur d'un autre établissement. Tout semblait se passer comme dans un cirque. On aurait dit qu'il fallait que nous laissions tout tomber parce que cette mère célibataire américaine riche et célèbre avait besoin d'un autre enfant. En Russie, il y a plus de quatre millions d'enfants, dont bon nombre sont abandonnés par leurs parents, mais des règlements ont été établis pour rendre plus difficile l'adoption de bébés "en bonne santé" par des Occidentaux. On les encourage plutôt à recueillir ceux ayant des maladies graves ou qui sont handicapés. »

Finalement, Jolie a quitté la Russie sans enfant. Elle a plus tard expliqué qu'elle ne pensait pas que Maddox était prêt à avoir un frère ou une sœur. « J'étais sur le point d'adopter un autre enfant en Russie, mais ça n'a pas fonctionné. J'y songerai peut-être dans six mois environ », a-t-elle déclaré à cette époque. En fait, Jolie aurait appris que pour adopter dans ce pays, il fallait traiter avec la bureaucratie russe et que cela pouvait représenter des mois de formalités administratives. Espérait-elle adopter un autre enfant à ce moment-là pour détourner l'attention de la séparation imminente de Brad Pitt et Jennifer Aniston ?

Lorsqu'elle a enfin recueilli Zahara plus d'un an plus tard, les observateurs ont été surpris de constater avec quelle rapidité elle avait obtenu l'approbation du gouvernement éthiopien, le processus prenant habituellement de six mois à un an. Or, l'adoption de Zahara a été approuvée une semaine seulement après qu'Angelina en a fait la demande, d'après Hadosh Halefom, directeur de l'agence gouvernementale d'adoption en Éthiopie.

Le Dr Tsegaye Berhe, directeur médical de l'orphelinat d'Addis-Abeba, a raconté à un journal britannique que Brad Pitt était avec Angelina lorsqu'elle est arrivée pour réclamer le bébé, et qu'ils agissaient comme mari et femme : « Ils ressemblaient à n'importe quel autre couple qui découvre son enfant pour la première fois. Angelina a essuyé une larme. Ils étaient tellement heureux. Puis ils se sont tournés vers moi et m'ont dit : "Nous formons maintenant une famille complète." »

Dans tous les récits des médias, Zahara a été décrite comme une victime indirecte de l'épidémie du Sida, qui l'aurait rendue orpheline. Jolie elle-même y a fait allusion le 23 juin 2005 dans une entrevue avec Anderson Cooper sur CNN. Mais en août, de nouveaux détails ont fait surface concernant les origines du bébé, rappelant la controverse ayant entouré l'adoption de Maddox, qui n'aurait pas été véritablement orphelin comme on l'avait prétendu.

Le journal de langue anglaise le plus important d'Europe, le *Sun*, a découvert que la mère de Zahara n'était pas morte. Girma Degu Legesse, un employé de Wide Horizons for Children, l'agence privée qui avait arrangé l'adoption, a avoué au journal qu'il savait que la vraie mère de Zahara avait « disparu », mais n'était pas morte. Pour justifier la duperie, il a déclaré que « pour certains Éthiopiens, disparaître ou mourir revient au même ».

Le *Sun* a retrouvé la mère naturelle de Zahara, Mentewab Dawit, qui a accepté de raconter les circonstances de la naissance de sa fille. Elle a expliqué qu'elle habitait avec sa grand-mère dans un petit village du nom de Shone. Une nuit, alors que sa grand-mère était absente pour affaires, elle rentrait à pied dans l'obscurité après avoir passé la journée à vendre des oignons au marché local, lorsqu'un homme s'était approché d'elle et l'avait attaquée. « Il a sorti un poignard et a placé sa main sur ma bouche pour m'empêcher de crier. Il m'a alors violée, puis a disparu », a-t-elle raconté à *Reuters*. Lorsqu'elle avait découvert qu'elle était enceinte, elle aurait décidé de garder le silence : « J'avais peur des conséquences, car le viol est un sujet tabou, même si ça s'est passé de force. »

Sa fille est née le 8 janvier, le lendemain du jour de Noël en Éthiopie. On lui a d'abord donné le prénom de Yemasrech, qui signifie « bonne nouvelle », pour ensuite la rebaptiser Tena Adam, du nom d'une herbe locale. Lorsque Almaz, la mère de Mentewab, a appris que sa fille avait accouché, elle l'a emmenée avec son bébé à Awassa, une petite ville à environ trois heures au sud de la capitale. Là-bas, Mentewab travaillait comme ouvrière dans une entreprise de construction, mais avait du mal à survivre avec son maigre salaire. « Parfois, je n'avais qu'un bout de pain à manger de toute la journée », a-t-elle expliqué, ajoutant que son oncle, chez qui elle demeurait, leur avait finalement demandé de partir. « Ma fille pleurait tout le temps, car elle avait faim. J'ai cru qu'elle allait mourir, alors je me suis enfuie. »

La grand-mère de l'enfant, Almaz, a déclaré que peu après, elle avait amené le bébé aux autorités locales et leur avait expliqué que sa fille s'était sauvée en le lui laissant. « Elle était très maigre. Je pensais même qu'elle risquait de mourir, a déclaré Almaz. Je leur ai dit : "S'il vous plaît, prenez le bébé avant qu'il meure." »

C'est à ce stade du récit que les choses se compliquent. Almaz a été présentée à un « intermédiaire » qui arrangeait les adoptions pour une agence locale. Il a consenti à prendre le bébé. « Il a promis de garder le contact. Il a dit qu'il me rendrait visite avec la petite après cinq mois et m'enverrait une photo, a affirmé Almaz. Il m'a aussi promis de me présenter la famille qui l'adopterait. » D'après elle, elle n'a jamais déclaré à l'intermédiaire ni aux autorités que sa fille était morte ou que le bébé était orphelin. « Et puis, l'intermédiaire m'a dit que le bébé avait été adopté et amené à l'étranger. Il m'a expliqué qu'il y aurait des journalistes qui viendraient me voir et que je devais nier toute l'histoire et dire que ce n'était pas ma petite-fille. Il est venu avec une femme qui prétendait que Tena Adam [Zahara] était sa fille. Il a tout essayé pour me faire reconnaître que ce n'était pas ma petite-fille. Il a même menacé de me mettre en prison et de me faire torturer. »

Quand le *Mail on Sunday* a vérifié les références de l'intermédiaire, le journal a découvert qu'il avait prétendu travailler pour l'agence qui avait négocié l'adoption avec Jolie, Wide Horizons for Children, et même distribué des cartes de visite en déclarant qu'il la représentait. Mais quand l'histoire a commencé à faire du bruit, l'agence a déclaré qu'il n'était pas leur employé, mais celui d'un orphelinat à Awassa. Elle n'a toutefois pas nié que c'était lui qui avait amené Zahara là-bas. « Ce qu'il a fait constitue un enlèvement, a dit Mentewab au journaliste. Il a pris ma fille et a disparu, puis a prétendu que j'étais morte. »

Lorsque cette affaire a éclaté au grand jour, elle a causé un certain émoi, notamment quand des médias ont avancé, à tort, que la mère naturelle demandait que Zahara lui soit restituée. Mais Mentewab se déclarait ravie d'apprendre qu'Angelina Jolie avait adopté sa fille. « Elle aura une meilleure vie avec elle, a-t-elle dit au *Daily Mail*. Si elle était restée avec moi, elle aurait pu mourir. Je suis contente de voir que ma fille a une meilleure vie, dans un meilleur endroit. Ce qui me fâche, c'est qu'Angelina dise que je suis morte. Je suis vivante et je n'ai jamais eu le Sida. » Elle a aussi exprimé son désir de voir l'actrice amener sa fille en Éthiopie pour qu'elle visite son lieu de naissance et rencontre sa famille : « Elle doit découvrir son pays, connaître sa famille, c'est ici qu'elle trouvera son identité. » Ce vœu n'a apparemment jamais été exaucé, bien que Jolie ait amené Zahara en Éthiopie plusieurs fois.

Vu les controverses ayant entouré les adoptions de Maddox et Zahara, il pouvait paraître étrange d'ouvrir le journal en janvier 2007 pour y lire que Jolie critiquait Madonna pour avoir adopté illégalement un bébé malawien. La chanteuse s'est en effet retrouvée au cœur d'une tempête médiatique de plusieurs mois après avoir annoncé qu'elle et son mari, Guy Ritchie, allaient adopter un garçon malawien dont la mère était décédée des suites de son accouchement. Il s'avère que pour autoriser l'adoption d'un enfant, le Malawi exige d'avoir résidé dix-huit mois dans le pays. Madonna donnait donc l'impression de contourner la loi ou de bénéficier d'un traitement de faveur.

Malgré les remontrances publiques de Jolie, il n'y avait rien d'illégal dans le processus d'adoption de Madonna, qui était strictement surveillé par les tribunaux du Malawi afin de veiller à sa conformité avec les lois du pays. En janvier, un juge de la Haute Cour du Malawi, Andrew Nyirenda, a émis une « ordonnance provisoire » permettant à la chanteuse et à son mari d'emmener le jeune garçon, David Blanda, en Angleterre, où ils devaient suivre un processus rigoureux d'évaluation avant que l'adoption soit finalisée. Deux ans plus tard, celle-ci a finalement été accordée. Le rapport officiel présenté par l'agent de la protection de l'enfance décrivait Madonna comme la « mère parfaite » pour David.

Dans les médias, un certain nombre de journalistes ont fait remarquer qu'il n'y avait pas eu de réaction défavorable similaire lorsque Angelina Jolie avait adopté Maddox et Zahara. « Je pense qu'on a considéré les adoptions d'Angelina Jolie différemment parce qu'elle avait toujours montré un intérêt pour les enfants et les œuvres humanitaires, alors que les gens ont eu le sentiment que Madonna avait débarqué et obtenu un enfant tout d'un coup, a déclaré Anastasia de Waal de l'organisme Civitas, un groupe luttant pour les droits de l'homme, à l'agence de presse Cox. Ce qui a ennuyé les gens en Grande-Bretagne, c'est que le geste de Madonna semblait relever du caprice et faire fi de la loi. »

En fait, il n'y avait rien de capricieux ni d'illégal dans la décision de Madonna d'adopter au Malawi. Pendant des mois, elle avait discrètement arpenté le pays au nom de l'organisation qu'elle avait fondée, Raising Malawi, dont la tâche consiste à « offrir des solutions durables aux orphelins » de cet État africain. Elle avait choisi de s'y impliquer lorsqu'elle avait appris que c'était un des pays les plus pauvres au monde, comptant plus d'un million d'orphelins pour une population de douze millions d'habitants.

Des mois auparavant, la supervedette de la pop avait annoncé des programmes visant à collecter trois millions de dollars pour construire des centres de soins pour les enfants, des orphelinats, et soutenir des projets d'aide dans ce pays frappé par la pauvreté, la sécheresse, la malaria et le Sida. Elle travaillait déjà étroitement avec des spécialistes de l'aide au développement comme Jeffrey Sachs, économiste à l'Université Columbia, ainsi qu'avec des responsables locaux pour trouver des moyens efficaces d'aider les gens. En fait, bien avant que Madonna annonce son intention d'adopter, un journaliste de l'Associated Press avait visité le village de Mphandula et interrogé les gens du coin sur ses efforts. « Le chef du village n'a jamais entendu parler de Madonna, la chanteuse pop, a rapporté l'AP, mais il connaît Madonna la philanthrope. »

La chanteuse a même reversé la totalité des droits d'auteur d'un livre pour enfants qu'elle a elle-même écrit, *Les roses anglaises*, à son œuvre de bienfaisance au Malawi. L'ouvrage est devenu un best-seller international. Elle a promis de verser un dollar de sa propre poche pour chaque dollar donné par le public. Tout comme Angelina Jolie, elle a donc joint le geste à la parole. Mais contrairement à cette dernière, cependant, Madonna n'a pas jugé utile de médiatiser son engagement. Elle a choisi de voyager sans journalistes ni photographes pour découvrir le Malawi et se rendre dans des villages reculés. Elle ne semblait pas avoir besoin des services d'un certain Trevor Neilson.

* * * *

Que cela découle d'un sentiment d'obligation ou d'un souci de paraître moins avide, il existe une longue tradition de philanthropie chez les millionnaires américains. Depuis plus d'un siècle, nombre des plus grandes universités du pays, des hôpitaux, musées et organismes de charité comptent sur la générosité de riches bienfaiteurs du monde des affaires.

Durant les années 1990, alors que Microsoft dominait le marché des logiciels et que Bill Gates était devenu l'homme le plus riche de la planète, certains ont remarqué que malgré sa fortune de plusieurs milliards de dollars, le leader de l'informatique faisait somme toute peu de dons. Il offrait son soutien à de nombreuses œuvres de bienfaisance, mais ses contributions étaient relativement dérisoires vu la valeur nette de ses avoirs.

Les critiques ont culminé en 1998, quand Ralph Nader a pris Gates à partie dans une lettre ouverte le pressant de commanditer une conférence sur « la distribution inégale de la richesse » en Amérique. Dans sa lettre, il mentionnait que la richesse de Gates était supérieure à la richesse cumulée de quarante pour cent de la population américaine, excluant la valeur des voitures.

« Sa richesse est très médiatisée, a dit Nader plus tard dans une entrevue. Mais sa responsabilité sociale reste encore à être développée. »

La réponse de la conseillère philanthropique de Gates, Rose Berg, a été temporairement rassurante. Berg a déclaré que Gates et sa femme Melinda « venaient tout juste de commencer leurs actes de charité et planifiaient de donner la plus grande partie de leur argent ». En effet, le milliardaire et sa femme avaient créé une fondation et élaboraient activement des plans pour distribuer d'énormes sommes. Mais aux yeux du public, le président de Microsoft passait toujours pour un capitaliste avide. De plus, il était surveillé de près par le gouvernement américain en raison d'allégations de pratiques commerciales monopolistiques. Gates avait donc besoin de changer d'image au plus vite.

C'est ici que Trevor Neilson est entré en scène. Tout droit sorti de la Maison-Blanche où il avait travaillé pour le département organisant les voyages du président Bill Clinton à l'étranger, Neilson était un démocrate aux relations haut placées. Il s'agissait d'un atout important étant donné que le ministère américain de la Justice menait une enquête sur Microsoft. Mais Neilson avait également un talent pour les relations publiques, qu'il a employé activement à son poste de directeur des affaires publiques et directeur des projets spéciaux de la Bill et Melinda Gates Foundation.

Peu de temps après que Neilson est entré en fonction, de longs portraits flatteurs ont commencé à paraître dans les médias, mettant en lumière l'engagement caritatif de Gates et de sa femme. Bientôt, tous les Américains étaient au courant que Bill Gates planifiait de donner toute sa fortune avant de décéder. Lorsque Neilson a quitté Microsoft pour travailler pour Angelina Jolie à titre de conseiller philanthropique, la Fondation Gates était devenue la plus importante organisation caritative au monde, et le milliardaire avait fait don de plus d'argent que n'importe qui d'autre dans l'histoire.

La spécialité de Neilson ne consistait pas à décider où les différentes contributions pouvaient être dépensées le plus efficacement ; il se contentait de conseiller les bienfaiteurs sur la façon d'utiliser leurs œuvres caritatives pour flatter leur image publique. La preuve en a été faite quand Jolie a lancé son attaque à peine voilée contre Madonna à propos de l'adoption de son fils David. Déclarant d'abord aux médias qu'elle était « horrifiée » par les reproches faits à la chanteuse, Jolie a ensuite enfoncé le couteau dans la plaie : « Madonna connaissait la situation au Malawi, où son fils [David] est né. Dans ce pays, il n'y a pas de véritable cadre juridique pour l'adoption. Pour ma part, je préfère rester dans la légalité. » Bien sûr, Madonna avait réellement adopté le bébé en toute légalité et n'avait contourné aucune loi malawienne, contrairement à ce que sous-entendait Jolie. Alors, pourquoi semblait-elle vouloir torpiller les efforts humanitaires d'une autre célébrité ? Trevor Neilson en était la raison.

« Neilson est un génie, s'est exclamée une autre conseillère philanthropique hollywoodienne, que j'ai rencontrée. Rappelez-vous, c'est le même gars qui a métamorphosé Bill Gates le grippe-sou en Albert Schweitzer. Il a pratiquement créé Brangelina. Brad Pitt et Angelina Jolie détestent peut-être ce terme lorsque la presse à sensation l'utilise pour écrire des potins sur leur vie, mais c'est devenu une marque extrêmement emblématique. Dans l'esprit des gens, c'est pratiquement synonyme de couple de demi-dieux. » Elle a également accordé à Neilson le mérite d'avoir rattaché l'engagement humanitaire du couple à leurs carrières d'acteurs, un autre exemple de son savoir-faire : « Leurs actes philanthropiques sont la source de leur pouvoir. Je ne pourrais pas citer un autre exemple d'un tel phénomène, et je travaille dans ce domaine depuis les années 1980. »

Quant à l'attaque apparente de Jolie envers Madonna en 2007 : « C'était pour Angelina un moyen de dire : "Il n'y a pas de place pour nous deux. Ôte-toi de mon chemin, salope, tu empiètes sur mon territoire." » Cette attaque contre Madonna a été lancée au moment même où Jolie peaufinait son image de « sainte Angelina ». « Madonna commençait à s'intéresser à des choses que Jolie pensait détenir en propre. L'Afrique était son domaine. Madonna s'était aussi mise à fréquenter Bill Clinton et sa fondation, et il s'agissait d'un autre champ que le couple Brangelina croyait dominer. Je parierais que Neilson y était pour quelque chose. »

Pourquoi le monde entier connaissait-il les efforts humanitaires de Jolie aux quatre coins du monde, alors que Madonna passait pour une dilettante ? « La réponse est simple, m'a expliqué la conseillère philanthropique. Angelina voyage accompagnée de caméras, et il n'y a rien de mal à ça. Elle vous affirmera que de mener ses missions à la vue de tous aide à attirer l'attention du monde entier sur des questions très importantes. Qui pourrait la contredire ? Pensez-vous que la plupart de ses admirateurs avaient déjà entendu parler de la Namibie avant qu'elle s'y rende ? Pensez-vous qu'ils associaient les célébrités à autre chose que la robe portée sur le tapis rouge ? »

Lorsque je lui ai demandé si elle pensait que les activités humanitaires de Jolie visaient à rehausser son image publique, la consultante philanthropique a répondu : « Je n'ai aucune idée de ses motivations, mais je connais celles de mes clients. Ils veulent faire quelque chose de bien ; ils donnent pour cela beaucoup d'argent aux œuvres de bienfaisance. Certains travaillent dur pour amasser de l'argent pour la dernière cause en vogue, mais aucun ne s'implique autant qu'Angelina Jolie. Je ferais n'importe quoi pour avoir une cliente comme elle. Est-elle altruiste ? Bien sûr que non, mais personne ne l'est à Hollywood. »

La conseillère a refusé d'identifier ses propres clients, mais a nommé une poignée de célébrités qu'elle juge altruistes. Elle a dit que David Letterman a donné, au fil des années, des « tonnes » de son argent à diverses œuvres de bienfaisance et à beaucoup de personnes dans le besoin. « J'ai entendu dire qu'il interdit aux donataires d'en parler. J'ai eu quelques clients comme ça, qui ne veulent pas de reconnaissance. J'en ai encore, mais aucun d'entre eux n'est célèbre. »

Elle a expliqué qu'environ trente pour cent de sa clientèle est constituée de célébrités recommandées par des agents, imprésarios et attachés de presse qui souhaitent donner une couverture médiatique positive à leurs clients. « J'aime à dire que lorsque quelque chose ternit leur image, mon boulot est de la redorer. » Malgré tout, la conseillère a soutenu que la plupart de ses clients ont bon cœur et que la majorité des célébrités de Hollywood éprouvent une compassion sincère et souhaitent utiliser leur fortune pour faire le bien.

Elle a déclaré que Barbra Streisand est également une célébrité qui donne discrètement et dont la fondation est réputée. Elle a décrit Dolly Parton comme un « génie » qui sait comment investir son argent pour obtenir des résultats. « Avez-vous déjà été à Dollywood ? m'a-t-elle demandé. Dolly Parton a pratiquement sorti toute la région des Smoky Mountains de la pauvreté. C'est pour ça qu'elle a bâti ce domaine. » Parmi les autres célébrités, elle a cité Madonna, qui amasse de l'argent pour le Sida et la cause des homosexuels pratiquement depuis le début de sa carrière. « Quant à Jolie, je couperai les couilles de quiconque prétend que ses activités humanitaires sont bidon, a-t-elle averti. Madonna et elles mènent beaucoup de bonnes actions. »

De même, Annette Witheridge, journaliste du tabloïd anglais *The Daily Mirror*, et qui a abondamment écrit sur Jolie, pense que les efforts de l'actrice sont sincères : « Je ne peux pas croire que son engagement humanitaire n'est pas authentique. Je ne pense pas que quelqu'un puisse voir une telle souffrance sans être touché. Une fois, l'acteur Rupert Everett est parti, sans enthousiasme, pour une mission d'Oxfam en Afrique. Il a détesté l'expérience et était impatient de rentrer chez lui. Ce qu'il a fait. Mais il s'est alors rendu compte que de voir des orphelins affamés l'avait ému. Il ne faisait qu'y penser. Sans prendre le temps de dire "ouf", il est monté à bord d'un avion pour une nouvelle mission avec Oxfam. Aujourd'hui encore, il fait des choses pour l'organisme. Peut-être qu'Angelina a ressenti la même chose. Je peux facilement comprendre son désir de garder ses enfants en contact avec leurs racines et de s'engager plus avant avec l'Unicef, etc. Avant Maddox, je n'aurais jamais pu l'imaginer en mère Teresa, cherchant à aider les orphelins affamés. La maternité l'a sans aucun doute changée. »

Brad Pitt et Angelina Jolie faisaient parler d'eux. Chacun de son côté ou ensemble, ils jouaient le rôle d'âmes charitables professionnelles. Les sections actualité et divertissement des journaux faisaient étalage de leurs activités presque quotidiennement. Un jour, Jolie témoignait devant un comité du Congrès ; le lendemain, elle était invitée à siéger au prestigieux Council on Foreign Relations aux côtés de puissantes personnalités comme Jimmy Carter, Bill Clinton et Condoleezza Rice. Elle donnait des millions de dollars à différentes causes et, grâce à l'aide de Neilson, avait créé une fondation avec Pitt, lui-même occupé sur plusieurs œuvres humanitaires, y compris l'initiative très acclamée de construire des maisons à La Nouvelle-Orléans, dévastée par l'ouragan Katrina. Ils étaient effectivement en train d'aider à changer le monde, et ce, quelles que soient leurs motivations.

De fait, on avait l'impression que l'engagement humanitaire de Jolie commençait à éclipser sa carrière cinématographique, qui battait de l'aile depuis le succès de *Mr. and Mrs. Smith*. En effet, le film avait réalisé des recettes de deux cents millions de dollars, peut-être en raison de la publicité occasionnée par la relation entre les deux têtes d'affiche. Mais sa performance suivante, dans *Alexandre*, où elle incarnait la mère de Colin Farrell, de onze mois son cadet, avait été violemment critiquée. D'autres échecs commerciaux avaient suivi : *Raisons d'État*[34], où Jolie jouait aux côtés de Robert De Niro, et *Un cœur invaincu*, où elle interprétait le rôle de Mariane Pearl, à l'origine destiné à Jennifer Aniston.

Mais malgré ces échecs successifs, la carrière de Jolie ne semblait pas compromise, loin de là. Elle était rapidement devenue l'actrice la mieux payée de Hollywood, engrangeant de quinze à vingt millions de dollars par film. Pitt gagnait encore plus. Une explication de la mystérieuse capacité du couple à gagner autant se trouvait dans l'enquête menée par AC Nielsen sur quarante-deux marchés à travers la planète : Jolie et Pitt étaient dorénavant les « célébrités les plus susceptibles d'influencer la vente d'un produit ».

L'enquête démontrait également le pouvoir de ce que la conseillère philanthropique avait décrit comme la « marque » Brangelina ; le couple Jolie et Pitt figurait en tête de la liste, mais, prise isolément, Jolie avait été détrônée de la première place par Jennifer Lopez pour ce qui était de la femme la plus susceptible d'influencer la vente d'une marque ou d'un produit.

En juin 2009, le magazine *Forbes* a désigné Jolie comme la célébrité la plus influente de la planète, détrônant Oprah Winfrey qui avait porté ce titre pendant de nombreuses années. Un rédacteur en chef a expliqué que même si Oprah gagnait

34. Titre au Québec : *Le bon berger*.

beaucoup plus d'argent, Angelina était de loin la femme la plus célèbre du monde. Un cadre de Warner est allé plus loin ; il a affirmé que les studios étaient prêts à payer une prime pour que l'actrice apparaisse dans leurs films. « Mis à part ses films d'action, pour lesquels elle est la seule femme capable d'attirer les foules, ses longs métrages ont rapporté des recettes décevantes, voire médiocres. Elle ne peut pas être la vedette principale d'un projet, mais je pense que les studios veulent être associés à elle à cause de sa bonne aura. Elle possède maintenant cet effet de halo qui aide Hollywood à s'immuniser contre la merde habituelle qu'on nous balance. »

C'était le travail de Trevor Neilson de bâtir cette marque et de la protéger contre les menaces éventuelles. Pendant des années, il a fait un travail de maître, obtenant les mêmes excellents résultats qu'avec Bill Gates. En juin 2007, cependant, il a dépassé les bornes. Cet été-là, alors que Jolie se préparait pour la promotion de son nouveau film *Un cœur invaincu*, on a soudain présenté aux journalistes qui voulaient interviewer la vedette un contrat à signer. Il stipulait que l'intervieweur ne « poserait pas de questions à madame Jolie sur ses relations privées ». La troisième clause, plus troublante encore, interdisait l'utilisation de l'entrevue pour « critiquer, avilir ou être désobligeant envers madame Jolie ». Ce document a naturellement déclenché une onde de choc palpable dans les médias.

Le chroniqueur de *Fox Online*, Roger Friedman, a qualifié Jolie « de grande hypocrite », tandis qu'un certain nombre de journalistes ont menacé de boycotter le film. Les membres de l'entourage de Jolie ont tout de suite retiré le contrat et rejeté la responsabilité de ce « malentendu » sur « un avocat trop zélé ». Peu de personnes ont cru à cette explication. On a appris plus tard que l'équipe de Jolie avait aussi insisté pour que les journalistes signent un contrat avant les entrevues de la tournée promotionnelle de *Mr. and Mrs. Smith*, même si les clauses de ce dernier n'étaient pas, et de loin, aussi contraignantes que celles du suivant.

Ce qui a rendu cette apparente tentative de museler les médias encore plus paradoxale, c'est qu'*Un cœur invaincu* traitait de l'importance de la liberté de la presse et que la première du film devait se faire au bénéfice de Reporters sans frontières, un organisme qui lutte contre la censure.

Le brouhaha provoqué par le contrat a donné un aperçu révélateur des tentatives orchestrées en coulisse par Neilson pour contrôler ou manipuler pratiquement tout ce qui était écrit sur le couple.

Lorsque le couple a annoncé que Jolie était enceinte de son premier enfant biologique et devait accoucher au printemps 2006, une véritable frénésie s'est emparée des médias, comme c'est le cas pour la plupart des vedettes. Mais toutes les célébrités ne disposent pas de relations permettant de plier un gouvernement étranger à leur volonté. Pitt et Jolie ont déclaré que cette dernière accoucherait dans le sud-ouest de l'Afrique, en Namibie. Le désir de s'éloigner le plus loin possible des paparazzi indiscrets est certainement compréhensible. Mais lorsque la Namibie a déclaré qu'elle refusait d'accorder des visas aux journalistes étrangers sans le consentement écrit de Pitt et Jolie, les enjeux étaient d'une autre nature. De nouveau, la tactique portait la signature de Trevor Neilson.

Le cerveau derrière ces manipulations médiatiques a récidivé à l'été 2008 alors que le couple attendait des jumeaux. Une guerre de soumissions a éclaté entre les différents magazines people pour obtenir les premières photos. Les profits, a décidé le couple, seraient versés à leur fondation, qui continuait de multiplier les bonnes œuvres partout dans le monde. Personne ne pouvait les accuser d'exploiter leurs bébés, sachant que le tout allait aider à lutter contre la faim dans le monde. Mais Neilson cherchait cette fois-ci plus que de l'argent. D'après les clauses de l'entente proposée par Jolie, on exigeait du soumissionnaire gagnant qu'il « couvre l'événement sans nuire à l'actrice ou à sa famille ».

Le magazine *People* a décroché le contrat et l'article en double page qui en a résulté était en tout point complaisant. Notamment, le terme honni de « Brangelina » ne figurait nulle part dans la publication. En même temps, peut-être pour faire taire ses détracteurs, le magazine a publié un communiqué niant que la couverture ait fait l'objet de clauses contraignantes et a maintenu que le magazine *People* « ne détermin[ait] pas le contenu éditorial en fonction des demandes de tiers ». Pourtant, deux ans plus tôt, *People* avait négocié avec Trevor Neilson la vente des photos de Maddox à la suite de son adoption au Cambodge. Dans cette entente, Jolie avait explicitement exigé que la couverture de son travail pour les œuvres de bienfaisance fasse partie du numéro, et il semble que *People* se soit plié à la demande. Il faut toutefois admettre que cela permettait de venir en aide à une bonne cause. En décembre 2006, une note envoyée par Neilson aux éditeurs souhaitant soumissionner pour les photos de Maddox mentionnait que « même si Angelina et Brad compren[aient] l'intérêt porté envers leur famille, ils souhait[aient] que les journaux et magazines acquéreurs des photos les utilisent pour attirer l'attention du public sur les besoins des Cambodgiens ».

En novembre 2008, le *New York Times* a publié une enquête sous le titre : « L'image savamment orchestrée d'Angelina Jolie. » Le journal a décrit un incident particulièrement révélateur pour illustrer comment Jolie et la machine qui la soutenait manipulaient habilement le public pour dorer son image. Selon l'article du *New York Times*, après son divorce en 2003 avec Billy Bob Thornton, *US Weekly* avait demandé à Jolie de lui accorder une entrevue et des photos. D'après deux personnes impliquées dans l'affaire, elle avait refusé, puis avait ensuite offert une occasion de prendre une photo très différente, informant le magazine de l'heure et de l'endroit où elle planifiait de jouer avec Maddox. « La photo, dont la source n'avait pas été révélée aux lecteurs de *US Weekly*, présentait madame Jolie sous un nouveau jour : celui d'une jeune mère essayant en vain de passer un moment d'intimité avec son enfant », a révélé le *New York Times*.

Se faisant l'écho de nombreux attachés de presse, le journal a décrit la méthode éprouvée de la star consistant à changer de sujet lorsqu'elle se trouvait en eaux troubles. « Détourner l'attention est une des meilleures tactiques de Jolie, disent les rédacteurs en chef de magazines et les directeurs des relations publiques. Lorsqu'elle a commencé sa liaison amoureuse avec Brad Pitt, par exemple, elle était confrontée à une crise d'image : dans la presse à sensation, on la décrivait comme une prédatrice ayant volé Pitt à sa femme, Jennifer Aniston. Cette fois-là, c'est son travail pour les œuvres de bienfaisance qui a aidé à faire oublier cette affaire. Impliquée depuis longtemps dans l'humanitaire international, madame Jolie est allée au Pakistan pour visiter des camps de réfugiés afghans et a même rencontré le président Pervez Musharraf. Madame Jolie et monsieur Pitt ont par la suite fait un autre voyage au Cachemire pour sensibiliser le public sur les victimes du tremblement de terre de 2005. »

Le *New York Times* a demandé à un attaché de presse et spécialiste des médias respecté s'il pensait que l'engagement humanitaire du couple visait à façonner son image. « Tout d'un coup, ils passent pour des gens sérieux et transforment une obsession ridicule envers la presse en tentative sincère d'aider les gens dans le besoin », a répondu Michael Levine, PDG d'une des principales sociétés américaines de relations publiques, Levine Communications Office, qui a représenté Michael Jackson, Bill Clinton et Cameron Diaz, entre autres célébrités influentes.

Mais Neilson a qualifié ce genre de critique « d'absurdité cynique » et a répliqué : « Les gens ne comprennent pas la complexité des actions d'Angie. Une grande partie de son travail pour les œuvres de bienfaisance est mené discrètement, à l'insu des médias. » L'ancienne rédactrice en chef de *US Weekly*, Bonnie Fuller, en convient, mais met toutefois un bémol : « Elle est d'une rare intelligence. Mais l'intelligence n'est parfois pas suffisante. Peut-être plus que n'importe quelle autre vedette, elle est douée d'un talent pour manipuler son image publique. »

La marque Brangelina

Nous sommes durant l'été 2008, et je me trouve accroupi dans la dense forêt entourant le Château Miraval, un somptueux manoir du 17e siècle situé dans un vignoble de Provence, dans le sud de la France. C'est ici qu'Angelina Jolie a choisi de se réfugier pour donner naissance à ses jumeaux, Vivienne Marcheline et Knox Léon, une semaine auparavant.

Dans la forêt qui m'entoure se trouvent les plus grands paparazzi du monde, à l'affût de la moindre occasion pour prendre les premiers clichés des nouveau-nés, photos qui pourraient leur rapporter des millions. Je suis accompagné d'un photographe français prénommé Thierry, qui arpente la propriété depuis des semaines. Il m'explique quelles parties du domaine relèvent du domaine public et lesquelles du domaine privé, bien que la frontière entre les deux soit plutôt floue.

« Sois prudent, me prévient Thierry. Les gens de la sécurité qu'ont engagés Pitt et Jolie ne font pas dans la dentelle. Ils n'hésiteront pas à casser ton appareil photo sur ta tête. » Quelques jours plus tard, effectivement, deux de ces photographes seront accostés par des agents de sécurité à la solde du couple de vedettes. S'ensuivra une rixe au cours de laquelle un des photographes mordra au sang l'un des gardes.

De ma position dans les bois, je n'aperçois aucun autre des paparazzi qui, comme moi, observent le magnifique domaine au loin. Tout au long de cette interminable attente, je me sens sale. Pas parce que je patauge dans la boue, mais parce qu'il y a quelque chose de fondamentalement répréhensible à se cacher ainsi avec les « rats », comme les appelle Jennifer Aniston, dans le but avoué de violer l'intimité de quelqu'un. C'est avec ça que Pitt et Jolie, de même que toutes les autres célébrités, doivent composer tous les jours.

Je tente de me convaincre que ma mission est différente de celle de ces traqueurs professionnels, mais je sais bien qu'elle ne l'est pas vraiment. Depuis trois ans, un flot constant de rumeurs veut que le couple batte de l'aile, qu'une séparation soit imminente ou que leur mariage ne constitue qu'une façade. Une seule chose est sûre : lorsqu'on tente de retrouver la source de ces allégations, on se rend rapidement compte qu'elles sont majoritairement fausses. Les récits sont contradictoires, les dates ne concordent pas ou ne sont simplement pas plausibles. Pourtant, le public croit ces ragots sans se poser de questions, trop préoccupé à chercher les détails les plus salaces sur le soi-disant couple parfait.

J'en suis donc arrivé à la conclusion que pratiquement tout ce qui est écrit au sujet du couple est totalement inventé. Qui plus est, les tabloïds et hebdomadaires douteux à l'origine de ces inventions ne cherchent qu'à exploiter un public naïf et friand de potins.

J'ai peu à peu commencé à avoir l'impression que malgré l'aura de sainteté que projette Angelina Jolie, une bonne partie du public la déteste. Évidemment, il y a toutes les femmes solidaires de Jennifer Aniston qui voient Jolie comme la pire des briseuses de ménage et qui ne croient pas un seul instant à cette image de « sainte Angelina ». Nombreux sont celles et ceux qui se sentent manipulés par elle, à juste titre comme je l'ai démontré plus tôt, mais ils semblent la haïr au point de perdre tout jugement critique et de tenir pour vraie n'importe quelle affirmation défavorable à son égard. Ils parcourent avidement les chroniques à potins, cherchant désespérément l'indice qui leur permettra de « prouver une fois pour toutes son hypocrisie ».

Quelque temps après l'épisode du Château de Miraval, en 2008, un vidéographe qui a travaillé avec de nombreux documentaristes, dont Michael Moore, m'a invité à dîner afin de discuter d'un projet. Alors que nous conversions dans son appartement de Chelsea, je lui ai dit que j'écrivais un livre sur Angelina Jolie et Brad Pitt et je lui ai fait remarquer à quel point on comparait souvent l'actrice à la princesse Diana et à mère Teresa. Lorsque j'ai mentionné le nom de la regrettée religieuse, mon interlocuteur s'est soudainement animé et a insisté pour que je regarde un court documentaire, intitulé *Hell's Angel*, tourné par Christopher Hitchens, un journaliste britannique iconoclaste. Je pensais comprendre où il voulait en venir.

Le film est une critique acerbe de la déification publique de mère Teresa, cette nonne albanaise devenue le symbole incarné de la vertu. La recherche menée par Hitchens dans le cadre de son documentaire est solide et déconstruit point par point tout ce que nous pensions savoir sur mère Teresa. On y apprend qu'elle a côtoyé des dictateurs brutaux, qu'elle voyageait la plupart du temps dans de luxueux jets privés et qu'elle a toujours refusé de rendre des comptes sur les millions de dollars qu'elle a amassés, au prétexte de venir en aide aux plus démunis. Le film parvient à démontrer de façon convaincante que les soi-disant « refuges » qu'elle faisait construire un peu partout sur la planète étaient des taudis et qu'elle agissait uniquement pour son propre profit. Hitchens affirme que la congrégation de mère Teresa ne dépensait qu'une infime portion de ses revenus pour ces refuges, et utilisait plutôt ses fonds pour des activités politiques influencées par ses croyances religieuses, comme par exemple mettre fin à l'avortement et à la contraception.

Lorsque nous avons fini de visionner le film, je m'attendais à ce que mon ami me ressorte la fréquente comparaison entre les deux femmes pour insinuer que Jolie était elle aussi une fumiste qui trompait le public en construisant un mythe autour de ses bonnes œuvres. Mais j'ai été surpris de le voir emprunter une tout autre direction.

« Tu as vu ça ? Tu vois bien que mère Teresa était un imposteur qui faisait plus de tort que de bien. Tu crois vraiment qu'Angelina Jolie est de la même trempe que cette vieille chienne pieuse ? T'as déjà vu tout le bien que Jolie fait en Afrique ? Va sur YouTube et regarde ces vidéos où on la voit travailler avec des enfants. As-tu une idée du nombre de gens qu'elle aide à travers ses missions ? Probablement des millions, et ça, c'est du concret, pas des relations publiques comme ce que nous venons tout juste de visionner. Je me fous un peu de ses motivations, ou de savoir si elle pense que ça aide sa carrière. C'est elle qu'on devrait canoniser, pas mère Teresa. Angelina fait vraiment le bien autour d'elle. »

* * * *

Le défi auquel je faisais donc face consistait à démêler la réalité de la fiction. Je voulais savoir ce qui se passait vraiment entre Angelina et Brad, et en particulier connaître l'état réel de leur relation, sans toutefois me laisser emporter par le flot incessant de rumeurs, d'insinuations et de ragots. Je voulais à tout prix éviter ce piège qui en avait attrapé plus d'un avant moi.

Le moins que l'on puisse dire, c'est que le couple fait tout pour se rendre sympathique. Après que le *New York Times* a rapporté que Jolie elle-même avait alerté les photographes pour leur dire l'endroit et l'heure exacts où ils pourraient la photographier en train de jouer avec Maddox, j'ai commencé à prêter attention au nombre incalculable de fois où Jolie et Pitt, seuls ou ensemble, se faisaient photographier sur le chemin de l'école, dans un restaurant McDonald's, ou n'importe quel autre cadre familial rassurant. L'impression créée par ces images est celle de parents qui passent beaucoup de temps avec leurs enfants, malgré leurs horaires de travail extrêmement chargés. Ce qui est encore plus surprenant, c'est qu'on ne voit jamais de nounou sur ces photos.

Élever six enfants, dont deux nourrissons, tourner plusieurs films par année et voyager dans des régions défavorisées du globe… Comment parvenir à s'occuper des petits avec un tel emploi du temps ?! Il ne m'a pas fallu beaucoup de temps pour découvrir que Jolie et Pitt emploient toute une équipe « multiculturelle » de nounous pour prendre soin de leur progéniture et que les enfants passent plus de temps avec leur nourrice respective qu'avec leurs parents, qui sont absents pendant des semaines, emmenant parfois un ou deux de leurs enfants avec eux, mais jamais les six à la fois.

Une employée de l'hôtel Dorchester de Londres, qui reçoit de nombreuses célébrités et leurs enfants, affirme avoir déjà entendu la petite Shiloh, la première fille biologique de Brad et Angelina, appeler sa nounou « maman ». Elle a également été témoin des efforts déployés par les célébrités pour projeter une image de famille unie. « Il y a parfois autant de mise en scène derrière une photo que derrière un film, m'a-t-elle confié. Les vedettes ne permettent jamais à la nounou de se faire photographier avec leurs enfants. Ça envoie un mauvais message au public. Pire, ça ruine une occasion en or de montrer leur côté humain et chaleureux. C'est un peu ridicule parce que parfois, ils n'hésitent pas à demander à la nounou de se cacher sur la banquette arrière afin qu'on ne la voie pas. »

Je n'ai toutefois rencontré personne qui m'ait dit que Pitt ou Jolie seraient de mauvais parents ou que leur famille ne serait qu'une simple façade. « Ils aiment vraiment leurs enfants, assure avec conviction un employé contractuel de la compagnie de Pitt, Plan B Productions. Si quelqu'un déclare le contraire, c'est un idiot, ou alors il vous ment. Je ne peux pas vous dire s'ils s'aiment mutuellement, mais je peux vous affirmer qu'ils aiment leurs enfants et les défendraient bec et ongles. »

* * * *

En 2005, alors que circulaient les premières rumeurs au sujet de la relation d'Angelina Jolie et Brad Pitt, l'actrice a mentionné pour la première fois de sa carrière qu'elle avait l'intention d'arrêter de faire des films. Son but dans la vie, annonçait-elle soudainement, était « de quitter l'industrie du cinéma, d'être une bonne mère pour Maddox et de faire partie de l'association de parents d'élèves de son école ». Cette déclaration lui permettait au passage d'insister sur le fait qu'elle était trop dévouée à l'égard de son fils pour avoir même le temps de penser à avoir une liaison avec un homme marié.

Elle a ensuite réitéré ces propos après avoir fait l'objet de critiques pour avoir exposé son fils vietnamien récemment adopté, Pax Thien, à une mêlée de journalistes, ce qui avait terrorisé l'enfant. « Je vais rester à la maison afin de permettre à Pax de s'adapter à sa nouvelle vie, a-t-elle lancé lors d'une conférence de presse en mars 2007, peu de temps après que les caméras ont capturé les pleurs du petit. J'ai quatre enfants, et prendre soin d'eux est la chose la plus importante pour moi en ce moment. Je suis très fière et heureuse d'être leur mère. » L'année suivante, elle a toutefois tourné trois longs métrages et fait le tour du monde dans le cadre d'une mission humanitaire.

En octobre 2008, peu de temps avant de s'engager dans trois autres projets de films, Jolie déclarait à *Vanity Fair* : « Mes enfants sont ma priorité, alors ce n'est pas impossible que je réduise la cadence et que je tourne moins, voire que j'arrête complètement. » Encore plus récemment, elle annonçait : « Brad et moi ne ferons qu'un projet par an afin de pouvoir accorder tout notre temps à nos enfants. » Pourtant, selon la page IMDB (Internet Movie Database) de Jolie, elle est à l'heure actuelle impliquée dans quatre projets qui doivent sortir en 2011. Pitt, pour sa part, a dans son planning six films qui doivent prendre l'affiche sur une période de deux ans, et pas moins de dix-sept projets « en développement », bien que la plupart ne seront probablement pas mis en chantier. Aucun échéancier de production n'est évidemment disponible pour ces derniers.

Au final, cela fait au moins quatorze fois que Jolie mentionne publiquement qu'elle mettra fin à sa carrière d'actrice pour prendre soin de ses enfants, tout en continuant dans le même temps à se lier à des projets de films pour les années à venir. Peut-être, comme elle l'avouait dans une entrevue en 2000, est-elle réellement « accro au travail ». D'après les personnes responsables des relations publiques dans les studios de production, cette stratégie consistant à promettre qu'elle quittera l'industrie pour s'occuper de ses enfants est l'idée de son manager, Geyer Kosinski, et elle vise à confondre les critiques ou à éviter qu'on remette en question sa capacité à être une bonne mère malgré son emploi du temps.

Toutefois, au printemps 2009, l'horaire draconien de Jolie a soulevé une autre question sérieuse. En avril, alors qu'elle tournait le film *Salt*, qui raconte l'histoire d'un agent de la CIA pris en chasse par sa propre organisation, on a rapporté qu'elle s'était écroulée sur le plateau de tournage. Des sources ont raconté au *Chicago Sun Times* que Jolie s'était soudainement plainte de ne plus parvenir à respirer et d'être prise d'étourdissements, pour ensuite s'effondrer en plein milieu d'une scène. Après avoir été examinée par un médecin, elle a repris le travail.

À peine deux semaines après cet incident, j'ai eu l'occasion de discuter avec des membres importants de l'équipe technique et de leur poser des questions au sujet de l'actrice. Chacun n'avait que de bons mots à son égard. L'un d'entre eux a affirmé qu'elle était « très professionnelle », tandis que l'autre disait qu'elle aimait « mener les choses à terme ». Je voulais savoir si elle était gentille. « Je ne dirais pas gentille, a rétorqué l'un deux, mais elle n'est ni capricieuse ni précieuse. » Je leur ai demandé si elle s'était vraiment effondrée sur le plateau. Un seul d'entre eux était présent au moment de l'incident. « Je ne dirais pas qu'elle s'est effondrée, a-t-il précisé. Elle a juste eu un malaise. »

Depuis quelques semaines déjà, des photos prises sur le plateau circulaient, et on pouvait y voir une Angelina Jolie d'une maigreur extrême. On rapportait que cela était dû au fait qu'elle suivait un régime appelé « désintoxication liquide », qui l'affaiblissait considérablement. « Elle est beaucoup trop maigre, même selon ses propres standards, qui sont déjà bien en dessous de la norme », rapportait au *Sun Times* une personne qui se trouvait sur le plateau lorsqu'elle s'est évanouie. Le lendemain, un représentant de Sony niait qu'elle avait eu un malaise.

J'ai toutefois reçu une version des faits différente de la part d'une personne œuvrant dans le milieu du cinéma. Selon elle, la vraie cause de la maigreur soudaine de Jolie était due au fait qu'elle prenait de la « meth ». La méthamphétamine est la drogue de prédilection des actrices et acteurs de Hollywood qui désirent perdre du poids rapidement. Une source qui est, de son propre aveu, le « fournisseur de drogue des vedettes », m'a offert une petite mise en contexte : « Tu sais, toutes ces actrices et ces chanteuses qui ont un air squelettique ? C'est la meth. C'est ça, le secret. Ça tue ton appétit pendant des jours et te permet de perdre dix kilos en un rien de temps. Tous les tabloïds rapportent que telle ou telle actrice est anorexique parce qu'elle est très maigre, mais la réalité, c'est qu'elle prend de la meth. Le plus ironique, dans tout ça, c'est que les attachés de presse des vedettes encouragent ces rumeurs d'anorexie, parce que c'est beaucoup moins dommageable pour leur carrière que la vérité. »

Était-il donc possible que Jolie, qui avait déjà affirmé avoir essayé « toutes les drogues possibles et imaginables », s'en soit remise à la meth pour perdre rapidement du poids ? Il s'agirait là d'un comportement risqué de la part d'une ex-junkie qui affirmait en outre que ce passé était loin derrière elle. Pitt, quant à lui, n'a jamais tenté de cacher son attrait pour la marijuana, le mentionnant même fréquemment en entrevue.

Le journaliste canadien Christopher Heard, qui a interviewé Brad Pitt au moins six fois, rapporte que la marijuana revenait souvent dans leurs conversations. « La dernière fois que je l'ai rencontré à Beverly Hills, il était obsédé par le sujet, m'a raconté Heard. Entre chacune des questions que je lui posais à propos de son métier ou du film sur lequel il travaillait, il m'interrogeait sur les lois canadiennes, très libérales en ce qui concerne la marijuana. Il me demandait si nous allions réellement en décriminaliser la possession au Canada. Je pensais qu'il s'amusait à faire le bouffon, mais même une fois l'entrevue terminée, il m'a demandé très sérieusement de le tenir au courant des développements de la réforme des lois sur la marijuana au Canada. Il se demandait si ce pays était en voie de devenir le nouvel Amsterdam. Il semblait complètement obsédé par cette drogue. »

* * * *

Vu leurs historiques respectifs en matière de relations amoureuses, il semble justifié de se demander si Brad et Angelina se sont trompés l'un l'autre depuis le début de leur conte de fées. Il y a quatre ans, alors que Jolie était avec Pitt depuis près d'un an, son ancienne maîtresse, Jenny Shimizu – la femme qu'Angelina aurait épousée si elle ne s'était pas mariée avec Jonny Lee Miller – a accordé une entrevue au *Sun* dans laquelle elle affirmait que Jolie et elle n'avaient jamais cessé de se fréquenter.

« Elle a toujours eu des amants sur qui elle pouvait compter, expliquait Shimizu au journal. Elle veut pouvoir vous téléphoner et arranger un rendez-vous afin de satisfaire ses appétits sexuels. Lorsqu'elle m'appelle, je lui rends visite. Nous n'avons pas nécessairement de relation sexuelle à chaque fois. Parfois, nous nous rendons à sa maison au Cambodge et nous y explorons la jungle avoisinante. C'est beaucoup plus une profonde amitié qu'autre chose. C'est une personne pour qui j'aurai toujours de l'affection, je serai toujours là pour elle. »

En fait, Jolie a fait construire un complexe très élaboré au cœur de la jungle cambodgienne il y a de nombreuses années de cela, après avoir promis que Maddox serait éduqué autant dans son pays d'origine qu'aux États-Unis. Elle y part souvent en escapade sans Pitt, et cet endroit est le lieu idéal pour échapper aux objectifs des paparazzi. Toutefois, en 2009, lorsqu'un reporter a demandé à Shimizu, qui est juge à l'émission *Make Me a Supermodel*, si Jolie et elle avaient toujours une liaison, celle-ci a répondu : « Non, mais environ une fois tous les trois ans, notre histoire refait surface. Le fait que les gens pensent que nous allons nous réfugier là-bas pour consommer notre amour fait vendre des magazines. »

« Dixie », l'une des meilleures amies de Jolie que j'ai eu l'opportunité de rencontrer, affirme qu'elle a eu vent d'une aventure qu'aurait eue l'actrice avec une mystérieuse femme, en France, au milieu de l'année 2009. « Brad devait s'absenter pour une semaine et Angie était seule avec les enfants. Tous les soirs, une magnifique brune originaire du sud de la France se présentait au manoir, m'a-t-elle raconté. Angie est ouvertement bisexuelle et cette mystérieuse étrangère est exactement le genre de femme qui l'attire. Elle a passé la nuit au manoir à plusieurs reprises. Un de mes amis fait partie du personnel et m'a téléphoné pour me dire que tout le monde dans la demeure soupçonnait qu'il se passait quelque chose de louche. Ils sont tous convaincus qu'Angie a eu une liaison avec cette femme à l'insu de Brad. »

Un membre de la famille de Jolie a fermement nié ces allégations : « Elle a hébergé une femme, et alors ? Qu'y a-t-il de mal à ce qu'Angie passe du temps en compagnie d'une amie en l'absence de Brad ? Aussitôt qu'elle reçoit la visite de quelqu'un au manoir, que ce soit un homme ou une femme, on la soupçonne d'infidélité. C'est dégoûtant. »

Toutefois, la rumeur d'infidélité la plus persistante implique Pitt et un mannequin originaire du Soudan nommée Amma, que l'acteur a rencontrée lors d'une soirée de bienfaisance pour le Darfour lors du Festival de Cannes en 2007. Ils ont été vus ensemble à au moins une autre reprise. On raconte que Jolie accuse fréquemment Pitt de lui être infidèle et que ce serait une source de tensions entre eux.

Si Pitt a trompé Jolie, ce n'est certainement pas avec son ex, contrairement à ce que les journaux à potins aiment rapporter. Des on-dit voulant que Pitt rencontre secrètement Jennifer Aniston, parfois simplement « pour parler », prolifèrent dans les tabloïds. J'ai vérifié avec grand soin une de ces histoires selon laquelle ils se seraient rencontrés dans un hôtel de Toronto durant le festival du film de la Ville reine en 2008. Et je peux affirmer avec quasi certitude que Brad Pitt et Jennifer Aniston ne se sont pas revus depuis la première semaine de janvier 2005. J'ai toutefois eu la confirmation qu'Aniston est encore en très bons termes avec les parents de Pitt et qu'elle leur parle régulièrement.

Tous s'accordent à dire que Jennifer Aniston ressent encore beaucoup d'amertume au sujet de sa séparation, particulièrement à propos des commentaires d'Angelina Jolie sur les débuts de sa relation avec Brad Pitt. Aniston a qualifié ces propos de « pas cool » dans une entrevue au magazine *Vogue* en décembre 2008. Jolie avait notamment confié à un reporter que pendant le tournage de *Mr. and Mrs. Smith*, elle s'était rendu compte qu'elle était « très impatiente d'aller travailler ». Dans sa propre entrevue, Aniston a par ailleurs ajouté qu'elle était toujours « en contact » avec Brad Pitt, ce qui n'a pas manqué de déclencher un torrent de spéculations dans les tabloïds, mais il n'existe aucune preuve de ce qu'elle avance.

En 2009, le bruit a commencé à circuler que l'ex-directeur de la sécurité de l'actrice, Mickey Brett, envisageait d'écrire un livre révélant tout sur ses années au service du couple chéri de Hollywood. Brett avait commencé à travailler pour Angelina Jolie alors qu'elle était toujours mariée à Billy Bob Thornton, et il affirme avoir été congédié par Pitt en 2008 parce que, selon ce dernier, il était trop violent avec les photographes et les gens qui s'approchaient de ses clients. En avril 2009, il a commencé à faire le tour des éditeurs pour proposer au plus offrant l'histoire de ses sept années au service de Jolie. Parmi les révélations sensationnelles qu'on pourrait y lire, Brett affirme qu'il a « surpris Angelina et Brad en pleine intimité dans la loge de cette dernière » trois semaines après le début du tournage de *Mr. and Mrs. Smith.*

Il soutient également que Jolie a trompé Pitt à de nombreuses reprises et qu'elle aurait entre autres eu une aventure avec une vedette féminine de la chanson populaire. L'offre présentée aux éditeurs avance que « Mickey a arrangé une vingtaine de rencontres secrètes dans des hôtels entre Angie et cette femme lorsque Brad était en tournage ».

L'avocat du couple, Martin Singer, a immédiatement tenté de discréditer Brett en affirmant qu'il n'était pas une source fiable et que, de plus, il était lié par une entente de confidentialité. Singer a également affirmé que les histoires présentées dans le projet de manuscrit avaient été largement exagérées par le nègre de Brett, Robin McGibbon. Ce dernier a affirmé qu'il avait écrit les anecdotes exactement comme Brett les lui avait relatées. Un mois plus tard, devant les menaces de poursuites judiciaires, Brett a fait marche arrière et a déclaré publiquement qu'il n'avait jamais eu l'intention d'écrire un livre.

* * * *

Une femme qui a travaillé pour Pitt à l'époque de *Troie*, et qui demeure en contact avec des employés ayant accès à l'intimité de ce dernier, a proposé de m'éclairer sur le statut du couple :

« Premièrement, leur relation n'est pas artificielle. Ils sont incontestablement amoureux, mais c'est là que ça se complique. Si vous voulez savoir s'ils sont encore ensemble, la réponse va dépendre du moment où vous posez la question. Ce qu'on me dit, c'est qu'ils rompent si souvent que c'en est étourdissant. [...] D'après ce qu'on me dit, c'est toujours Brad qui quitte le foyer après une engueulade sur un sujet ou un autre. On me rapporte qu'il y a de violentes disputes et que c'est généralement elle qui hurle le plus. Mais personne n'est jamais vraiment témoin de ça. Tout ce qu'ils voient, c'est Brad partir en trombe. Il finit toujours par revenir, mais personne ne sait ce qui le ramène. Je crois qu'il l'aime sincèrement et qu'il tient à la famille qu'ils se sont créée. On dit qu'il est vraiment un bon père pour ses enfants. Mais il y a aussi toute cette histoire de Brangelina. Il tient vraiment à leurs bonnes œuvres, également. C'est comme s'ils étaient des super héros qui combattent le mal et sauvent le monde ensemble. Je ne pense pas que c'est facile d'abandonner tout ça. Il faut connaître Brad, il est très sincère, il ne déconne pas avec les gens. Mais je ne sais pas s'il est vraiment équipé pour faire face au tempérament explosif d'Angelina. Je ne l'ai jamais rencontrée et je ne les ai jamais vus passer du temps ensemble. Peut-être que je comprendrais mieux si je les voyais interagir. »

Une autre femme qui travaillait sur le plateau de *Mr. and Mrs. Smith* à Los Angeles se souvient de leur comportement. « Ils semblaient vraiment s'apprécier mutuellement », m'a-t-elle confié, tout en précisant n'avoir entendu que des rumeurs au sujet de leur liaison à cette époque. Elle m'a dit n'avoir jamais observé de contacts physiques entre eux, mais connaîtrait quelqu'un qui en aurait aperçu. Par contre, ce qu'elle a pu voir d'Angelina semble démontrer que la longue relation du couple tient du miracle. « Angelina est très imprévisible. Tous ceux qui se sont déjà trouvés en sa présence savent ce que je veux dire. Elle n'est pas déplaisante. Elle est... imprévisible. »

Un exemple de son caractère explosif m'a été relaté par un chauffeur de limousine. « Il fut un temps où je les conduisais partout », m'a expliqué l'homme. Il m'a décrit le couple comme de « bons enfants » qui étaient la plupart du temps très amicaux. Il se souvient qu'ils étaient très affectueux l'un envers l'autre au début de leur relation. Il les a vus « le faire » à deux reprises sur les banquettes de son véhicule, mais affirme que leur relation a pris un virage à cent quatre-vingts degrés en 2007, lors d'une sérieuse prise de bec, toujours dans sa limousine : « À vrai dire, j'étais plus inquiet pour sa sécurité à lui que pour celle de sa conjointe. Elle a vraiment perdu les pédales, elle le menaçait et l'insultait. Je ne sais pas quel était le sujet de cette dispute, mais après l'avoir vue dans cet état, je n'arrive pas à comprendre que quelqu'un veuille la côtoyer tous les jours, pour aussi belle qu'elle soit. Elle a le tempérament d'un cobra. »

D'autres personnes qui ont travaillé dans l'entourage du couple rapportent que leur relation était instable jusqu'en janvier 2007, date où Marcheline Bertrand, la mère de Jolie, a perdu son long combat contre le cancer des ovaires, à Los Angeles. « Angelina a été absolument dévastée par la mort de sa mère », m'a raconté un membre de l'équipe technique du film *Wanted : Choisis ton destin*[35], tourné quelques mois après la mort de Bertrand. « On m'a dit qu'elle éclatait parfois en sanglots en plein milieu d'une scène et qu'elle s'excusait parce qu'elle n'arrivait pas à ne pas penser à sa mère. Brad lui rendait alors visite sur le plateau avec les enfants, et cela lui redonnait le sourire. Il était très attentionné avec elle et je crois que cela a beaucoup aidé à lui remonter le moral. »

Au cours des mois qui ont suivi la mort de Marcheline Bertrand, de nombreux bruits ont commencé à circuler selon lesquels la dernière volonté de Bertrand était que sa fille se marie avec Brad Pitt. Aucune source n'a toutefois été citée. « Si vous observez le mode de fonctionnement habituel de Jolie, il est évident qu'elle désire devenir madame Pitt, alors c'est peut-être elle qui a finalement convaincu Brad que leur mariage était la dernière volonté de sa mère, m'a confié un journaliste de Los Angeles. De mon côté, je suis sceptique. J'ai rencontré Marcheline à trois reprises, et je doute fort qu'elle se souciait que leur union soit officialisée ou non. Je pense que Jon Voight était plus vieux jeu qu'elle. Si Brad l'épouse, il sait qu'elle n'en aura pas après sa fortune, et ils n'auront pas besoin de recourir à une entente prénuptiale. Elle est presque aussi riche que lui.

35. Titre au Québec : *Recherché*.

Pas tout à fait autant, parce qu'il a une petite longueur d'avance, mais elle n'est certainement pas pauvre. »

En public, Pitt a toujours été évasif lorsqu'il était question d'épouser Jolie. Il a déjà déclaré qu'il « envisagerait » de l'épouser lorsque tout le monde pourrait se marier légalement, faisant référence à la légalisation des mariages entre personnes de même sexe aux États-Unis.

* * * *

Nous sommes en septembre 2009, et je suis attablé devant une tasse de café au Hollywood Farmer's Market, en compagnie d'une observatrice aguerrie qui a couvert le couple Jolie-Pitt pendant près de trois ans pour le compte d'une publication culturelle. Comme tous les journalistes que j'ai rencontrés, elle avoue ne pas arriver à démêler le vrai du faux dans toutes les rumeurs circulant à leur sujet. Elle m'informe toutefois qu'elle voit déjà des « signes », et se lance dans une prédiction :

« Ils vont rompre d'ici dix-huit mois, probablement plus rapidement que ça, et voilà comment ça va se dérouler : ils vont se séparer à l'amiable, arriver à une entente au sujet des enfants et tout va se faire de façon civilisée. Puis, on va commencer à lire des histoires racontant qu'Angelina n'en pouvait plus que Brad fasse toujours la fête, qu'il buvait trop et qu'il fumait trop de marijuana, qu'elle était inquiète pour les enfants et que ce n'était pas un environnement sain pour eux. Peut-être même acceptera-t-il sa part de responsabilité en jouant le jeu. Il est déjà en train de préparer le terrain en mentionnant de plus en plus souvent son amour de la marijuana. Il a récemment affirmé que son habitude de fumer de la marijuana le transformait en “larve”. Rien de bien grave, mais ce serait suffisamment plausible pour expliquer pourquoi leur relation parfaite a pu se détériorer. C'est exactement comme ça que ça va se passer, et s'ils sont encore ensemble dans dix-huit mois, je t'invite à dîner chez Morton's. »

Néanmoins, à la lumière de tout ce que j'ai appris au sujet de la nature de Brad Pitt et d'Angelina Jolie pendant mes recherches, je ne m'aventurerais pas aussi vite que mon amie journaliste sur le terrain glissant des prédictions. En principe, tout semble lui donner raison. Mais dans les faits, les deux acteurs ont tout intérêt à garder la marque Brangelina en vie, car une séparation pourrait leur coûter cher, et ce, à bien des égards. En particulier, ils risqueraient de nuire à leurs œuvres caritatives respectives en mettant un terme au dynamique duo de la justice sociale qu'ils ont eux-mêmes créé.

Pourtant, en observant ce qu'ils sont devenus, je ne peux m'empêcher d'avoir l'impression de regarder un conte de fées se dérouler à l'envers. Je ne serais donc pas surpris d'apprendre la nouvelle de leur séparation d'ici Noël 2010.

En attendant, le monde entier va continuer à suivre leurs péripéties avec avidité, tout en étant tenu dans l'ignorance du véritable état de la relation des deux stars grâce à leur habile entreprise de désinformation et à une gestion soigneuse de leur image.

CONCLUSION

Alors, qu'est-ce que « Brangelina » ? Il ne suffit pas de dire Brad Pitt et Angelina Jolie, du moins plus maintenant. Bien que ce surnom, joliment tourné par les tabloïds, ait d'abord été concocté pour évoquer le couple de l'heure à Hollywood, le terme Brangelina a dorénavant pris une tout autre dimension. En dépit des services prodigués par des professionnels sophistiqués pour créer et entretenir une image impeccable et féérique auprès d'un public subjugué, il y a autre chose qui se cache derrière toute cette exubérance. Brangelina n'est pas qu'un vernis superficiel, une coquille pleine de superlatifs hollywoodiens et vide de sens. Brangelina possède en vérité de la substance, grâce aux deux individus qui composent et nourrissent le phénomène.

Le public a été manifestement séduit par Pitt et Jolie lorsque le couple est né, il y a plus de quatre ans. Mais la question qui demeure, tout à fait légitime : sont-ils vraiment les héros au service de la justice sociale que le monde a enviés et admirés ? Jolie est-elle la super maman capable de jouer dans trois films par année, de voler à la rescousse de la planète et de continuer à changer des couches tout en aidant ses enfants à faire leurs devoirs ? Jolie et Pitt sont-ils d'authentiques âmes sœurs qui auraient définitivement renoncé à leurs démons intérieurs et trouvé la plénitude dans la philanthropie et la vie de famille ?

Peut-être que non. Au bout du compte, cela signifie simplement que ces deux êtres sont profondément humains.

Brad Pitt, ce garçon réfléchi et simple du Midwest américain qui a charmé Hollywood – et plusieurs femmes de la région – serait, sous tous rapports, un très chic type, facile à vivre, qui s'entend bien avec ses potes et qui gâte ses enfants ; il boit aussi de la bière et fume un petit joint, parfois, comme tant d'autres hommes. Il ne semble souffrir d'aucun vice majeur. Il a quitté Jennifer Aniston pour Jolie à la suite d'un irrésistible coup de cœur, mais qui sait ? Peut-être serait-il resté avec sa femme pour fonder une famille si elle était tombée enceinte.

Angelina Jolie est sans aucun doute une personnalité plus complexe. Intense, passionnée et très charnelle, elle semble avoir consacré son existence à prendre tous les risques possibles. Il apparait toutefois qu'elle a su prendre de la hauteur sur son passé flamboyant et parfois trouble pour atteindre une certaine stabilité, du moins en apparence.

Tous deux sont des acteurs acclamés et reconnus par leurs pairs. Pitt a remporté le Golden Globe du meilleur acteur en plus d'avoir été nominé à deux reprises pour un Oscar. Jolie a gagné un Oscar et le Golden Globe trois fois ; elle fut mise en nomination pour deux prix Emmy, deux autres Golden Globes et un autre Oscar.

Et, bien sûr, le couple s'implique activement dans plusieurs œuvres humanitaires. Depuis 2001, Jolie témoigne sans relâche en faveur des réfugiés et poursuit son travail à titre d'ambassadrice de bonne volonté pour les Nations Unies. Elle fut conférencière au forum économique mondial de Davos en Suisse, et elle voyage sans cesse à travers le monde en soutenant des causes qui lui tiennent à cœur. Pitt a travaillé pour la prévention et le combat contre le Sida, en plus d'être venu en aide aux victimes de l'ouragan Katrina et d'avoir plaidé leur cause ; enfin, il a contribué à fonder et à mettre sur pied l'organisme *Not On Our Watch*, voué à la lutte contre le génocide au Darfour.

Pour toutes ces raisons, Brangelina représente beaucoup plus qu'une paire de mégastars, aussi amoureuses soient-elles. Derrière ce terme honni se cache un duo qui travaille avec acharnement et ne compte plus les réussites, et ce, même s'il évolue dans un milieu capricieux, pour ne pas dire sans merci. Il désigne aussi un couple qui rend au monde entier ce qu'il a reçu ; un couple qui utilise sa prospérité et son influence pour faire le bien à vaste échelle.

Bien sûr, ils ont tiré profit de la machine à rêve de Hollywood pour éconduire et détourner l'insistante curiosité du public afin de dissimuler certaines situations embarrassantes ; mais ils en ont aussi profité pour promouvoir leurs causes favorites, pour véhiculer l'image d'une famille stable… Bref, pour convaincre le public qu'ils mènent une vie équilibrée, qu'ils ont obtenu tout ce qu'ils désiraient et réussi tout ce qu'ils ont entrepris. Le problème, c'est que dans la mythologie hollywoodienne, ne pas avoir une image publique parfaite est synonyme d'échec.

La légende Brangelina pourra-t-elle durer ? On devrait plutôt formuler la question autrement : Angelina pourra-t-elle maintenir le rythme qu'elle s'est imposé ? Brad prend plutôt la vie comme elle vient, mais Jolie semble motivée par une volonté de réussir à tout prix, et l'espoir de devenir une icône de la perfection : compagne idéale, mère attentive pour ses enfants tant biologiques qu'adoptifs, porte-parole des réfugiés qu'elle rencontre partout dans le monde. Mère, vedette, activiste... Sainte ?

Angelina Jolie a toujours aimé vivre sur la corde raide. Durant sa jeunesse, elle s'amusait avec des armes blanches, et on peut affirmer avec certitude qu'il s'agit là d'une métaphore parfaite pour illustrer sa vie. Un couteau est un instrument tranchant, qui peut procurer des sensations fortes et grisantes. Mais comme l'actrice en a fait l'expérience, une coupure trop profonde peut être fatale. Les couteaux, le sexe et les drogues l'ont tour à tour consumée, s'approchant à chaque fois d'un peu plus près, d'un peu trop près, de l'autodestruction.

Angelina Jolie a finalement su préserver sa carrière et son propre équilibre en canalisant ses pulsions dans d'autres activités exaltantes. Elle entretient maintenant trois grandes passions : le cinéma, la philanthropie et sa famille. Et malgré ce qu'elle prétend, elle ne semble pas près d'abandonner la première au bénéfice des deux autres. Elle veut tout. Une accoutumance, que ce soit au travail ou aux bonnes œuvres, reste une dépendance. Pour combien de temps encore parviendra-t-elle à maîtriser ses pulsions ?

Elle semble être sur le point de craquer, devenant « erratique ». Elle a ses « moments difficiles ». Brad Pitt est là et il est resté fidèle. Mais jusqu'où pourra-t-il se rendre si Angelina commence à s'effondrer ou à se désagréger ? Ce serait vraiment dommage s'ils venaient à se séparer, pas seulement pour eux ou pour leur famille, mais aussi pour le public qui cherche, minutieusement, à détecter leurs faiblesses. Ce serait désolant, car Brangelina fait office d'idéal de la réalisation de soi et de l'engagement social. C'est, pour chacun d'entre nous, une norme étincelante, même si le mythe a été construit de toutes pièces, destiné à la consommation.

Selon un examen approfondi de l'état actuel de Brangelina, le tic-tac du compte à rebours semble se faire entendre de manière de plus en plus claire et insistante. Combien de temps s'écoulera encore avant le prochain « épisode », le prochain

« moment » dont Jolie ne se remettra pas rapidement ou pas du tout ? Si elle se lance de nouveau dans l'autodestruction, qui en sera affecté et quels dommages seront subis ? Pitt voudra-t-il la quitter ? Qui reprendra le flambeau des causes qu'ils défendent ? Qui s'occupera des enfants ?

Mais, d'abord et avant tout, qui prendra soin d'Angelina ?

Ian Halperin

Remerciements

Ce livre n'aurait pas été possible sans l'aide et les encouragements de nombreuses personnes à qui j'aimerais exprimer ici ma plus sincère reconnaissance :

Pierre Turgeon, l'incroyable dirigeant de Transit Éditeur, pour son soutien de tous les instants et pour avoir structuré ce livre. Merci d'avoir été là à toutes les étapes.

Jarred Weisfeld, sans aucun doute le meilleur agent du monde, doublé d'un ami dévoué. Ma fille m'a recommandé d'engager Jarred à vie – c'est fait ! Il est toujours là pour moi.

François Turgeon, ce génie dont la créativité et la perspicacité m'ont donné le désir de persévérer.

Timothy Niedermann, mon éternelle reconnaissance pour ses talents de correcteur.

Max Wallace, pour sa perspicacité visionnaire et son acharnement à vérifier les faits. Longue vie à notre amitié, à notre santé et à notre succès.

Sean O'Brien, mon associé solide comme le roc dans le site Web ianundercover.com. Longue vie à son entreprise de design.

Aux gens qui ont témoigné ouvertement, et à ceux qui ont dû le faire sous le couvert de l'anonymat parce qu'ils sont encore proches de Brangelina.

À toute l'équipe de Transit Éditeur pour son incroyable soutien et son amitié.

Merci à (sans ordre particulier) :

Ruth Fishman, Alan Kaufman, Anthony Ziccardi, Ian Kleinert, Howard Stern, Judith Regan, Shloime Perel, Ron Deckelbaum, Alison Moyet, Randolph Freedman, Dylan Ratigan, Geraldo Rivera, Charles Small, *Paris Match*, la Ville d'Oslo, Skavlan, Samantha Lockwood, Denise DuBarry, Michele Frenière, Robert Brouillette, Fran Weinstein, D. J. Petroro, Mancow Muller, Isabelle Dubé, Stuart Nulman, Larry et Belinda Seidlin, Dax, Renee Bosh, Andrew Rollings, Dr. Tony Stanton, Michael Cohen, Jeffrey Feldman, Jesse Jackson, Elliot MacDonald, Jon Reisler, Fleeze Fleming, Mitch Melnick, Christopher Heard, George Thwaites, Natalie Thomas (*US Weekly*), Paula Froelich, Page Six, Noah Levy (*In Touch*), Lloyd Fishler, Karin Thomsen (1969–2009), Vanesa Curutchet, Peter Daley, Nate Colbert, Miles Wilkerson, Jimmy Davidson, JetBlue, Sofitel L.A., The L.A. Public Library, Norah Lawlor, Samantha Harris, Kia Zalewski, Annette Witheridge, Kevin Stinson, Jack Stinson, Amy Stinson, Meredith and Matt, Liz Jote, toute la bande d'Austin (Christine, Angie et Nuno), Morgan Nicholls, Jillian Harris, Esmond Choueke, Jim Nelson, Paul Santana, OTR, Dany Bouchard, Varda, Noir Chocolat, David Gavrilchuk, Elisa Gross, Irwin Gross, Bill Reed, Julius Grey, Nathalie McLennan, Al Barry, Pumpkin Jones, Kate and Keane, Kris Kostov, Michael Peshev, Denny Jacobsen, Nancy Grace, Terrance Hutton, Laura and Amanda, Petro Karloski, Sean Gottlieb, Rudy Bing, Alain Sommet, Brigit Laferriere, Daschl Wallace, Steven Sherman, Aldon James, The National Arts Club, Dawn Olsen, Mike Hess, Tommy Mays, Jacob Cohen, Al Reed, Stanley Hart, Laurent Medelgi, Gerry Gorman, Jennifer Robinson, Bob Shuman, Bryan White, Cynthia Jackson, Robert Lee, Ella Donaldson, Justin St. Marie, Peggy Allison, Clarissa Young, Bonnie Fuller, Michael Thomas, Terrance Dean, Ceasar DiSantos, Allison Lewis, Mr. Keating, Jerome Sabu, Yitzhak Klein, Bob White, Ted Ridder, Paul Carvalho, J. P. Pawliw Fry, Joe Franklin, Carl Horowitz, Leonard Wexler, Harvey Levin, Britt Taylor, Wendy Peterson, Jean Anne Rose, Lynn Grady, Matthew Benjamin, et Etienne Champagne. Si j'oublie quelqu'un, je vous remercie aussi !!!!

Collection « À DÉCOUVERT »

Déjà parus

Guy Laliberté : La vie fabuleuse du créateur du Cirque du Soleil
– Ian Halperin

Michael Jackson : Les dernières années
– Ian Halperin

À paraître

Kiefer Sutherland : Vivre dangereusement
– Christopher Heard

Britney Spears : La femme-enfant, l'argent et la gloire
– Christopher Heard

David Carradine : Au cœur de ma tourmente
– Marina Anderson

Le meurtre d'Anna Nicole Smith
– Juge Larry Seidlin

Du même auteur
chez d'autres éditeurs

Hollywood Undercover :
Revealing the Sordid Secrets of Tinseltown (2008)

Love & Death : The Murder of Kurt Cobain (2004)

Miss Supermodel America (2004)

Top models, les coulisses de la gloire : L'enquête (2000)

Best Ceos : How the Wild, Wild Web Was Won (2000)

Fire and Rain : The James Taylor Story. Citadel (2000)

Shut Up and Smile : Supermodels, the Dark Side (1999)

Who Killed Kurt Cobain? The Mysterious Death of an Icon (1998)

Celine Dion: Behind The Fairytale (1997)

Achevé d'imprimer en janvier 2010
sur les presses de Worldcolor St-Romuald

470, 3e Avenue
St-Romuald
Québec G6W 5M6

Imprimé au Québec

Dépôt légal : Premier trimestre 2010

ISBN : 978-0-9812396-7-5